D1409002

10
18

12, AVENUE D'ITALIE. PARIS XIIIe

Sur l'auteur

Né à Londres en 1954 de père pakistanais et de mère anglaise, Hanif Kureishi a fait des études de philosophie au King's College de Londres. Il a signé les scénarios de *My Beautiful Laundrette* et de *Sammy et Rosie s'envoient en l'air*, tous deux portés à l'écran par Stephen Frears. Il est l'auteur de nombreux romans dont *Le Bouddha de banlieue*, *Black Album*, *Intimité*, *Quelque chose à te dire* et *Le Dernier Mot*. Avec *Contre son cœur*, il s'essaie pour la première fois au récit autobiographique et nous livre son formidable roman familial. En 2010, le prix Harold Pinter de la fondation PEN lui a été décerné pour l'ensemble de son œuvre. Hanif Kureishi vit aujourd'hui à Londres.

HANIF KUREISHI

LE DERNIER MOT

Traduit de l'anglais
par Florence Cabaret

CHRISTIAN BOURGOIS ÉDITEUR

Du même auteur
aux Éditions 10/18

Titre original :
The Last Word

ISBN 978-2-264-06546-9

Main character: Harry Johnson
Someone somewhere is telling a story. He was
hosen to tell this story. Harry will be the
arrator of this story.
es an englishment, not concerned with problems
hat don't directly involve him. They're worried
e won't be able to tell the story properly.

1

Harry Johnson regardait la campagne anglaise qui défilait depuis le train où il s'était installé : il se faisait la réflexion qu'il n'y avait pas un instant où quelqu'un, quelque part, ne soit occupé à raconter une histoire. Et si la chance continuait de lui sourire jusqu'à la fin de la journée, il se disait qu'il serait bientôt embauché pour raconter l'histoire de celui à qui il allait rendre visite. Eh oui, c'était lui, Harry, que l'on avait choisi pour raconter toute la vie de ce grand homme et artiste majeur. Comment est-ce qu'on se lance dans une telle entreprise ? se demanda-t-il en frissonnant. Par où commencer ? Comment cette histoire, toujours en cours, finirait-elle ? Et, plus crucial encore, est-ce qu'il était seulement capable d'aller au bout d'un tel projet ?

Cette Angleterre paisible, jamais troublée par la guerre ou la famine, ni par les conflits ethniques ou religieux, ni par la révolution. Pourtant, si l'on en croyait les journaux, la Grande-Bretagne était une petite île surpeuplée, grouillante d'immigrants affairés qui, pour beaucoup, s'agrippaient aux flancs du pays comme à un bateau qui serait sur le point de chavirer. Mais ce n'était pas tout : des milliers de demandeurs d'asile et de réfugiés cherchaient à fuir les perturba-

disturbances

tions qui agitaient le reste d'un monde en plein chaos en espérant pouvoir traverser la frontière. Certains s'entassaient dans des camions, d'autres se suspendaient sous les wagons des trains ; nombre d'entre eux traversaient la Manche sur la pointe des pieds en empruntant des filins tendus entre les deux côtes ; d'autres encore chevauchaient des boulets de canons tirés depuis Boulogne. Les fantômes avaient la part belle. En attendant, depuis que la crise financière avait éclaté, on avait l'impression que tous ceux qui étaient à bord de ce pays étaient tellement tassés, tellement claustrophobes qu'ils en venaient à se retourner les uns contre les autres, tels des animaux pris au piège. Avec la hausse de la précarité – la baisse du nombre d'emplois, la diminution du montant des retraites, la réduction de la sécurité sociale –, les gens voyaient leur qualité de vie se dégrader. Le système de protection mis en place après guerre, celui avec lequel Harry et sa famille avaient vécu, appartenait au passé. Mais, quand il regardait ce paysage, Harry avait l'impression que le gouvernement avait délibérément choisi d'inoculer au corps politique le virus de l'angoisse à haute dose puisqu'il ne voyait là qu'une Angleterre verdoyante et plaisante s'étendre à perte de vue : de robustes troupeaux, des champs impeccables, des arbres parfaitement taillés, des ruisseaux abondants, le ciel étincelant du début du printemps. On pouvait même croire qu'il n'y avait pas un seul restaurant indien à des kilomètres à la ronde.

Pschitt ! Brutalement, son visage fut couvert de gouttes de bière. Il tourna la tête. Face à lui, Rob Deveraux, éditeur audacieux et respecté, ouvrait une autre cannette. Il avait contacté Harry pour lui demander d'écrire une biographie sur cet écrivain éminent – Mamoon Azam, romancier, essayiste et dramaturge né en Inde – que Harry admirait depuis l'adolescence, à l'âge où il dévorait les livres, au point qu'il connaissait certains passages par cœur parce que, à ses yeux, les écrivains étaient des dieux, des héros, des rock stars. Tout de suite, Harry s'était montré enthousiaste et partant. Après des années d'études et d'obéissance, les choses tournaient bien pour lui ; ses profs le lui avaient prédit, à condition qu'il ne se disperse pas et qu'il garde bouche et braguette fermées. Le temps était venu de faire une pause ; il en aurait pleuré de soulagement et d'excitation. Il le méritait, pensait-il. Quelques années plus tôt, alors qu'il approchait la trentaine, Harry avait publié une biographie de Nehru qui avait été bien accueillie ; elle relatait un certain nombre de faits nouveaux et même si, suivant en cela les critères à la mode, il avait dû légèrement pimenter l'histoire de cette vie bien connue avec quelques récits de copulations interraciales, de sodomies, d'alcoolisme et d'anorexie, la critique avait considéré que, dans l'ensemble, c'était une contribution éclairante. Même les Indiens avaient aimé. Quant à Harry, il avait eu l'impression de « faire ses devoirs ». Depuis, il rédigeait des comptes rendus et donnait des cours, tout en cherchant un nouveau projet dans lequel il pourrait investir son énergie, son envie de s'engager ainsi que sa passion pour la création ; il espérait que ce serait l'occasion de se faire un nom, qui le révélerait aux yeux du monde entier et le lancerait vers un destin radieux.

Par un beau dimanche matin, Harry et Rob avaient donc pris le train pour Tauton : ils se rendaient chez Mamoon, dans cette maison où l'écrivain légendaire avait vécu presque toute sa vie depuis qu'il était adulte, et qu'il partageait désormais avec sa seconde épouse, Liana Luccioni, Italienne d'une cinquantaine d'années, pleine d'esprit et d'allant. Si seulement il avait pu profiter tranquillement du spectacle du monde aperçu depuis la fenêtre du train – son Angleterre –, Harry aurait pu garder son calme et sa sérénité mais Rob, tel un entraîneur de boxe, avait tenu à échauffer et à aiguillonner son poulain dans la perspective du combat qui l'attendait.

Rob lui expliquait que c'était à la fois un avantage et un inconvénient d'écrire sur quelqu'un de vivant. Le sujet lui-même pouvait vous aider, disait-il, alors que Harry épongeait avec un mouchoir la bière qui lui avait éclaboussé le visage. Le passé pouvait prendre une couleur différente à mesure que le grand homme revenait dessus – et c'était justement la tâche qui incombait à Harry : faire en sorte que Mamoon revienne sur son passé. Rob n'avait aucun doute là-dessus, Mamoon allait aider Harry, d'autant plus qu'il avait finalement reconnu que cet ouvrage était crucial pour lui. Liana dépensait de plus en plus d'argent, peut-être même plus encore, et de manière de plus en plus inconsidérée, qu'aucune autre femme qu'il avait pu connaître. Rob disait que c'était comme si Gandhi avait épousé Shirley Bassey et qu'ils aient décidé d'aller s'installer à Ambridge.

Mamoon avait toujours bénéficié d'un immense respect dans les milieux littéraires, ainsi qu'auprès des journaux d'extrême droite. Après tout, c'était un écrivain issu du sous-continent indien qu'ils pouvaient aimer, quelqu'un qui pensait que la domination, surtout celle des élites intellectuelles, informées, brillantes (autant dire, des gens qui, bizarrement, lui ressemblaient), était préférable à la stupidité universelle, et même à la démocratie.

Mais, à force d'être trop cérébral, trop intransigeant et tourmenté pour être apprécié d'un large public,

Mamoon commençait à avoir de réels problèmes d'argent ; malgré les louanges et les prix, il se trouvait dans une situation financière délicate. À tel point qu'il était en pourparlers avec une université américaine à qui il allait vendre ses archives. Avant qu'il ne soit également dans l'obligation d'hypothéquer sa maison une deuxième fois, sa femme et son agent étaient tombés d'accord pour décréter que la meilleure façon de relancer cette carrière stagnante (Mamoon était désormais le genre d'écrivain dont on se demande : « Est-ce que tu sais s'il est toujours vivant ? ») était de publier une nouvelle biographie « controversée » avec, en photo de couverture, le portrait d'un jeune homme particulièrement irrésistible et dangereux. Cette image léchée, mémorable, serait tout aussi importante que le texte : pensez à Kafka, Greene, Beckett – autant d'écrivains dont le tempérament taciturne n'a jamais gâché le charme d'une photo à l'ambiance ténébreuse et sulfureuse. Tel était donc le livre que Harry allait écrire. La biographie serait un « événement », un « big bang », accompagné, bien sûr, d'un documentaire télé, d'entretiens, d'une tournée de lectures publiques ainsi que de la réédition de ses livres traduits en quarante langues.

D'un autre côté, poursuivait Rob, le fait que l'auteur soit vivant pouvait aussi inhiber le biographe. Rob avait rencontré l'homme une bonne dizaine de fois ; il disait que Mamoon, et c'était tout à son honneur, ressemblait plus à Norman Mailer qu'à E. M. Forster. Dans ce cas précis, concéda Rob, l'inhibition était quelque chose dont Harry n'aurait pas besoin. Ça ne cadrerait pas vraiment avec le sujet.

Harry se disait en son for intérieur que Rob ressemblait davantage à Norman Mailer que Mamoon, qu'il avait trouvé plutôt retenu et empreint de dignité la seule fois où il l'avait vu. Rob était un rebelle, brillant, mal rasé, débraillé, qui sentait l'alcool la plupart du temps. Ce jour-là, quand ils s'étaient retrouvés, il était franchement soûl et il avait commencé à boire dès le début du voyage ; il mangeait des chips sans discontinuer et il avait des miettes collées partout sur son visage et ses vêtements, comme si c'étaient des pellicules. Rob disait qu'écrire était une forme extrême de combat, de « grâce salvatrice » pour l'humanité. À ses yeux, l'écrivain incarnait forcément le diable, celui qui perturbe nos rêves et saccage nos sottes utopies, qui fait surgir la réalité et rivalise avec Dieu dans ce projet qu'il a de créer d'autres mondes.

Harry acquiesçait d'un air grave à ce que lui disait Rob, comme il le faisait toujours ; il ne voulait laisser transparaître aucun signe d'inquiétude.

Si Harry avait tendance à penser qu'il était plutôt du genre précautionneux, conservateur même, Rob donnait l'impression qu'il encourageait ses auteurs à développer une forme de pugnacité, de dissipation et d'« authenticité », de peur, disaient certains, que le fait d'écrire, d'être associé à l'écriture ou même d'éditer des textes puisse être perçu comme une activité « artistique », féminine, efféminée peut-être, ou même « homo ». Indépendamment de Mamoon, Harry avait déjà entendu de nombreux récits sur les tendances « antisociales » de Rob. Il n'allait pas à son bureau avant cinq heures de l'après-midi mais il y passait la nuit, entre lecture de textes, coups de téléphone et autres démarches – peut-être entre deux virées dans Soho. Il s'était marié peu de temps auparavant, mais il semblait avoir oublié que le mariage est un état continu et pas seulement l'événement d'un jour. Il dormait à droite à gauche, souvent dans des endroits peu confortables, un livre ouvert posé sur le visage.

Il donnait le sentiment de vivre dans une dimension temporelle qui se rétrécissait ou se dilatait en fonction de ses besoins plus qu'en fonction de la marche des horloges, dont il disait qu'elles étaient des objets fascistes. Si quelqu'un l'ennuyait, il lui tournait le dos, voire il lui retournait une gifle. Il lui arrivait de tailler arbitrairement dans le texte de ses écrivains, ou de changer le titre de leur livre, sans les en informer.

Ces récits de folie n'inquiétaient pas Harry, parfaitement conscient qu'il n'y a que ceux qui sont fous qui parviennent à produire une œuvre qui compte vraiment. De plus, nombre des textes inscrits au catalogue de Rob avaient reçu des prix et Rob lui-même était puissant, convaincant : il savait y faire. Cela faisait cinq ans que Harry avait l'occasion de manger et de discuter avec lui dans des soirées et, jusque-là, il n'aurait pu dire qu'il avait assisté à la moindre scène de débauche. Rob possédait le carnet d'adresses le plus branché de Londres et il avait cette aura d'artiste que l'on trouve chez les producteurs de films ou de musique d'avant-garde. Il faisait en sorte que des choses se passent et il savait prendre des risques ; on disait qu'il fonctionnait comme « un homme de l'ombre ». Harry n'aurait jamais imaginé qu'il lui demanderait un jour de travailler pour lui. Pas plus qu'il n'aurait imaginé que Rob lui accorderait une avance confortable sur la rédaction du livre. Si Harry empruntait de l'argent à son père, il serait en mesure de verser le dépôt requis pour l'achat d'une petite maison sur laquelle ils avaient des vues, lui et Alice, sa fiancée, avec qui il sortait depuis trois ans et qui avait emménagé dans son appartement de célibataire. Ils avaient abordé la question des enfants, mais Harry trouvait qu'ils feraient bien d'attendre d'être mieux installés avant de s'engager sur cette voie.

Au cours de l'année passée, Harry s'était fait la réflexion, alors qu'il sentait qu'il atteignait une forme de maturité (c'était déjà ça), qu'il lui fallait aussi détenir une certaine richesse matérielle. Telle n'était pas sa priorité – il avait plutôt envie de devenir quelqu'un de sérieux – mais il commençait à comprendre qu'au tableau des réussites de sa vie il lui faudrait peut-être afficher un compte en banque bien garni, garant de son statut, de ses capacités, de ses privilèges. Rob s'était porté volontaire pour l'aider et le faire avancer dans ce sens. Il n'était que temps. « C'est moi ton Méphistophélès et, à partir d'aujourd'hui, je te déclare officiellement rock'n'roll, lui avait dit Rob. Un jour viendra, bien sûr, où tu devras me remercier d'avoir fait ça pour toi. Et pas qu'un peu. Peut-être que tu m'embrasseras sur la bouche avec gratitude, ou que tu me donneras ta langue. »

Alors qu'ils approchaient de la ville où ils allaient retrouver Mamoon, Rob précisa à Harry qu'il fallait qu'il écrive un livre « aussi fou, aussi féroce » que possible. C'est ça qui lui permettrait de percer. Il avait intérêt à s'entraîner à signer des autographes : il serait reçu dans des festivals littéraires en Amérique du Sud, en Inde et en Italie ; il passerait à la télévision ; il donnerait des conférences et participerait à des tables rondes grassement payées sur la nature de la vérité et l'asservissement du biographe. C'était son billet gagnant. Une fois que l'on avait réussi à écrire un ouvrage qui marchait bien, on pouvait vivre dans son sillage pendant dix ans.

« Mais ne nous emballons pas. Ce sera un vrai parcours du combattant. »

Rob avala une gorgée de bière.

« Le vieux va être insupportable, avec son entêtement, ses sarcasmes. Quant à sa femme, elle peut être très douce et amusante, oui. Mais peut-être que tu devras coucher avec elle, sinon elle pourrait bien te consumer comme si tu n'étais qu'une vulgaire cigarette.

— Ah bon ? Mais pourquoi donc ?

— Quand elle vivait à Rome, là où elle a jeté son dévolu sur Mamoon, elle passait pour une dévoreuse d'hommes qui ne sautait jamais un repas. Et, Harry, quand il est question de renifler la truffe d'une femme, tu n'es guère plus qu'un cochon au groin avide.

— Rob, je vous en prie… »

Mais l'éditeur poursuivit :

« Écoute, Mamoon est un vieux renard rusé et intelligent ; il se peut que tu le trouves inintéressant, amorphe, peut-être même que c'est ce que tout le monde pense, y compris les gens de sa famille. »

Il se pencha pour lui dire tout bas :

« Quand on le voit, on pourrait croire qu'il n'a jamais fait jouir une femme en connaissance de cause, qu'il n'a jamais aimé qui que ce soit mieux que lui-même. Il a su gâcher plus d'un moment de plaisir. C'est un vrai salopard, adultère, menteur, brutal ; il est fort possible qu'il ait déjà tué quelqu'un.

— Les gens sont au courant de tout ça ?

— Tu vas t'en charger. Biographe de l'extrême : c'est ça, ton boulot.

— Je vois.

— Marion, son ex-maîtresse, véritable buste de Bacon posé sur une planche, est aussi redoutable qu'un cancer et déverse régulièrement sa bile. Elle vit en Amérique et elle ne se contentera pas de vouloir te rencontrer : elle va te fondre dessus comme une chauve-souris radioactive. J'ai déjà tout organisé. Je sais, certains m'accusent d'être perfectionniste. Et puis il ne faut pas oublier comment il a poussé à bout sa première femme, Peggy. Je suis persuadé qu'il mettait des oranges dans une serviette pour la battre : elle finissait par être plus bleue qu'un stilton moisi.

— C'est vrai ?

— À toi de te renseigner. J'ai insisté pour que tu aies accès aux carnets qu'elle tenait à l'époque.

— Et il a accepté ?

— Harry, aujourd'hui, le Grand Satan de la littérature est aussi faible et hébété qu'un lion assommé par une bonne dose de calmant. À son tour de se faire prendre. Et c'est dans son intérêt de coopérer. Quand il lira le livre, qu'il comprendra le genre de salaud qu'il a été, il sera trop tard. Tu vas découvrir des choses que même Mamoon ignore sur son compte. Ce sera un morceau de choix soumis à la fourchette de ton intuition. C'est exactement ce que les gens aiment chez les artistes : quand on les exhibe, le pantalon baissé sur les chevilles, les fesses à l'air, purgeant une longue peine avec des tueurs en série, chiant dans leur froc devant des gens qu'ils ne connaissent pas. Ça leur apprendra à croire que leur talent les rend meilleurs que nous autres, médiocres travailleurs sans cervelle, asservis à nos salaires et à nos impôts. »

D'après Bob, la maison d'édition vendrait les passages « croustillants » aux journaux du week-end ; on parlerait du livre partout dans le monde, il serait traduit dans de nombreux pays, les ventes seraient excellentes. Et puis, quand Mamoon mourrait (« J'espère, disait Rob, qui n'était pas du genre à laisser passer une occasion, dans les cinq ans qui viennent »), le livre serait de nouveau sur les tables des librairies, augmenté d'un chapitre qui passerait au peigne fin les dernières amours de l'auteur, son ultime maladie, sa mort, les articles d'hommage, les enfants non reconnus et les maîtresses qui se précipiteraient aux obsèques et iraient voir les journalistes, la poitrine en sang, les cheveux hirsutes, mettant en orbite leurs Mémoires tout en s'écharpant entre elles.

Le train traversait des villes cimetières et Harry sentait son corps renâcler à la perspective de rencontrer Mamoon ce jour-là ; tout le projet l'effrayait, surtout depuis que Rob, qui buvait sans arrêt, ne cessait de répéter que Harry tenait là sa chance de « percer » enfin. Rob « croyait » en Harry mais il avait tenu à préciser aussi que Harry était loin d'utiliser pleinement son potentiel – potentiel que, lui, Rob, avait su déceler en dépit d'une opposition farouche. Avec Rob, il arrivait souvent qu'à un baiser succède immédiatement une claque retentissante.

« Tu sais, Mamoon, je l'ai préparé à ton arrivée, ajouta Rob au moment où le train entrait en gare.

— Comment ça, vous l'avez préparé ?

— Je lui ai dit que tu en connaissais un rayon, que tu passais des nuits entières à lire les trucs les plus costauds, Hegel, Derrida, Musil, Milton… qui d'autre…

— Vous lui avez dit que je comprenais Hegel ?

— Tu n'es pas facile à vendre. Je démarrais de rien avec toi.

— Et si jamais il me demande de lui parler de la dialectique hégélienne ?

— Tu lui indiqueras les grandes lignes.

— Et mon premier livre ? Vous avez dû le lui donner, non ?

— Il a bien fallu, effectivement. Mais il souffre de quelques *longueurs*[1] – même ta mère en conviendrait.

1. En français dans le texte. *(N.d.T.)*

Le bonhomme a eu un mal de chien à passer l'introduction et, après, il a dû rester allongé une semaine à lire Suétone pour se décrasser les papilles. Il faut monter d'un cran, mec, sinon, tu seras tellement à la ramasse que tu n'auras pas d'autre choix que de bosser à la fac. Ou pire encore…

— Pire ? Qu'est-ce qui pourrait être pire qu'une ancienne antenne universitaire ? »

Rob ne répondit pas tout de suite ; il jeta un coup d'œil par la fenêtre avant de lui asséner :

« Que tu donnes des cours de *creative writing*.

— Ah, non, pitié. Je n'ai pas les compétences, moi.

— Mieux encore. Imagine-toi, perdu pour toujours dans une obscure forêt de premiers romans laissés en plan qui requièrent toute ton attention. »

Il rassembla ses affaires et se leva.

« Je vois que nous sommes arrivés au pays de la jachère. Regarde-moi ça, cette lande peuplée de balourds tatoués, de gargouilles et d'imbéciles qui sniffent de la colle. L'horreur, l'horreur ! Est-ce que tu es prêt à prendre le départ du reste de ta vie ? »

2

La belle maison de Mamoon, qui s'était passablement abîmée au cours des sept dernières années de son mariage, se trouvait au bout d'un chemin plein de trous qui serpentait au milieu d'une campagne toute plate ; Mamoon avait acheté plusieurs parcelles qu'il louait maintenant aux fermiers des environs pour qu'ils y fassent du foin. Une clôture électrique avait été installée tout autour pour empêcher les daims de s'y aventurer. À l'origine, c'étaient les parents de Peggy, la première épouse de Mamoon, qui avaient acheté la maison dans les années soixante-dix et qui l'avaient donnée au jeune couple. Peggy, devenue une alcoolique particulièrement irritable et contrariée, était morte douze ans plus tôt et, une ou deux années après, Liana, que Mamoon fréquentait depuis quelques mois seulement, avait franchi la porte de la maison avec ses valises.

Depuis, un des petits bâtiments extérieurs avait été retapé et transformé en bureau pour Mamoon. Une autre grange délabrée abritait les livres qu'il n'utilisait plus, semble-t-il, ainsi que des exemplaires de ses ouvrages traduits dans de multiples langues et des documents de travail entassés pêle-mêle, mais cela faisait un moment que personne n'y était allé voir.

On avait commencé à construire un « atelier » où Liana pouvait écrire, peindre, dessiner, mais il n'avait jamais été terminé et elle l'utilisait pour pratiquer la danse. Avec un architecte, Liana avait aussi envisagé de faire construire une nouvelle pièce pour accueillir leurs invités. C'était en partie à cause de cette extension, mais aussi à cause de tous les aménagements qu'elle avait réalisés dans la maison, que Mamoon était sorti de sa torpeur et s'était dit que, si les affaires ne reprenaient pas, il devrait se trouver un travail lui permettant de gagner sa vie.

Mamoon en personne, à l'aube de ses soixante-dix ans, les attendait dans la cour en compagnie de Liana et de Ying et Yang, deux jeunes épagneuls Springer qui aboyèrent à leur arrivée. Bel homme, à l'apparence encore solide, carrure imposante, petite barbe en forme de bouc, yeux noirs, Mamoon ne faisait pas très grand dans ses vêtements décontractés en tweed, aux tons verts et marron assortis à la campagne anglaise. Quant à Liana, on aurait dit qu'elle était presque entièrement vêtue de fourrure avec toutes ces queues d'animaux morts qui lui pendaient sur la poitrine.

Le couple accueillit leurs hôtes avec chaleur mais Rob comprit très vite, au moment même où il sortait du taxi en trébuchant et lançait un regard plein de déférence en direction de Mamoon, que ce dernier ne s'intéressait absolument pas à lui : Mamoon gratifia Rob d'une de ses célèbres grimaces dévastatrices, pour la plus grande joie de Harry.

Rob s'éloigna d'un pas titubant et se mit à hurler des ordres au téléphone. Puis, tandis que Liana s'éclipsait pour préparer le repas, il se précipita vers le canapé du salon, ramassant au passage un tapis dont il se fit une couverture.

« L'air frais de la campagne me détend complètement à chaque fois. Ne t'y laisse pas prendre, dit-il avant de sombrer dans le sommeil. Et… fais en sorte de l'impressionner. »

Alors qu'il attendait Mamoon, parti se changer, Harry dévisageait Rob, à l'horizontale plutôt qu'à la verticale, tout en se disant qu'il enviait la liberté et la personnalité de l'éditeur, qui ne se laissait jamais entraver par la réalité contingente et décevante.

« Par ici, Harry, s'il vous plaît. Je vous en prie. »

Harry dut y regarder à deux fois : Mamoon venait de faire son apparition à la porte, en survêtement et tennis Adidas. Faisant signe au jeune homme de le suivre, il lui dit qu'il allait lui montrer ses terres, les deux étangs et la rivière qui coulait au bout du champ.

« Marchons un peu et discutons, puisque nous nous intéressons tous les deux au même sujet.

— De quoi voulez-vous parler exactement, monsieur ?

— De moi. »

Harry avait entendu dire qu'avec ses sarcasmes, ses airs supérieurs, la méticulosité et la ténacité dont il faisait preuve quand il débattait, Mamoon avait réussi à faire pleurer des hommes de la plus belle trempe et, surtout (c'était son point fort), bon nombre de femmes bienveillantes et cultivées. Toutefois, alors qu'ils sortaient de la maison pour traverser le jardin, Mamoon ne mentionna aucunement la biographie, ne fit aucune blague ni aucune remarque blessante. Trois semaines plus tôt, Harry avait déjà eu l'occasion d'être présenté à Mamoon et Liana, lors d'un repas que Rob avait organisé. La discussion avait tourné autour de sujets légers et autres rumeurs ; Mamoon s'était montré attentionné, charmant, et avait déposé un baiser sur la main de sa femme. Harry avait cru que cette rencontre à la campagne donnerait lieu à une véritable audition. Mais il avait l'impression qu'il avait déjà été engagé. Ou se trompait-il ? Comment le savoir ?

Ils allèrent faire le tour des fleurs, des légumes, des étangs ainsi que de la piscine, protégée par une barrière mais qui n'avait pas l'air très propre. Puis, se tournant vers Harry, Mamoon lui expliqua qu'il avait besoin d'exercice. Harry comprit qu'entre autres choses, Rob l'avait présenté comme un jeune intellectuel qui savait chanter, en précisant qu'à l'école il avait été champion de tennis. Hélas, le dépravé qui ronflait et grognait sur le canapé avait négligé d'informer Harry que, parmi les missions qui lui incombaient, il lui faudrait servir de partenaire de tennis au vieil homme, si bien qu'il serait invité à enfiler un des vieux shorts de Mamoon et qu'il devrait lui renvoyer les balles sur le court qui se trouvait juste à côté du jardin.

Cet après-midi-là, tandis que Mamoon soufflait et battait des bras, Harry lui faisait travailler son revers et plaquait son corps contre celui de l'écrivain pour l'aider à pratiquer son service ; mais, pendant tout ce temps, le jeune homme était terrifié à l'idée que Mamoon tombe raide mort sur le terrain, prématurément achevé par celui-là même à qui l'on avait confié la tâche de l'embaumer avec des mots.

La partie de tennis ravit Mamoon. Comprenant que la présence de Harry pouvait avoir quelques avantages, il déclara en tapant son poing dans sa main :

« Vous avez l'allure d'un vrai joueur de cricket anglais. Vous étiez dans une équipe à Cambridge ?

— Oui.

— Et vous n'êtes pas mauvais au tennis. Vous m'avez même poussé dans mes retranchements. Ça me plaît. J'en ai besoin. Pendant que vous écrirez sur moi, on peut tout à fait se mettre au défi l'un l'autre. On améliorera notre technique et notre niveau ensemble. Ça vous dit ? »

Mamoon partit se doucher ; Liana emmena Harry au jardin, l'invita à s'asseoir sur un banc et commença à lui tapoter le genou. Au même moment, une fille à l'air campagnard, aux yeux sombres et aux cheveux bruns retenus par un élastique, vêtue d'un corsage blanc ajusté, entreprit de traverser à petits pas l'immense pelouse, avec du thé et des biscuits sur un plateau. Quand elle arriva enfin jusqu'à eux, au bout d'une bonne demi-heure lui sembla-t-il, et qu'elle commença à les servir (il avait l'impression qu'à la campagne tout se déroulait au ralenti : le flot de thé parut se figer entre la théière et la tasse), Liana dévisagea Harry avec un mélange de sévérité et de pitié et lui montra les alentours :

« Qu'en pensez-vous ? »

Harry soupira.

« La paix, le silence, l'éloignement. Cet endroit, c'est le paradis. Peut-être que j'arriverai à vivre comme ça, quand je serai plus vieux.

— Uniquement si vous travaillez dur. Je peux vous révéler la vérité maintenant, jeune homme. Mon mari vous trouve très bien. Il m'a chuchoté à l'oreille quand il est venu se changer que vous donniez l'impression de faire partie des quelques derniers Anglais honnêtes et brillants que l'on peut encore trouver sur cette île. "Comment font-ils pour être si honnêtes ?" m'a-t-il demandé. Mais, Harry, il est de mon devoir de vous demander ce que vous avez l'intention de faire avec cet homme que j'aime, que j'admire, que j'adore.

— C'est l'un des plus grands écrivains de notre temps. Je veux dire de tous les temps. Ses fictions sortent vraiment du lot et il a eu l'opportunité de rencontrer et d'écrire sur quelques-uns des personnages les plus violents, les plus puissants de notre monde. Je veux livrer un récit authentique de cette vie fascinante.

— Comment ferez-vous pour tout raconter ? »

Rob avait précisé à Harry qu'il ne serait jamais pris en défaut s'il faisait référence aux « faits ». Personne ne pouvait se prendre de bec avec « les faits » : il n'y avait pas de discussion possible, comme quand on se prend un coup dans la figure.

« Les faits… »

Mais Liana l'interrompit :

« Je dois vous prévenir que ce ne sera pas facile, mais Mamoon est plein de compassion et de sagesse. Vous allez écrire un livre gentil, en gardant bien en tête que tout ce qu'il possède, moi mise à part, c'est sa réputation. Le premier qui la lui salit devra affronter les pires cauchemars et les pires souffrances, jusqu'à la fin de sa vie. Au fait, vous vous droguez ? »

Harry fit non de la tête.

« Et êtes-vous du genre à multiplier les aventures ? »

Harry secoua de nouveau la tête.

« Je suis sur le point de me fiancer.

— À une femme ?

— Absolument. Elle travaille comme assistante pour une styliste.

— Et vous n'avez pas de casier judiciaire ?

— Non.

— Mon Dieu, avec vous, on a toutes les réponses d'un coup. »

Il sentait que la tête commençait à lui tourner ; Liana le fixait d'un air admiratif ; il se sentit gêné et porta la tasse à ses lèvres.

« Comment le trouvez-vous, votre thé, monsieur ? lui demanda la fille qui se tenait toujours à côté d'eux. Vous aimez l'Earl Grey ? Euh… si c'est votre préféré et que vous restez ici quelque temps, je peux vous en avoir une centaine de sachets.

— Merci, j'aime bien ce thé, effectivement.

— Gâteaux secs ?

— Non merci.

— Gâteaux fourrés, alors ?

— Non merci.

— Et si l'on rentrait manger quelque chose de plus consistant ? » suggéra Liana.

Rob avait sauté le déjeuner et s'était réveillé au moment où le taxi arrivait.

« Je me dis, commenta Liana tandis qu'elle et Mamoon se tenaient enlacés et saluaient Rob et Harry qui étaient sur le point de s'en aller, que ça va être vraiment sympa de vous avoir chez nous. Nous allons tous tellement bien nous entendre au sein de l'équipe Mamoon. Vous allez être comme un coq en pâte ici à Prospects House, la Maison des Horizons ! Je sens déjà que vous allez être un vrai fils chéri pour nous. »

« Ils sont tellement heureux ensemble, dit Rob alors que le taxi les emmenait. Ça me fait enrager. Harry, ne rentre pas tout de suite chez toi. Je ne suis plus aussi marié que j'ai pu l'être. Ça te dirait de sortir défoncer quelques fions ?

— Non, je vous en prie…

— Il n'y a pas de non qui tienne, l'ami. »

Cette nuit-là, pensant que c'était la dernière fois que Harry serait en contact avec la civilisation avant plusieurs mois, Rob insista pour les inviter, lui et Alice, dans un endroit chic de Mayfair, fréquenté par des banquiers, des truands et des prostituées russes. Ils commencèrent par commander de la vodka, des huîtres et des crevettes roses mais, comme toujours avec Rob, le repas s'étirait en longueur et ils mirent un certain temps avant d'en arriver au premier plat. Des heures plus tard, titubant à travers la grande ville tranquille, Harry, qui avait l'impression d'avoir avalé la tête de quelqu'un, lança :

« Qui pourrait croire que le système financier s'est effondré ? »

Rob le prit dans ses bras :

« Mon gars, ne te préoccupe pas de ça. Je pense qu'il y a suffisamment de problèmes qui t'attendent. Ce projet pourrait tourner au cauchemar, mais n'oublie jamais la chance que tu as de pouvoir explorer un tel sujet. C'est maintenant que tu vas commencer à vraiment travailler. »

Se précipitant vers la gracile Alice, qui se mit à vaciller dangereusement sur ses talons hauts alors qu'il la serrait contre lui sans que personne comprenne bien pourquoi, Rob déclara :

« Ne t'inquiète pas, divine créature. Ton amoureux va l'emporter. Au final, tu l'admireras encore plus que maintenant.

— Vous êtes quelqu'un de malin, Rob, dit-elle. Mais vous ne m'avez pas convaincue. »

Elle avait déjà fait remarquer que Harry, même s'il avait plus de trente ans, était toujours un peu naïf ; Mamoon pourrait n'en faire qu'une bouchée, le laisser humilié, démuni.

« C'est sûr, d'un point de vue psychologique, il pourrait en garder des séquelles. N'est-ce pas vous qui avez dit que l'épouse de Mamoon avait déclaré qu'il était comme son fils ? Quel genre de femme dit ça tout à trac à un inconnu ? »

Rob riait bêtement ; il promit qu'il ferait le nécessaire pour avoir tout le monde à l'œil. Il avait consacré toute sa vie aux auteurs à problèmes – c'étaient eux qui avaient toujours le plus de talent – et Harry n'avait qu'un coup de fil à passer en cas de difficulté. De toute façon, même s'il refusait de l'admettre, Mamoon se sentait seul. Il allait accueillir Harry à bras ouverts ; il adorait débattre, discuter littérature. Ce serait extrêmement formateur pour Harry. Il sortirait de l'expérience enrichi d'une patine plus sophistiquée.

Dans le taxi, Alice enlaça Harry et l'embrassa sur la tempe.

« Je te connais, tu vas te sentir coupable, à devoir tout simplifier, à mettre l'accent sur telle ou telle chose en fonction de tes intérêts. Ou de ceux de Rob plutôt, qui te malmène passablement dans l'affaire.

— Ah bon ?

— Tu ne vois pas que tu es suspendu au moindre de ses mots, au moindre de ses délires, que tu hoches la tête comme un gentil toutou dès qu'il arrête de parler ? C'est évident, non, tu vas devoir écrire sur Mamoon des trucs qui ne vont pas lui plaire ?

— J'espère bien. Mais j'ai fait comprendre à Rob que ce serait *mon* livre. Il est d'accord. Il a dit que j'étais un artiste.

— Quand est-ce qu'il a dit ça ?

— Juste avant de s'endormir la tête sur la table.

— Et si Mamoon et sa femme cherchent à se venger de toi ? Rob me disait tout à l'heure que la vieille chouette était capable de piquer des crises terribles. J'ai lu quelque part qu'elle avait balancé un ordinateur à la tête d'un journaliste qui avait demandé à Mamoon s'il était prêt à renier ses valeurs pour devenir une sorte de pseudo-gentleman.

— Ce n'est pas avec ce genre d'attitudes qu'on a pu bâtir l'Empire britannique. Alice, pourquoi est-ce que tu ne me soutiens pas ? Qu'est-ce que tu aimerais que je fasse ?

— Honnêtement ? J'aimerais que tu sois prof dans une école lambda.

— Et que l'on vive dans un pavillon confortable en banlieue ?

— Pourquoi pas ?

— Tu ne tiendrais pas cinq minutes avec l'argent que je gagnerais.

— On ne serait pas les mêmes, on aurait moins de paires de chaussures.

— Chérie, tu sais très bien qu'il faut que ma vie décolle. Même mon père dit que j'ai toujours l'air d'un étudiant. Dans ma famille, c'est bien vu quand on veut devenir un homme.

— Ça veut dire quoi au juste, Harry ?

— Savoir faire rire, savoir raconter des histoires. Faire du sport, avoir du succès. Être dans le haut du panier. Ce livre, c'est la dette que j'ai envers mon père. Et puis, Rob veillera sur moi. Il m'a conseillé la ruse et le silence, et il a d'autres trucs dans ses manches. »

Elle se détourna :

« Tu te moques bien de ce que je peux te dire.

— Écoute, il s'est passé quelque chose dans le train. Rob m'a collé le contrat sur les genoux et il a insisté pour que je le signe.

— Et tu l'as signé ?

— C'était le moment pour moi de me décider. Maintenant, je suis tout excité. S'il te plaît, tu viendras me voir à la campagne, là-bas ? Je suis certain qu'ils n'y verront pas d'objection. Ils vont t'adorer, tout autant que moi je t'adore, j'en suis sûr.

— Je ne crois pas, non.

— Pourquoi ?

— Ils sont trop intimidants. Je ne saurai pas quoi lui dire s'il m'interroge sur les conséquences à long terme de la révolution iranienne. Il faut simplement que je trouve de quoi m'occuper à Londres. J'ai envie d'apprendre à dessiner.

— Oh, Alice, je t'en prie.

— Ne me mets pas la pression. Laisse-moi respirer, lui dit-elle en l'embrassant à nouveau. Voyons comment les choses évoluent. J'ai dans l'idée que tu reviendras me voir dans pas longtemps. »

3

Une semaine plus tard, Harry emménageait chez Mamoon et Liana dans une petite chambre à l'étage qui donnait sur le jardin de devant.

Le soir où Harry avait pris son dernier repas à Mayfair, c'était un Rob bredouillant et sérieusement alcoolisé qui avait déclamé une citation d'*Oncle Dynamite* de Plum Woodhouse : « Même l'homme le plus solide tremble à l'idée que se déchire le voile qu'il a jeté sur son passé, à moins d'avoir un passé d'une pureté exceptionnelle. »

Harry n'était pas homme à se laisser dérouter facilement. Il s'était préparé à la perspective de devoir déchirer le voile en question : il avait relu Mamoon, il allait régulièrement à la salle de sport où il s'entraînait avec un coach au teint carotte et il était allé chercher conseil auprès de son père, qui était psychiatre, concernant l'affrontement d'intellects qui se profilait. Tout en haut de la liste de ses priorités, il avait inscrit la recommandation de Rob qui lui avait suggéré une manœuvre d'approche latérale tout en douceur consistant à charmer et à travailler au corps Liana, la gardienne des lieux, jusqu'à ce qu'elle vienne s'agenouiller devant lui pour lui présenter sur un coussin de velours la clé qui lui donnerait accès à Mamoon.

« Mets le paquet, mec, je te l'ai dit. Plein pot, d'accord ! Comme tu as fait avec mon assistante Lotte : elle pleurait tout le temps et, maintenant, elle va voir un thérapeute trois fois par semaine, la pauvre. »

Rob poursuivit :

« Au début, elle te paraîtra bizarre, sa femme, mais elle s'est démenée pour trouver *la* personne qui serait capable de faire le portrait de son mari ; à Londres, elle a enquiquiné tous les agents, tous les éditeurs pour ça. C'est moi qui l'ai orientée vers toi.

— Et qu'est-ce qui l'a décidée ?

— À ton avis ?

— Mon potentiel et mon style, j'imagine. Mon intellect, peut-être.

— Ses deux premiers choix avaient laissé tomber après avoir rencontré Mamoon. Il en avait traité un d'“amateur”.

— Et l'autre ?

— D'“excrément”. Tu étais le moins cher parmi les candidats convenables qui restaient sur le marché et, de son point de vue, tu étais probablement le plus naïf. Elle pense qu'elle t'intimidera suffisamment pour que tu pondes une hagiographie.

— Ah !

— T'inquiète, mon gars, on va le lui laisser croire et on leur révélera le pot aux roses quand les carottes seront cuites. Un vrai jeu de dupes. N'oublie pas que sa vanité sera notre force. Utilise-la comme un levier ; utilise-la contre lui. »

Les premiers jours, après le petit déjeuner, quand Mamoon rejoignait son bureau de l'autre côté de la cour sans même leur avoir adressé un regard, Harry s'asseyait à la table de la cuisine avec Liana et, adoptant la même expression que son thérapeute, il entreprenait de la faire parler de la haine qu'elle ressentait vis-à-vis de sa sœur, de ses croyances spirituelles, il lui demandait pourquoi les hommes l'avaient toujours adorée, pourquoi elle préférait boire du thé plutôt que du café l'après-midi, il l'interrogeait sur le tempérament de ses nombreux chiens et chats, sur la personnalité de sa parapsychologue et ils finissaient par se dire qu'elle ferait peut-être mieux de laisser tomber le yoga pour faire du Pilates. Mais leur principal sujet de discussion s'attachait surtout aux quelques kilos en trop qu'elle avait au niveau de la taille et des fesses et à la manière dont elle pourrait les perdre. Elle disait qu'à Londres toutes les femmes étaient anorexiques, et qu'à la campagne elles étaient toutes obèses.

La mère de Liana avait été professeur d'anglais ; elle était aussi spécialiste de l'Arioste et du Tasse. Quant à sa grand-mère, elle avait écrit pour De Sica et Visconti. Mais, quand elle lui apporta une boîte remplie de photos d'elle enfant – « la petite fille en moi est toujours là, Harry, elle attend qu'on l'aime » –, il comprit que le visage plein d'empathie qu'il arborait avait eu trop d'effet. D'une certaine façon, il avait réussi à convaincre Liana qu'en plus de faire un travail de recherche sur son mari il était aussi homme à tout faire.

« Très cher, s'il vous plaît, un grand blond costaud comme vous, avec – ouah ! – des jambes solides et des beaux bras musclés, vous allez bien m'accompagner au supermarché, si ça ne vous ennuie pas ; cinq minutes, pas plus ; sinon nous n'aurons rien à manger ni à boire ce soir. »

Il devait charrier les courses jusqu'à la voiture, puis jusqu'à la maison. Il s'était également retrouvé à transporter des cartons de livres d'une pièce à l'autre, à aller chercher du bois pour la cheminée dans la grange, à mettre de la mort-aux-rats ici et là, à faire du feu dans la bibliothèque, à jeter des souris à moitié mangées déposées sur le perron, et à accomplir ainsi tout un tas de tâches ménagères que les deux femmes du village qui venaient cinq matins dans la semaine – parfois accompagnées par la fille de l'une d'entre elles : celle qui se déplaçait avec une extrême lenteur – n'avaient pas le temps ou pas la force de faire. Dans la mesure où il n'était pas à l'hôtel, Harry savait, et Alice l'encourageait dans ce sens, qu'il devait donner un coup de main pour « s'intégrer dans l'équipe ».

La réussite de son offensive de thérapeute de charme et la relative solitude de Liana avaient rendu celle-ci extrêmement collante. Le plus sage pour lui, se dit-il au bout de quelques jours, alors qu'il passait en revue le matériau qu'il pourrait commencer à examiner, ce serait de prendre son petit déjeuner à six heures et demie chaque matin. Ensuite, il se précipiterait pour faire ses « recherches », juste avant de se confronter au couple en robe de chambre et d'entendre Mamoon se plaindre des œufs, de la température des toasts, du fardeau terrible de sa condition d'écrivain qui n'avait plus rien à dire et dont la seule perspective était désormais la cécité, l'incontinence, l'impuissance, les articles assassins, la mort, l'anonymat.

Après le petit déjeuner, Liana était occupée à donner ses instructions et à activer son personnel, dont deux aides qui venaient s'occuper du jardin ; Harry trouvait alors l'occasion de s'éclipser vers la grange dont elle lui avait donné la clé en disant « Voilà, *tesoro*, maintenant, vas-y : trouve-le. »

Ce qu'il découvrit quand il poussa la porte grinçante, c'est que personne n'était venu là depuis un moment et que l'endroit était à l'abandon. Y cohabitaient pêle-mêle des livres dont personne ne voulait plus, des vieux manteaux, meubles en piteux état, crottes de souris et d'oiseaux, une table de billard américain, des cartons pleins de manuscrits jamais aboutis et, le plus précieux, dans un cageot en bois, les carnets intimes de Peggy, la première femme de Mamoon. Doucement, il les prit un à un pour les essuyer avec un torchon. Puis, il nettoya une table, dégotta une chaise intacte, répara une lampe et se plongea dans la lecture.

Mamoon avait beaucoup vécu et beaucoup écrit : pièces de théâtre, adaptations de classiques transposés dans le tiers-monde, essais, romans, un peu de poésie. Le travail de Harry s'annonçait énorme, sans compter que sa principale source d'information n'était autre que Mamoon lui-même. Harry avait l'intention d'avoir avec lui des entretiens précis et sérieux. Pas d'intermédiaire pour obtenir les informations ; le point de vue de Mamoon, c'était ça le clou du spectacle. Mais, quand Harry approcha son sujet d'études, ouvrit la bouche pour lui demander s'il pouvait lui consacrer un moment pour répondre à quelques questions, celui-ci se montra moins que coopératif et continua son chemin sans même ralentir, comme s'il évitait un de ces journalistes qui travaillent pour la presse à scandale. Le quatrième jour, après le petit déjeuner, Harry s'étant fait la réflexion que Mamoon allait traverser la cour cinquante mètres plus loin pour rejoindre son bureau, il décida de s'embusquer derrière un arbre tout en fumant une cigarette. Quand il repéra sa proie, il se précipita :

« Monsieur, monsieur. »

Mamoon baissa la tête, leva les bras au ciel et détala comme un lapin.

Liana bondit hors de la cuisine :

« À quoi vous jouez ? Ne l'approchez jamais quand il est dans cette zone !

— Quand est-ce qu'il va me parler ?

— Il vous est profondément attaché.

— Vous en êtes sûre ?

— Il faut que je le travaille au corps. Il faut l'attendrir.

— Vous feriez ça ?

— Faites-moi confiance, jeune homme. Je serai votre guide. Nous le percerons à jour. »

En attendant, Harry était ravi de voir que, sur les débuts de Mamoon, la source la plus précise était les journaux que Peggy avait tenus dès les premiers temps de leur relation. Onze volumes empilés se dressaient devant lui, écrits si petits que Harry devait utiliser une loupe et une règle pour les déchiffrer. Ils étaient aussi très beaux à regarder : Peggy utilisait des encres de couleurs différentes, écrivait avec des inclinaisons changeantes. Page après page, il trouvait des fleurs séchées, des mots de Mamoon, le dessin d'un contour de sa main, des coupures de presse, des photos Polaroid de ses chats, des listes, des cartes postales envoyées par des amis. Comme il avait accepté de ne pas garder les journaux ni d'en recopier de passages et que les carnets seraient bientôt transférés en Amérique, il devait se dépêcher de les lire tout en prenant des notes au fur et à mesure.

Il avait déjà commencé à réfléchir en termes de chapitres : le jeune Indien sans expérience décroche une bourse, quitte Cambridge et s'installe à Londres ; l'auteur en herbe travaille également comme journaliste ; l'écrivain commence à se faire un nom grâce à un roman drôle et fort juste qui parle de son père et des amis qui le roulaient au poker ; lui et Peggy se marient et voyagent ; lui et Peggy s'installent dans la maison actuelle où Mamoon commence à écrire les sagas familiales au temps de l'Inde coloniale qui le rendraient célèbre, ainsi que des essais brillants sur le pouvoir et l'Empire, tout en menant de front des portraits détaillés et des entretiens avec des dictateurs et des fous furieux portés au pouvoir dans les pays du tiers-monde au moment de la décolonisation.

En fin de matinée, Liana lui apportait son café, avec une demi-baguette et des sardines. Ayant vécu à Rome puis un certain temps en Inde avec Mamoon, elle portait des châles très colorés, des bracelets qui s'entrechoquaient sans cesse, de lourdes bagues ainsi que des bottes en caoutchouc de toutes les couleurs à cause de la pluie et de la boue, qui étaient le lot quasi quotidien des gens de la campagne, Harry le découvrait petit à petit. Les manteaux de Liana – en fourrure, la plupart du temps, avec des éclaboussures de terre artistiquement réparties, à la manière de Jackson Pollock – devaient coûter cher.

« Alors, comment va Peggy, la pauvre malheureuse ? demanda Liana à Harry alors qu'elle s'asseyait juste à côté de lui en tapotant les carnets. Encore soûle ? »

Venant d'une famille d'universitaires, Harry avait toujours travaillé d'arrache-pied et il savait parfaitement comment juguler les longues plages d'ennui. Cependant, il trouvait les journaux de Peggy à la fois dérangeants et monotones, surtout les dernières pages où elle décrivait ses nombreux symptômes avec une réelle complaisance : les épouvantables migraines, les douleurs à l'estomac, la peur du cancer, un regret qu'elle avait. Elle avait dû avorter ; elle avait laissé

Mamoon mal se comporter avec elle. Elle s'était détournée, n'avait pas suffisamment insisté, avait été faible avec un homme fort. C'en était même devenu une forme de masochisme.

Les récits de ses problèmes d'obsession compulsive, de son désir de se tailler les veines, entre autres, étaient entrelacés de : « J'aime ma solitude, mais je crains de devenir folle. J'aime lire mais ça ne me suffit pas. Ici, à la campagne, en plein hiver, quand il fait nuit à trois heures, je me mets à voir tout en noir. Je bois, je trébuche et je me réveille par terre, baignant dans mon vomi. Si Mamoon me voyait, il serait atterré. Mais il dort dans les bras d'une de ses femmes, Marion, sur un autre continent. Il a été assez gentil pour m'informer que c'est la première femme qui réussissait à combler son nouvel appétit. Je n'y suis jamais vraiment parvenue, semble-t-il. Il aime la douceur de son corps, il aime sentir sa bouche sur sa bite et cette façon qu'elle a, puisque le mot "non" ne fait pas bon ménage avec lui, d'être à sa disposition dès qu'il a envie d'elle. »

« Vous ne les avez pas lus ? demanda Harry à Liana qui examinait une photo de Mamoon qu'il avait trouvée quelque part.

— J'aurais aimé le connaître à cette époque, dit-elle. J'aurais pu le sauver. Mais, *grazie a Dio*, pourquoi est-ce que je lirais ça ? »

Liana parlait comme Mamoon mais l'inverse n'était pas vrai. Elle avait un anglais teinté d'inflexions indiennes et d'accent italien et s'exprimait avec une voix forte et abrupte, comme une bourrasque cinglante dans vos cheveux, surtout quand elle se sentait offensée, et il n'était pas rare que quelque chose lui fasse offense. Même ses mails résonnaient de cette voix forte.

« Vous n'êtes pas curieuse de savoir ?

— Je vis un vrai rêve ici. »

Avant de rencontrer Mamoon, elle avait dû affronter deux fausses couches, un mariage difficile et un divorce. Puis elle avait vécu seule dans un petit appartement à Rome, près du Tibre, à dix minutes de la Piazza del Popolo ; elle allait en boîte, adorait boire, faisait l'amour quand l'occasion se présentait...

« Avec qui ? » demanda-t-il tout en notant quelque chose.

Elle lui prit le bras pour lui chuchoter à l'oreille qu'elle adorait toutes les formes d'expression sexuelle. Quand elle s'habillait pour sortir et qu'elle se mettait à danser, l'érotisme qui émanait d'elle pouvait enflammer la ville entière. À l'époque, elle aimait les hommes plus jeunes.

« Quel âge ?

— La bonne vingtaine, *tesoro*. Ils sont encore joueurs à ce moment-là, leur corps est beau, ferme. Et dans leur tête, ils sont presque adultes. »

La nuit, elle s'asseyait sur le rebord de sa fenêtre pour lire Tourgueniev ; elle pensait qu'elle en avait fini avec la passion. Et puis, par hasard, un jour, le maestro fut assez généreux pour entrer dans la petite librairie anglaise qu'elle dirigeait. Elle l'avait immédiatement reconnu, était tombée en extase. Ses livres, c'était sa vérité et lui, c'était son destin. Malgré sa timidité et ses cheveux de sorcière, elle n'avait pu s'empêcher de lui demander un autographe, pour qu'il touche le livre qu'elle lui tendait avec ses mains de chair et de sang, celles-là mêmes qui tenaient le stylo du génie. Il lui donna son numéro.

À l'occasion de leur deuxième rencontre, alors qu'ils déambulaient au soleil à la Villa Borghese, l'endroit qu'elle préférait, elle lui dit qu'elle était tombée amoureuse de son pouvoir de création primale.

Il fut soulagé. Il mourait de soif. Il l'emmena dîner. Elle portait sa jupe en dentelle bleue. Elle n'avait jamais connu d'homme à la peau sombre. Ils se faisaient l'amour avec les yeux. Il joua son rôle à la perfection et l'invita dans son lit. Certes, il était un peu plus vieux que ceux auxquels elle était habituée, mais que pouvait-elle faire d'autre que s'offrir à lui ? Elle était ravie que ce ne soit pas seulement un compagnon de discussion comme c'est parfois le cas de certains hommes intelligents. Au vu de son expérience, les intellectuels ne s'investissaient pas assez dans leur sexualité, ils avaient des érections faiblardes et un sperme trop liquide, trop mousseux même. Mais Mamoon avait pris son temps pour la déshabiller, il savait comment regarder son corps, comment la laisser se montrer à lui ; il savait ce qu'il fallait dire d'un corps de femme. Il lui caressa les pieds, les embrassa et la posséda à trois reprises au moins.

Le matin, il embrassa sa bouche : elle sentait le café. Il lui dit qu'il aimait ce goût sur ses lèvres, de café noir et amer. Depuis, c'est avec plaisir qu'elle était restée entre ses bras.

« Dieu ne m'a pas donné d'enfants, Harry, mais Il m'a donné Mamoon alors même que je croyais qu'il était trop tard ! À une époque, le simple fait de penser à lui me faisait jouir. Est-ce qu'on ne pourrait pas jeter aux ordures Peggy et ses journaux intimes pour vivre la vie de ceux qui sont bien vivants plutôt ? Je suis la femme de Tolstoï : s'occuper de cet endroit, c'est comme diriger un domaine !

— Est-ce que Mamoon a lu ces journaux ?

— Pourquoi ? Vous les trouvez choquants à ce point ? Il a gâché sa vie à s'occuper de cette pauvre femme qui s'est tuée uniquement pour le contrarier. Pourquoi est-ce qu'il aurait envie maintenant de gaspiller la moindre minute pour une créature qui a été aussi gâtée, aussi renfrognée ?

— Il a reconnu, dans certains de ses entretiens, qu'ils travaillaient tous les deux sur ses manuscrits. C'était la seule personne qui n'avait pas peur de le relire et de le corriger.

— Mais vous voyez jusqu'où va sa bonté : il en fait les louanges alors que nous savons tous ce qu'il en est. Que, de toute évidence, c'était son travail à lui du début jusqu'à la fin.

— Peut-être qu'elle était comme les Beatles avec George Martin : impossible de la dissocier de l'œuvre une fois finie.

— Je vous en prie, arrêtez de nous détourner de l'essentiel avec des remarques stupides. Vous savez très bien que nous avons besoin de quelque chose qui relance sa carrière. Je peux vous le dire : pour renflouer les caisses, je vais écrire un livre. Si je vous laisse lire quelques pages, vous pourrez me donner des conseils.

— J'aimerais beaucoup. Mais, Liana, il faut que je parle à Mamoon si je dois écrire sur ce qu'il est, aujourd'hui, ici. Sinon, je pense que je vais plier bagage et que je rentrerai chez moi dès ce week-end.

— *Acha*, ce soir alors », dit-elle.

Harry les rejoindrait au moment du dîner.

À sept heures trente, le bruit d'une cloche résonna en bas. Harry interrompit son travail. Il savait que Liana aimait que la table ronde près de la fenêtre soit impeccablement dressée, avec des serviettes bien repassées, de l'argenterie étincelante, des bougies et, en accompagnement, le meilleur vin, le meilleur champagne. Elle portait un jean, un pull à col en V tandis que Mamoon avait enfilé une chemise propre. Quand Harry entra dans la pièce, Liana lui jeta un regard féroce et désapprobateur en voyant le tee-shirt déguenillé qu'il avait gardé. Il savait qu'il ne le mettrait plus jamais, qu'il le brûlerait peut-être même. La gouvernante, Ruth, qui avait des veines saillantes sur les bras, une bouche grise et amère, une tenue noire et un tablier blanc, les servit en silence. Sa sœur était en cuisine.

Rob avait expliqué à Harry que Liana était une simple amoureuse des livres sans grande connaissance de ce en quoi consistait réellement la vie d'un écrivain professionnel, si bien qu'elle s'était fait des idées sur le statut du Mamoon et sur sa fortune. Elle avait été choquée d'apprendre que ses textes lui rapportaient si peu d'argent. Une petite réputation, même de qualité, ne se traduisait pas facilement en monnaie sonnante et trébuchante. Ses comptables lui avaient expliqué que, si la situation ne s'améliorait pas dans un avenir proche, ils devraient vendre la maison et les terres pour aller vivre dans un endroit plus petit. « Peut-être quelque chose de très modeste, Harry – un bungalow, même. »

À l'évidence, Liana s'était convaincue que la seule solution, c'était de faire de Mamoon une « marque », comme elle disait. Harry constata avec un certain amusement que Mamoon parla peu durant tout le dîner, comme s'il avait garé son cerveau dans un endroit plus accueillant où la vue était plus belle, ne semblait pas saisir tout ce que cela impliquait.

« Une marque, tu dis, *habibi* chérie ? Est-ce que je vais devoir me transformer en ketchup Heinz ou en stylo Montblanc ?

— Pas en ketchup, non. Plutôt quelque chose comme la marque Picasso. Ou Roald Dahl. Il y a des tonnes de gens qui entrent et sortent sans arrêt de cette misérable petite remise, et qui paient des fortunes pour y avoir accès. »

Mamoon lui fit remarquer que Dahl était mort depuis longtemps, ce à quoi Liana lui rétorqua :

« Ce n'est pas important, ça : il est toujours vivant dans l'esprit des gens. Il faut que nous te vendions mieux pour que, toi aussi, tu sois vivant dans leur tête. »

Elle désigna Harry d'un signe de tête :

« La biographie, ce sera un bon moyen pour commencer. Et est-ce que nous n'aimons pas énormément notre gentil Harry ?

— Le garçon a un coup droit remarquable.

— Mamoon, combien de fois faudra-t-il que je te rappelle que ton génie n'a pas été rémunéré à l'aune de sa valeur ? Je vois régulièrement nos comptables et, je peux te l'assurer, ils n'ont peut-être pas lu tes livres mais, quand ils examinent tes comptes, ils ne peuvent s'empêcher de soupirer. »

Elle lui prit la main, l'embrassa, la frotta doucement contre son cou.

« Chéri, ce n'est pas un essai sur Tagore qui va réparer le jacuzzi. »

Mamoon fit la grimace, se pencha en avant :

« On a un jacuzzi ? »

Au moins Liana faisait-elle un effort : elle monnayait l'adaptation de ses livres à l'écran, elle utilisait les contacts de Mamoon pour mettre au point une émission culinaire qu'elle chapeauterait, elle essayait de le convaincre de faire une série de conférences lucratives aux États-Unis. Elle avait également l'intention de « coucher sur le papier », comme elle disait, un roman qui raconterait l'histoire d'une belle Italienne tombant amoureuse d'un génie. Elle avait informé Harry qu'il pourrait l'assister dans cette tâche. Qui, de nos jours, à part ce Mamoon qui fonctionnait à l'ancienne, se souciait d'écrire ses romans ? Pas plus qu'on ne se soucie de faire les plans de sa maison. Est-ce que Harry accepterait de lire ce qu'elle avait écrit jusque-là pour lui donner quelques conseils ?

Harry sortit fumer dans la cour. Liana le suivit :

« Pourquoi faire cette tête quand vous êtes chez moi ? Mamoon vit dans un univers de rêve ! Si je ne le protégeais pas, il serait brisé. N'oubliez pas que vous êtes ici afin de montrer au monde entier ce qu'est un artiste.

— C'est ce que j'essaie de faire.

— Vous savez, Harry, je suis un peu fatiguée de vous voir renifler à droite à gauche, écouter, poser une question sournoise tout à coup à propos de tel événement et pourquoi ça s'est passé comme ça. Laissez-moi donc vous demander : combien de chambres y avait-il dans la maison où vous avez grandi ? »

Comme il hésitait, elle poursuivit :

« Eh bien, voilà. Vous n'arrivez pas à vous en souvenir. Cinq ? Six ?

— C'était une maison conçue par Norman Shaw ; on habitait à la station Bedford Park de Chiswick, dans l'ouest de Londres. Elle était un peu défraîchie. Papa l'a vendue quand je suis parti à Cambridge. C'est vraiment bête : ça vaut des millions aujourd'hui.

— Mais votre père était chirurgien.

— Il était médecin, puis il est devenu psychiatre. Il a d'abord travaillé dans un asile, et après, dans un hôpital.

— *Salaud*[1] *!* Mais ne faites pas attention à ce que je dis. Mamoon et moi, on a dû travailler comme des bêtes de somme pour arriver là où on en est aujourd'hui, tandis que vous, vous avez été élevé dans le un pour cent de la population mondiale qui se situe en haut de l'échelle. En d'autres temps, Harry, vous vous seriez retrouvé dans la politique, dans la diplomatie, l'économie ou la banque. Qu'est-ce qui n'a pas marché ?

— Tout s'est très bien passé. Nous avons été élevés de telle sorte qu'on ne se sente pas mal à l'aise avec les fous. Papa invitait ses anciens patients à la maison. Certains restaient vivre avec nous. Il nous encourageait à les suivre dans leurs divagations, dans ce qu'il appelait "leur histoire", le récit qui les faisait tenir. Ce que les gens décrivaient comme leur folie, c'était la manière dont ils écrivaient cette histoire.

— Qu'est-ce que ça a à voir avec mon mari ? »

À une époque, lui expliqua-t-il, alors que la gauche se déchaînait contre l'impérialisme et l'influence des Américains, au point de soutenir nombre de fascistes du tiers-monde, Mamoon avait interviewé des hommes politiques de premier plan ; il avait écrit sur eux aussi, il avait interviewé des dictateurs également, des barbus qui avaient commis des crimes de masse et qui, parfois, décapitaient personnellement leurs ennemis juste avant de venir le rencontrer – des hommes qui écrivaient leur « roman » dans le sang de leur peuple. Mamoon considérait que c'était une façon de raconter des histoires, de faire l'histoire en l'écrivant. Sa voix était neutre, elle ne jugeait pas, mais elle était d'une grande fermeté morale. Il comprenait la nécessité qu'il y avait à l'existence des

1. En français dans le texte. *(N.d.T.)*

dictateurs, des prophètes, des rois, ainsi que l'amour que nous leur portons.

« Et, de toute façon, Liana, poursuivit Harry, puisqu'on parle de ma famille : ma mère, qui est morte depuis longtemps maintenant, a tenu une librairie à une époque.

— Oh, c'est vraiment triste. Elle vous manque ?

— Tous les jours.

— Vous parlez avec elle ?

— Oui, comment le savez-vous ? »

Elle haussa les épaules.

« Les collines ici sont comme un émetteur radio. On entend des voix partout. Cette maison est une oreille. Vous entendez Mamoon quand il parle la nuit ?

— Non, je ne l'ai pas encore entendu.

— Un jour, vous l'entendrez.

— Ce serait mieux que rien », dit-il.

4

Harry attendait d'avoir une ouverture. Il savait qu'elle se produirait. Il lui fallait patienter.

Dans l'intervalle, pendant la semaine qui suivit, il instaura la routine dont il avait besoin : installé dans la grange, il lisait des carnets intimes, des lettres et des papiers divers jusqu'à treize heures, quand Liana annonçait que le déjeuner était prêt.

Un jour, il vit Mamoon se diriger vers le jardin vêtu d'un survêtement de velours vert et des haltères à la main. Harry se fit la réflexion que ce serait une grossière erreur de sa part de croire ne serait-ce qu'une seconde que la vanité de Mamoon, ou son esprit de compétition, avait décliné avec l'âge. C'était en milieu d'après-midi, il venait juste de se dire qu'il allait lui proposer de faire des étirements, de courir un peu, de s'entraîner avec lui avant de finir par quelques exercices de récupération, et il comprit à ce moment-là que ce serait un bon moyen de gagner la confiance du vieil homme. Mamoon adorait porter toutes sortes de vêtements de sport et il avait très envie de faire de la boxe française et d'apprendre quelques figures de capoeira. « Si plus rien ne me réussit, ou plutôt, le jour où ça m'arrivera, dit Mamoon tout essoufflé, vous pourriez devenir mon entraîneur personnel. »

Le matin de bonne heure, Harry discutait avec Liana et l'aidait à préparer le repas du soir avant de prendre des notes. Plus tard dans la matinée, quand il n'arrivait plus à se concentrer, il commençait à s'agiter. Parfois, il mangeait seul dans un restaurant du coin, avec un livre ouvert à côté de son assiette.

Les jours de chance, Mamoon l'appelait pour qu'il vienne le rejoindre dans la salle de télévision. Il était fier de ce poste de télé dont il disait qu'il était « pakistanais », du fait de sa taille imposante par rapport à la pièce mais aussi parce qu'il était typique (c'est ce qu'il aimait croire) des immigrants sans le sou qui se prosternaient devant, telles des tribus primitives absorbées par la contemplation de la trajectoire de Vénus. Rob avait préparé Harry à ces moments où les verres se remplissaient de whisky : il lui avait dit que c'était dans la confrontation avec la télé que Mamoon devenait lui-même. Durant la majeure partie de sa vie d'adulte, Mamoon avait été son propre opposant, n'hésitant pas à se moquer du politiquement correct dont il inversait les termes, à contrer les contradicteurs à la mode, hippies, féministes, antiracistes, révolutionnaires, tous ceux qui pouvaient être honnêtes, gentils, toujours du côté de l'égalité ou de la diversité. Pendant un certain temps, il avait trouvé l'idée rafraîchissante, stimulante. Mais, maintenant, cette pause l'ennuyait tout autant que le reste. Parfois, il se risquait à une provocation : « Regarde-moi un peu cette espèce de bâtard, là, noir, moche, paresseux », disait-il alors que, à l'initiative de Liana, il allait en ville acheter un fromage local et croisait en route un étudiant africain timide et plein d'enthousiasme qui visitait les églises environnantes. « En quête de rapines, ou d'une Blanche à violer, à mutiler dans ses chairs les plus intimes, c'est évident. » Mais Harry voyait bien que le cœur n'y était pas et qu'il préférait poser des questions toutes simples sur divers sujets, qui le désarçonnaient complètement.

« Dites-moi, Harry, c'est quoi exactement une *happy hour* ? Et qu'est-ce que c'est que le *lap dancing* ? Le *X Factor* ? Et la *waïfaï* ?

— La *waïfaï* ? Ah, le wifi ! »

Mamoon adorait le cricket indien et, même, le cricket pakistanais.

Quand il était arrivé en Grande-Bretagne, il aimait beaucoup regarder les matchs qui se déroulaient en province. Le lundi matin, il prenait le train à Londres sous un ciel humide et frisquet pour aller s'installer avec un thermos et un sandwich au fromage sur les bancs d'un terrain que personne ne connaissait. Dans sa bibliothèque, il y avait un mur couvert de photos de joueurs de l'après-guerre. Malgré tout, il avait mis en bonne place une photo de l'équipe caribéenne de 1963. Rob avait conseillé à Harry de glisser dans la conversation que son oncle avait été capitaine de l'équipe du Surrey et de ramener à intervalles réguliers quelques rumeurs ou quelques DVD concernant les héros préférés de Mamoon – Kanhai, Sobers, Wes Hall et, pour les décennies suivantes, Malcolm Marshall, Gordon Greenwich, Kallicharan et Vivien Richards. Ça ne dérangeait pas Harry de les regarder en boucle avec Mamoon, ni de l'entendre répéter : « Oh, joli coup, monsieur », comme n'importe quel autre Anglais qui se respecte. Le sport, à la fois imprévisible et existentiel, où chaque homme devait faire ses preuves dans l'instant, revêtait une importance plus grande que l'art, trop « doux à ses yeux ». Lancer une balle sur le stade de Lord's, prendre un penalty à Wembley, jouer à Wimbledon, ça, c'était les vrais tests, comme disait Mamoon. « Quand on a réussi un coup pareil à Lord's, on peut mourir heureux, non ? Je ne suis qu'un petit amuseur public à côté. »

Mamoon était particulièrement vif et bavard quand il regardait le foot et il aimait que Harry s'installe avec lui, prenne un verre de whisky, commente les mérites des joueurs et des managers. Harry appelait ça « regarder la coupe du monde avec Nietzsche », surtout quand il comprit qu'il en apprenait plus sur Mamoon en l'écoutant évoquer les perspectives de Manchester City qu'en l'interrogeant sur ses livres ou sur ce qu'il pensait du colonialisme. Au début, les questions de Harry étaient plutôt gentilles et d'ordre général et Mamoon n'avait pas cherché à dissimuler qu'elles l'ennuyaient. « Quand avez-vous su que vous étiez écrivain ? » « Mais je ne le sais toujours pas, aujourd'hui encore. » « Vous aimiez votre père ? » « Beaucoup trop. J'étais un fils plus qu'un homme. » « Quand êtes-vous devenu un homme ? » Si une question lui semblait impertinente ou irritante, Mamoon ne disait rien : il se contentait de regarder au loin et d'attendre que Harry se rende compte de l'imbécillité de ce qu'il venait de lui demander.

Quand Harry se trouvait à côté du grand homme, il ruminait sur les écrivains qu'il avait appris à aimer au fil des ans. Forster, qui mettait le colonialisme en pièces, absurdité après absurdité ; Orwell le grave ; Graham Greene le rôdeur, qui allait au-devant des ennuis et de la mort ; Evelyn Waugh au regard aiguisé, qui détestait ce qu'il voyait. Mamoon était l'un des derniers descendants de cette lignée ; aux yeux de Harry, il en avait la stature. Et voilà qu'il se trouvait chez lui ; il se promenait en sa compagnie, débattait de sujets sérieux. Et c'était lui qui allait écrire l'histoire de sa vie. Leurs noms seraient liés à jamais ; il partagerait un peu de son pouvoir avec le vieil homme. Mais, de nos jours, la biographie s'inspirait beaucoup de la lecture des journaux à scandale ; le genre s'était laissé vampiriser par les ragots : c'était devenu une entreprise de désillusion. Ce qu'on en attendait, c'était de faire tomber les masques, en laissant derrière soi les os blanchis. Vous pensez apprécier tel écrivain ? Mais regardez comment il traite sa femme, ses enfants, ses maîtresses. Il aimait même les hommes. Détestez-le, détestez son œuvre. Quel que soit l'angle d'attaque, la partie était terminée. Désormais, il n'y avait plus qu'une question qui vaille : qu'est-ce que l'on peut pardonner aux autres ? Jusqu'où peuvent-ils aller sans que l'on cesse de croire en eux ?

Harry aimait les artistes depuis suffisamment longtemps pour savoir qu'il fallait leur pardonner des travers qui auraient condamné le premier venu. L'artiste était l'intermédiaire, l'audacieux qui prenait la parole, que l'on remerciait pour ça et qui en payait le prix. Les artistes étaient autorisés, voire encouragés, à vivre des vies plus libidineuses au nom de ceux qui avaient dû laisser leur jouissance à la porte de leur travail. Et tandis que Harry se lançait dans la lecture de tout ce qui avait été stocké dans la grange, il prit conscience qu'il songeait sérieusement à ce dont Rob lui avait parlé. Qu'allait-il faire exactement avec Mamoon ? Qui peut penser à Larkin de nos jours sans l'associer à son goût pour les fesses des petites filles et à sa haine paranoïaque des Noirs – « J'entends le trottinement de gras microbes caribéens qui courent après moi dans le métro… » Ou aux copulations d'Eric Gill avec à peu près tous les membres de sa famille, y compris le chien. Proust torturait des rats et avait légué ses meubles de famille à des bordels ; Dickens a coupé sa femme de toute vie extérieure et l'empêchait de voir ses enfants ; Lillian Hellman mentait. Sartre vivait avec sa mère et Simone de Beauvoir rabattait de belles petites nanas pour lui ; il enviait Camus puis il s'était mis à le descendre en flammes. John Cheever aimait traîner dans les toilettes, toutes narines dilatées, avant de retourner auprès de son épouse. P. G. Wodehouse a fait des émissions pour les nazis ; Mailer a poignardé sa seconde épouse. Deux des femmes qui ont aimé Ted Hughes se sont suicidées. Sans parler de Styron, Salinger, Saroyan… La littérature était un vrai champ de bataille ; aucun être raisonnable n'avait jamais pris la plume pour écrire. Jack Nicholson, dans *Shining*, offrait une bonne interprétation de ce qu'est un écrivain. Si Harry faisait le portrait d'un homme honnête plutôt que d'un mercenaire, personne n'y croirait. Personne n'avait envie de lire ce genre d'histoire : ça ne ressemblait pas assez à la haine, à l'ardeur, à la passion qui habitent un véritable artiste.

Harry voulait que Mamoon sache qu'il « le respecterait et l'honorerait » parce qu'il aimait ce qu'il faisait. Mamoon avait pu être mesquin, ivre, dégoûtant à ses heures, comme n'importe quel homme ou n'importe quelle femme, mais il était crucial que la luxure ne le détourne pas, ni lui ni ses lecteurs, de cette leçon de plus en plus vitale : que l'art avec un grand A, les mots les plus beaux, les phrases les mieux réussies ont un sens, qu'ils comptent de plus en plus dans un monde avili par la censure, un monde où la passion pour l'ignorance s'était frayé un chemin grâce à l'importance croissante de la religion. Les mots étaient le pont vers la réalité ; sans eux, tout n'était que chaos. De mauvais mots pouvaient vous empoisonner et détruire toute votre vie, avait dit un jour Mamoon ; et les bons mots pouvaient recadrer la réalité. La folie de l'écriture était l'antidote à la vraie folie. Les gens admiraient la Grande-Bretagne pour sa littérature uniquement ; cette belle petite île qui s'enfonçait dans les eaux était un grenier à génies, où les meilleurs mots étaient conservés, où on les faisait, les refaisait.

Si Harry se sentait coupable de fouiller dans la vie d'un homme aussi important, qui l'avait invité à habiter chez lui, ce n'était pas parce que Mamoon, du haut de sa grandeur d'âme, de sa délicatesse et de sa dignité (pensez, un homme qui avait été formé et qui avait commencé à écrire avant que l'empire Murdoch ne change radicalement notre conception de « la vie privée »), était au-delà de telles trivialités.

Mais ce sont les trivialités qui font l'homme et, quand il en trouvait, Harry ramenait à Mamoon pour lui en faire la lecture les comptes rendus ravageurs des livres de ses contemporains, de ses amis et connaissances, sachant qu'à les entendre, Mamoon ne pourrait se retenir de glousser et de ronronner de plaisir. Puis, au cours de leurs séances de jogging avec les chiens dans les petits chemins, Harry découvrit que Mamoon adorait les ragots, les plus dégradants surtout. Il se maudit intérieurement de n'avoir pas compris quand il lisait ses textes que l'humiliation était au cœur du fonctionnement de Mamoon ; c'était de là qu'il venait, et c'était là qu'il continuait à trouver son plaisir. Son père n'avait cessé de l'humilier, le mettant ainsi sur le chemin de l'excellence et d'une vie entière de rage à moitié contenue, et Mamoon n'avait jamais pu abandonner ces horribles délectations. Il ne semblait guère touché par les baisers ou les caresses de sa femme, ou même par ces moments où elle cherchait à lui prendre la main, mais il était fasciné dès qu'il percevait un contact interdit chez les autres. Avant de venir s'installer là, Harry avait fait le tour de la potincratie des agents, éditeurs et écrivains pour se constituer une bonne réserve d'histoires en tout genre : infidélité, plagiat, querelle littéraire, tromperie, travestissement, coup de poignard dans le dos, homosexualité et, plus particulièrement, lesbianisme. Pour l'instant, Mamoon était passionné par les histoires de femmes « normales » qui s'étaient laissé entraîner « sur l'autre bord » par « les saphiques » qui, d'après ce qu'il en disait, détenaient de véritables pouvoirs « hypnotiques ».

« Une petite histoire de lesbienne pour me remonter le moral ? lançait-il quand Harry rentrait de Londres. Est-ce que leurs moustaches ont frétillé cette semaine ? Elles ont acheté de nouvelles piles pour leur vibro ? Allons faire un tour à travers champs et vous me raconterez tout ça. »

Harry avait l'impression d'être la Shéhérazade de Bloomsbury. Mais il savait que, pour Mamoon, sa conception du lesbianisme n'était guère discriminante : quand ils parlaient des écrivaines, à ses yeux, elles étaient toutes homosexuelles, y compris Jane Austen, Charlotte Brontë et Sylvia Plath.

« J'emmène une lesbienne au lit avec moi, disait-il un coinçant un Jane Austen sous son bras avant de monter à l'étage.

— Au moins, vous allez passer du bon temps, marmonnait Harry.

— Désolé d'être aussi trivial, rétorquait Mamoon. J'ai dit à Rob que je n'étais rien de plus qu'un homme sans grand intérêt. C'est ça, un romancier : charlatan, arnaqueur, escroc, tout ce qu'on veut. Mais, surtout, c'est un séducteur.

— Vous n'êtes pas fasciné par la séduction ?

— N'est-ce pas la définition même de toute forme d'art ? Allez, changement de partenaire, montrez-nous ce que vous avez en réserve : c'est bien ça que vous voulez, vous, les lecteurs. »

Mais, même si Harry avait des histoires croustillantes à raconter, il était rare que Mamoon reste debout au-delà de vingt et une heures et, généralement, c'était peu de temps après que la revanche prédite par Alice – on pourrait appeler ça le prix de la vérité – s'abattait sur Harry.

Il se mettait à faire des « expériences singulières » quand il se retrouvait seul dans sa chambre.

Les femmes de ménage n'avaient pas eu plus de temps dans leur journée pour s'occuper de cette pièce. Peut-être que Mamoon ne les avait guère incitées à le faire ; il appréciait moyennement les invités et en recevait peu. Dans la chambre de Harry, il y avait des mouches mortes, de la poussière ; la télévision ne fonctionnait pas : tout ce qu'il pouvait faire, c'était jouer à FIFA et Grand Theft Auto dessus, puis s'endormir devant des films qu'il regardait sur son ordinateur. Il rentrait à Londres voir Alice et leurs amis dès qu'il le pouvait. Peut-être était-ce cette proximité avec son sujet, mais aussi avec la campagne, qui le déprimait.

Harry avait grandi dans l'ouest de Londres avec des frères jumeaux sportifs et intelligents, dont l'un était devenu maître de conférences en philosophie et l'autre, restaurateur. Contrairement à nombre de leurs amis, ses parents n'avaient pas de maison de campagne : ils préféraient passer leurs week-ends dans des galeries d'art, à voir des expositions, à aller au théâtre, à organiser des pique-niques à Chiswick House ou des fêtes dans leur jardin pour ceux que les garçons appelaient avec dédain des « intellos », qui discutaient féminisme, politique et Lacan. Pour ces gens-là, une bonne soirée en ville, c'était une rétrospective Jean-Luc Godard à l'Institut des arts contemporains. Le père de Harry, qui n'avait jamais cessé de réfléchir à ce qu'était la psyché et qui, malheureusement, en parlait toujours (ayant déjà beaucoup travaillé les problèmes philosophiques posés par la psychiatrie et les « notions de normalité »), était convaincu qu'à la campagne il n'y avait personne à qui parler et que ceux qui y habitaient étaient aussi bovins que les animaux dont ils faisaient l'élevage.

Pourtant, ce n'était pas seulement son héritage d'aversion pour la campagne qui mécontentait Harry.

Au bout de dix jours, vers trois heures du matin, il était régulièrement réveillé par des hurlements absolument terrifiants, comme si on était en train de massacrer quelque chose. Au petit déjeuner, Liana lui demanda :

« Vous êtes épuisé ?

— C'est ça, oui. »

Elle lui amena des œufs et se mit à lui pétrir les épaules comme si elle cherchait quelques pièces de menue monnaie égarée entre ses muscles.

« Vous étiez réveillé ? Les hurlements meurtriers ont recommencé. C'était déjà le cas les trois nuits d'avant mais vous ne les avez pas entendus. Ce sont vos questions qui le condamnent à cette horrible veille.

— Mais je lui en ai posé quelques-unes à peine. Le simple fait de lui demander s'il veut du lait dans son thé, le voilà qui prend ses jambes à son cou.

— Mamoon est un homme rompu aux usages du monde, mais il a des peurs d'enfant. Il ne veut pas me raconter ses rêves mais, quand il se réveille, il se rendort peu de temps après et il pleure comme un bébé. Parfois, il aboie comme un chien. Les animaux aussi ont des insomnies et peuvent avoir des envies de suicide. Je vous en prie, jurez-moi que vous n'en direz rien dans votre livre : ce serait tellement embarrassant que les gens sachent, à Londres, Bombay, Rome. »

Harry lui répondit qu'il n'aurait pas la place de rendre compte du moindre clignement d'yeux, du moindre hoquet, de la moindre gesticulation de Mamoon. Il lui prit la main alors qu'il se tournait vers elle.

« Mais, Liana, vous n'êtes pas sans savoir que l'indiscrétion est l'essence même de la biographie. Qui donc aurait envie de lire le portrait d'un saint absolu ?

— Je ne pense pas que vous ne soyez qu'un sordide marchand, Harry. Ce que les gens veulent, c'est l'occasion de s'élever, de trouver un chemin qui les grandisse et qu'ils puissent emprunter à leur tour. Grâce à Dieu, je suis là pour vous apprendre tout ça. Et quand vous aurez fini d'écrire ce livre, vous me l'apporterez et je rayerai tout ce qui sortira du droit chemin. »

Il rit.

« Vous ne ferez rien de tout ça, Liana.

— Rob est d'accord. Sinon Mamoon lui coupe les couilles. Pour qui est-ce que vous vous prenez ? Vous n'êtes pas la fille de Joan Crawford !

— J'ignorais totalement que Rob avait passé un accord avec vous.

— En quoi est-ce que ça vous regarde ?

— Pardon ?

— Quand vous embauchez quelqu'un pour retapisser les murs en vert, vous ne lui demandez pas s'il aime le vert ou pas. Vous lui demandez de mettre du vert là où il doit sans faire de commentaire.

— Donc, je ne suis là que pour la décoration intérieure ?

— Vous faites le tapissage. Nous, on s'occupe du reste. Un peu de café ? »

Il s'était déjà compromis. Qu'est-ce qu'elle pourrait encore lui faire jurer de ne pas dire ? Allait-il devoir s'opposer à elle ? Et s'il savait qu'il lui faudrait en passer par là, pourquoi ne pas lui dire maintenant et tout mettre à plat ?

C'était la moindre des choses. Harry téléphona à Rob pour l'informer de la tournure des événements, pour lui dire aussi combien il se sentait inhibé et se plaindre de tous les autres bruits qui l'empêchaient de dormir – les bruits de la nature.

Rob se mit à hurler :

« Trouve-toi un flingue et mets-toi à la fenêtre pour tirer quelques coups. Quand les boucs verront que tu ne plaisantes pas, ils se mettront vite à l'abri.

— Ce ne sont pas des boucs.

— Des chevaux, alors ?

— Ce sont des oiseaux, je crois bien. Et il fait froid dans la chambre, la lumière ne marche pas, la fenêtre ne ferme pas et, vers quatre heures du matin, il y a ces animaux – est-ce que je sais ce que c'est, moi : des chauves-souris, des oies, des canards, des poissons, des cochons ; enfin, presque toute l'arche de Noé, quoi –, on dirait une horrible discothèque pour animaux. Je suis coincé au fond d'un rectum ici, moi !

— Espèce de gros trouillard ! Va te plaindre à ton agent, mais pas à moi ! Heureusement que je ne t'ai pas mis sur le coup pour Freya Stark, à refaire toutes ses longues marches à travers l'Afrique et je ne sais plus trop quels autres endroits où elle a traîné ses guêtres.

— C'est vrai que vous avez accordé à Liana le *final cut* sur mon livre ? »

Rob raccrocha.

Avant de remonter dans sa chambre, Harry fit un tour dans la cour pour fumer un joint afin de parvenir à s'endormir. Puis, il s'allongea en pensant à Peggy, un carnet et un crayon posés à côté de lui. C'était souvent dans ce genre de circonstances que les idées lui venaient. Les phrases qu'il avait lues dans « les malheurs de Peggy », comme il appelait ses journaux, commencèrent à résonner dans sa tête. Une nuit, alors qu'il était là depuis dix jours, il eut l'impression que ces chuchotements avaient leur autonomie propre, ou qu'ils venaient d'ailleurs, tel un brouhaha qu'il ne pouvait éteindre.

Harry se leva, marchant à tâtons jusqu'à l'interrupteur pour allumer la lampe. Et, d'un seul coup, elle se tenait là : c'était Peggy, perchée au bout du lit, dangereusement mince, épuisée mais pleine d'une énergie féroce et rayonnante.

« Qu'est-ce que tu vas dire sur mon compte, Harry ? lui dit-elle. Est-ce que c'est ma chute finale qui va l'emporter ? Il n'y a rien d'autre à voir chez moi que cette fin amère ? Et qui es-tu pour en juger ? »

Peggy avait été une étudiante calme, qui s'exprimait aisément ; ses parents étaient riches, alcooliques et ils enseignaient le français dans des écoles privées. Après la fac, elle avait travaillé pour un petit magazine littéraire et c'est le rédacteur en chef qui l'avait présentée à Mamoon dans un des pubs de Bloomsbury qu'il fréquentait. D'après Harry, Mamoon, que son instituteur de père avait fait travailler dur pour qu'il obtienne des bourses, avait été traumatisé quand il avait débarqué dans une école privée anglaise, puis à Oxford. Il n'y avait pas un moment où il ne s'était senti décalé, pas à sa place parmi tous ces gosses de riches anglais que son père voulait à tout prix qu'il fréquente – même si, en parallèle, il clamait haut et fort sa haine des Britanniques. Pour son premier rendez-vous avec Peggy, il s'était mis dans une situation incroyable : voulant prendre un taxi, il était monté à côté du chauffeur et cherchait désespérément où s'asseoir jusqu'à ce que, exaspéré, ledit chauffeur le jette dehors.

Dans ce Londres froid et recouvert de suie, cette ville pleine de gens qui pensaient que les Indiens étaient des attardés et des inférieurs, tandis que la jeunesse blanche et sexy s'habillait comme Syd Barrett, Peggy aida Mamoon à s'acclimater à la race dominante du quartier de Belgravia pour laquelle il était un Blanc raté qui savait à peine distinguer un couteau d'une fourchette ; elle réussit à lui faire rencontrer des amis qu'elle avait dans le monde littéraire. Il charmait la moitié des gens : il était sympathique et on trouvait qu'il avait une certaine classe et de l'esprit, sans excès. Mais l'autre moitié se sentait offensée par son arrogance. Cependant, son père voulait qu'il rentre et n'arrêtait pas de lui écrire et de le supplier. Il serait parti ; il ne voyait pas où il aurait pu aller plus avant. C'est Peggy qui l'avait convaincu de rester à Londres et de s'y établir comme écrivain, l'un des choix les plus délicats qu'un homme comme lui pouvait faire. C'est elle, quand il ne parvenait pas à trouver suffisamment de travail à Londres, qui avait imploré ses parents de leur prêter l'argent qui avait servi à acheter le cottage du Somerset.

Comme tous les couples à leurs débuts, ils étaient tout le temps ensemble, à explorer leur nouvel environnement, à parcourir les routes de la région, à fureter dans les librairies d'occasion. Puis Mamoon l'emmena passer quelques mois en Inde. Durant toute cette période, elle ne lui laissa aucun répit, intellectuellement parlant ; elle l'accusait même d'avoir une mentalité de play-boy paresseux, ce qui ne manquait jamais de le piquer au vif et l'obligeait à répondre et à argumenter. Il commença réellement à penser.

C'était donc là, à la fin des années soixante, dans la bibliothèque qu'elle avait constituée peu à peu – celle-là même qu'il complétait toujours –, qu'il s'était mis à lire avec avidité, pour « rattraper son retard ». Elle était européenne, internationaliste, elle aimait Miles Davis et Ionesco ; ils apprenaient à déguster le vin, ils écoutaient Boulez en fumant des Gauloises.

Comme de nombreux intellectuels anglais, elle était épuisée et frustrée par l'isolationnisme anglais. Elle vénérait D. H. Lawrence mais, par ailleurs, sa conception bien-pensante de l'écriture était sèche et scolaire : discussion sans fin sur la « *crit lit* », « le canon », Leavis et puis, plus tard, sur le marxisme. Harry comprenait que Peggy avait formé Mamoon comme ses parents à lui l'avaient formé et que son mépris pour les systèmes totalitaires politiques (surtout marxistes) et religieux, héritage de l'esprit libertaire des années soixante, était resté intact. Finalement, on disait qu'il l'avait asséchée et qu'il voulait s'en aller ; elle voulait s'installer. Par la suite, des années durant, ils restèrent « en suspens ».

Et donc, s'adressant au fantôme, Harry lui dit :

« Je serai juste et plein de compassion. Pas d'accusation, pas d'excuse. Les faits bruts, une voix chaleureuse. Vous parliez en votre nom dans les journaux. Vous étiez claire. Vous pouvez partir maintenant,

Peggy, s'il vous plaît. Vous n'avez pas à vous inquiéter, je ne travaille pas pour la presse.

— Mais, Harry, ça fait si longtemps que je veux te rencontrer, dit-elle. Tu ne me reconnais pas ?

— Vous n'êtes pas Peggy ?

— Approche-toi et regarde-moi bien, si tu l'oses. »

C'est quand il reconnut sa mère et qu'il l'entendit dire : « Oh, Harry, ça fait tellement de bien de te voir. Je veux que tu me racontes tout ce qui t'est arrivé depuis que je suis partie. C'était horrible ? Tu allais bien ? Est-ce qu'on peut parler maintenant ? » qu'il sauta hors de son lit et s'enfuit sans un bruit dans le couloir, passant devant la chambre où Liana et Mamoon s'étaient retirés avant de descendre l'escalier et de sortir dans l'air frais de la nuit.

Dans la cour, il trouva refuge dans le 4 × 4 familial. De la boîte à gants, il sortit l'écharpe de son frère aîné, se la passa autour du cou et l'étreignit de toutes ses forces. Ses frères, à la demande insistante de leur père, lui avaient fait revendre ses motos, ce qu'il avait accepté quand ils lui eurent promis de lui remplacer ses roues avec le montant du prêt de la voiture.

Ce qui se révéla fort utile. Il était à vingt minutes du pub du village ; il n'y était encore jamais allé. Il n'avait aucune idée de l'accueil qu'on lui ferait. Mais il avait besoin de voir des gens qui n'étaient pas encore des fantômes.

5

Tous les matins, il y a fort longtemps de cela, la mère de Harry se levait de bonne heure pour lui préparer un bon petit déjeuner et l'emmener à l'école. Chaque fois qu'ils étaient ensemble dans la cuisine, elle lui parlait par-dessus son épaule : de film, de politique, des hommes, de poltergeists, de voisins, du féminisme, de rêves… C'était un flot surréaliste d'une conversation ininterrompue et difficile à suivre dans laquelle, implicitement, il servait de lien.

Elle l'embrassait souvent et, brusquement, elle explosait en sanglots. Elle éclatait d'un rire dément qui pouvait inquiéter et, soudain, elle s'interrompait pour lui dire : « Tu n'as pas idée de combien je déteste cette vie de classe moyenne de merde ! » Parfois, pour illustrer ce qu'elle était en train de dire, elle jouait une petite scène, en imitant les voix des gens. Ou elle chantait aussi, pop, folk, opéra, et s'accompagnait, la plupart du temps, d'un joint qui attendait dans le cendrier. Elle citait si souvent Lautréamont qu'aujourd'hui encore, il pouvait le réciter par cœur : « *De longues pattes d'araignée circulent sur sa nuque…* »

En général, le soir, elle voyait des amis, ou se rendait à des fêtes, allait au théâtre pour une pièce ou un spectacle de danse. Apparemment, elle détestait l'ennui, mais aussi la tyrannie de la possessivité et du contrôle. Une fois, le père de Harry avait déclaré, non sans une certaine ironie, que, pour elle, les rencontres sexuelles constituaient un avant-goût de la libération politique. Elle désapprouvait également son mari, qui n'adhérait pas à l'idéal des années soixante selon lequel la folie conduisait à la sagesse. D'après elle, le but n'était pas de vivre aussi raisonnablement que possible et elle trouvait que son mari était un « policier de l'âme » puisque son travail consistait justement à rendre les gens sains d'esprit, comme d'autres pouvaient souhaiter libérer les gens de la tyrannie de l'alcool. Mais tout ça ne pouvait que les rendre moins attrayants, disait-elle. Combien de personnes en même temps était-elle ? Combien de personnes est-ce que nous pouvons être ?

Harry ne savait pas quoi penser de tout cela. Toutefois, il se souvint que, presque toutes les nuits, à la fin de sa vie, elle montait dans sa chambre et il dormait entre ses bras, comme un jeune amant quasiment, jusqu'au matin. Était-ce de l'amour, ou de la folie ? Plus tard, un ami de sa mère lui avait dit : « Harry, tu lui ressembles beaucoup ; tu es d'une grande intelligence et tu peux tout comprendre. Tous les deux, vous êtes brillants mais vulnérables et vous lâcherez prise au moindre coup, à force de redouter l'échec. »

Il avait douze ans quand elle était morte. Il lui sembla qu'après sa disparition il avait été seul pendant dix ans. Il devait se lever dans le noir, se faire à manger tout seul, aller à l'école à vélo sans que sa mère soit là pour lui dire de prendre une poire, pour retirer la croûte du pain de son sandwich ou pour courir derrière lui en agitant son cahier ou ses chaussures de sport. Ses frères identiques, de quatre ans ses aînés, allaient en classe à Latymer tandis que lui était à St Paul's. Quand les autres garçons profitaient encore beaucoup de leur mère, il avait dû, trop tôt, affronter l'indépendance. Les jumeaux étaient toujours là l'un pour l'autre : ils se chamaillaient, se disputaient, se donnaient des coups de poing, mais il n'y avait pratiquement aucun moment où ils n'étaient pas en contact étroit et rancunier l'un avec l'autre, formant presque, mais pas tout à fait, un cercle fermé à eux deux.

Harry se débrouillait pour s'occuper de lui-même : il lisait dans sa chambre, faisait écouter des cassettes et des disques à ses frères et il parlait constamment à sa mère dans sa tête. Après sa mort, ils avaient donné tous les vêtements qu'elle avait portés mais, quand Harry récupéra sa penderie, la plupart de ses chaussures étaient restées au bas de l'armoire. Il s'était dit que, s'il s'allongeait par terre, l'oreille collée au tapis, il pourrait leur parler. Il se faisait des films pour lui tout seul, où il s'imaginait qu'elle choisissait une paire bien précise et qu'elle la portait ; il se demandait où elle avait pu aller quand elle mettait telles ou telles chaussures, qui elle avait pu rencontrer et de quoi ils avaient discuté.

Il comprenait maintenant que l'idée qu'il avait de son isolement à l'époque n'était pas complètement juste ; c'était un mythe qu'il s'était construit. Il n'avait plus de mère et soit son père était, vraisemblablement, au travail, soit il s'occupait de la maison, ou il retrouvait quelqu'un. Mais ses frères, eux, n'avaient jamais été maladroits, ni timides. Au lycée, c'étaient des stars de rugby et de foot ; ils gagnaient de l'argent en posant comme mannequins et, plus tard, ils avaient créé un groupe, les *Ha-Ha Fish*, qui faisait l'ouverture des magasins chics dans Carnaby Street et qui jouait dans les arrière-salles poisseuses des pubs de Camden devant leurs copains de classe. Ils lui avaient dit que, s'il apprenait à jouer de la basse, il pourrait rejoindre le groupe, ce qu'il avait fait.

Une adolescente arborant une impressionnante chevelure brune, une jupe courte, un tee-shirt et des collants noirs avait ouvert la porte d'une chambre et était tombée sur un garçon plus jeune qu'elle, assis sur un lit, plongé dans un livre, dévoré par l'angoisse et secoué de tics nerveux, une assiette intacte à ses côtés. Les copains des frères de Harry et leurs nombreuses petites amies étaient tout le temps fourrés chez eux et, dès le départ, le garçon avait été l'objet de la pitié et de l'attention des jeunes filles. Il n'y a rien de tel qu'un enfant blond qui n'a plus sa mère pour que les filles se précipitent avec des baisers, des bonbons et plus encore. Qui aurait envie d'abandonner tout ça ? Les jumeaux commencèrent à parler du « harem » du mignon petit pacha – toutes ces filles qui avaient envie de l'aider pour ses devoirs, de lui faire la cuisine, lui préparer ses vêtements, lui couper les cheveux, l'accompagner au cinéma, dans les boutiques et autres lieux le week-end et pendant les vacances.

Une fille qui commence à s'émanciper de la tutelle parentale et qui a envie de grandir peut se laisser convaincre de commettre, par amour, des actes absolument épouvantables. Une fois que Harry eut treize ans, qu'il se mit à transpirer et à se doucher, un ballet permanent d'adolescentes parfumées se relayait auprès de lui pour l'embrasser, le caresser ou passer la nuit avec lui quand elles restaient dormir après une fête. Le garçon sans maman détestait dormir seul, au point qu'il débarquait parfois dans la chambre de ses frères et s'installait par terre à côté d'eux. Il comprit bientôt que de nombreuses filles étaient sensibles à ses demandes, quand il les suppliait de prendre soin de lui. Il avait besoin de remplacer une seule femme par une horde d'autres femmes. À partir de quatorze ans, il réussissait à en séduire bien plus que ses amateurs de frères. Il réjouissait son père quand celui-ci rentrait chez eux, ravi de trouver la maison décorée de guirlandes de jeunes filles en fleurs. « Les jeunes pensionnaires de St Trinian's », les appelait-il, ou encore, « le Royaume des Jeunes Filles Pubères ». Il avait pris la peine de mettre en garde Harry, lui expliquant qu'avec l'âge il ferait des envieux – ce qu'il voulait dire, c'est qu'on le détesterait – du fait de ses talents, de son charme, de son aisance, et qu'il ferait mieux de dissimuler ces atouts, mais pas de les refouler. Harry n'avait pas compris ce que son père cherchait à lui dire.

Ce dernier avait une magnifique bibliothèque, remplie d'ouvrages de philosophie, de psychologie, de diction, d'art. C'était tout ce dont Harry avait besoin ; il fit sa propre éducation. Pour autant, sa mère continuait de lui manquer ; il était toujours furieux contre elle, c'est le moins que l'on puisse dire ; c'était sa manière de la garder vivante et présente dans son esprit. Mais ce dont il n'avait pas envie, c'était de la retrouver assise sur son lit quand il était seul à la campagne.

Il prit la fuite, conduisant à toute vitesse à travers les ruelles sombres et tortueuses, puis il se précipita hors de la voiture. Il se retrouva ainsi au bar accueillant d'un pub bien rempli où les gens se tournaient vers lui, l'inconnu, cette curiosité que tout le monde semblait pourtant connaître. Ils formèrent un cercle autour de lui. De toute évidence, les habitants du coin – fermiers, rock stars vieillissantes qui avaient acheté les grandes maisons alentour, tandis que leurs fans vivaient dans des endroits plus modestes – avaient très envie d'entendre parler de « l'écrivain ».

C'était vrai que Mamoon n'avait aucun ami ? Et qu'il était cruel avec sa femme, violent même ? Et que c'était un adorateur du diable ? Plus important : il était vraiment fauché ? Et c'était vrai, n'est-ce pas, qu'il avait profité au maximum du pays qui l'avait accueilli, où son talent avait eu toute latitude pour s'épanouir ? Est-ce qu'il ne s'était pas trop plaint à un moment donné ? Avait-il jamais été vraiment reconnaissant ?

Rien ne peut demeurer en paix si les autres y reviennent sans cesse et cela vaut aussi, bien sûr, pour la personnalité ou la réputation de quelqu'un. Il ne fallait pas longtemps, se disait Harry, pour que tel trait de caractère soit monté en épingle et prenne des proportions incroyables au fur et à mesure que l'on devient ce que les autres préfèrent chez nous. Tout comme la mère de Harry, Mamoon avait exploré des territoires bien au-delà de lui-même et Harry s'efforçait de corriger mais aussi d'encourager cette tendance, à sa manière. Qu'est-ce qu'une personne, finalement, si ce n'est un soi qui navigue entre fantasme intime et création collective ?

Est-ce que Mamoon n'avait pas replongé dans ces eaux troubles depuis que Harry lisait et relisait les entretiens, portraits et essais qu'il avait publiés dans *Playboy*, *Rolling Stone* et *Esquire* au début de sa carrière ? Que Mamoon ait volontairement entrepris de faire le voyage à travers les ténèbres de notre monde contemporain et qu'il en soit revenu avec des déclarations, des témoignages, des réflexions, cela attestait de la nature intrépide d'un homme qui n'était autre qu'un conquistador, déterminé à révéler et à expliquer les vérités les plus corrosives. N'avait-il pas été le premier à déceler dans les grandes villes du nord de la Grande-Bretagne les changements au sein de la communauté musulmane, quand elle avait commencé à passer de l'antiracisme socialiste à un radicalisme qui opérait à l'échelle mondiale, et qui n'était autre qu'une version réactionnaire de l'islam ? L'essai qu'il avait intitulé *L'Axe de l'idéologie* avait été crucial. Son analyse n'allait-elle pas encore plus loin à l'époque, alors qu'il suivait l'évolution de l'islam depuis une forme de théologie de la libération jusqu'à ce culte de la mort fondé sur le sacrifice et l'obéissance à la loi du père absolu ?

Où était Harry dans tout cela maintenant ? Comme Mamoon, il ne pouvait se contenter de gentiment porter un miroir ; il lui fallait expliquer pourquoi cet homme était là et le sens qu'il incarnait. Ses mots devaient maintenir l'écrivain en vie au sein de l'histoire littéraire, même si, d'un point de vue personnel, il éprouvait l'envie de l'assassiner.

Content d'avoir quitté la maison et de sentir la chaleur de l'alcool envahir son corps, Harry s'en trouvait ragaillardi. Moins il en dirait aux gens qui étaient là, plus il profiterait de cette soirée. Toutefois, il commit l'erreur de suggérer, au risque de passer pour un pédant et d'agacer autour de lui, qu'un bon moyen d'entrer en contact avec un écrivain serait de laisser glisser le regard par-delà ses phrases. Après un tel *faux pas*[1], il jugea plus sage de s'installer dans un coin tranquille où il aurait un bon aperçu des curiosités locales : la jeune et fervente épouse de fermier qui en avait assez de passer les moutons à l'antiseptique ou de tirer sur les mamelles d'animaux

1. En français dans le texte. *(N.d.T.)*

récalcitrants ; ou peut-être la compagne d'un routier retenu depuis une éternité par une grève en France.

Puis il leva les yeux. Le pub était assez sombre mais il aperçut ce qu'il cherchait. Son instinct ne l'avait pas trompé. L'appel de la chair venait de résonner. Il finit son verre. Avant d'en reprendre un, il passa aux toilettes, glissa quelques pièces dans le distributeur de préservatifs et appuya sur le bouton des modèles classiques. La fille qui lui avait souri en rejetant ses longs cheveux en arrière lui avait paru plus jeune qu'il n'aurait voulu. Il n'avait pas besoin d'un scandale. Mais elle avait dit à ses amis qu'ils pouvaient rentrer sans elle. Elle commença à se lever. Elle allait l'emmener quelque part.

Il avait très envie de suivre cette sirène, même dans le couloir crépusculaire qui menait jusqu'à la petite pièce à l'arrière du pub, sorte de tombeau sans ornement ni chauffage qui sentait l'urine et bien pire, comme si on y avait installé la cuvette des toilettes sous une table. Les buveurs étaient là. Un homme couvert de poils avec une tête de pitbull, qui n'avait sur lui qu'un caleçon et des tatouages, jouait au billard américain sous un néon qui clignotait sans cesse. Un couple de Méduses, qui tiraient à tout moment sur la laisse de leurs chiens et juraient comme des charretiers, était là à attendre, les yeux à moitié fermés. Harry eut peur. Il se dirigea vers la fille.

Ils s'assirent l'un contre l'autre. Quand, rapidement, la conversation commença à s'étioler, elle s'humecta les doigts pour éteindre les bougies posées sur la table et se mit à frotter la cire chaude sur ses mains et ses bras. Elle était simple, belle et pas trop jeune, finalement ; brune spectaculaire à la poitrine opulente, elle devait avoir une vingtaine d'années, peut-être un peu plus : grands yeux sombres, cuisses robustes enserrées dans une minijupe étroite, voire un peu juste. Elle lui dit qu'elle s'appelait Julia. Il la suivit à l'extérieur et fit un signe en direction de sa voiture.

Ils roulèrent pendant une demi-heure, jusqu'à ce qu'elle lui indique qu'il pouvait s'arrêter dans une large rue bordée de logements sociaux.

Tout était calme sous le fin crachin, mis à part quelques chiens qui aboyaient.

« Suis-moi », dit-elle.

Mais Harry se demandait s'il n'était pas un peu vieux pour s'engager dans cette aventure décourageante qui semblait aller de pair avec le moindre besoin de contact humain. Avait-il vraiment envie, alors qu'il était à moitié soûl, de rentrer subrepticement dans une maison aux murs humides, en pleine campagne, à minuit ? D'autant plus que, au moment où la fille le remorquait le long du couloir obscur du rez-de-chaussée, il aperçut, dans l'entrebâillement d'une porte, une scène de débauche digne d'un tableau de Hogarth.

Une femme d'un âge certain dansait, chemise ouverte et bras en l'air, entourée de trois hommes un peu plus vieux qu'elle, d'apparence assez rustre, qui avaient l'air d'avoir dormi dans les mêmes vêtements depuis plusieurs semaines. Ils donnaient des coups de poing dans le vide et braillaient avec toute la force de l'alcool qu'ils avaient ingéré.

Julia ne souhaitait pas qu'il s'attarde. Elle l'arracha à la scène. Bientôt, il se retrouva deux étages plus haut, dans une mansarde, probablement sous l'emprise d'une forme d'illusion, mais partageant assurément un lit avec un oreiller tout plat auquel il s'accrochait tant bien que mal et ce qui lui semblait désormais être une fille de la classe ouvrière au visage épais qui n'avait pas plus d'une petite vingtaine d'années. Malgré tout, une fois qu'elle aurait fumé sa cigarette et, s'il faisait vite, avant qu'elle en allume une autre, il pourrait la prendre une fois encore, à genou, par terre, entre deux piles de livres et des tasses qui traînaient, perdu dans la contemplation des sous-vêtements accrochés au miroir.

Il est peu probable qu'on puisse accomplir quoi que ce soit de grand sans quelque désagrément, voire sans quelque souffrance, et il était heureux de constater que la fille était mieux que ce qu'il avait imaginé. Comme souvent chez lui, il craignait de prendre peur, de se perdre dans les méandres de son esprit et de commencer à se reprocher, une fois de plus, que lui et ses frères aient peut-être provoqué la folie de leur mère. Il y a quelque temps, son père avait déclaré : « Il n'y a pas de doute : les enfants font mourir leurs parents. Vous trois, vous étiez trop pour elle. » Quand il y repensait, Harry avait besoin d'une compagne de réconfort la nuit. Une fille, c'est un cordon ombilical, une ligne de vie qui vous relie à la réalité. Sa mère n'aurait pas voulu qu'il reste seul.

En dépit du bruit sourd de la musique et des hurlements aussi soudains que brutaux qui lui parvenaient d'un autre endroit de la maison, il réussit à se détendre. Tandis qu'elle le caressait et qu'il embrassait ses cheveux, il réfléchissait à la manière dont les choses avançaient pour le livre. Il y avait quand même eu un progrès ; Harry se disait qu'il avait finalement posé les bonnes questions. Il n'avait pas relâché la pression.

Cet après-midi-là, il revenait de la grange et avait repéré l'ennemi à travers la fenêtre de la bibliothèque. Le vieil homme avait grimpé sur une échelle, en train de chercher un livre ; il lui avait semblé particulièrement vulnérable. Saisi d'une bouffée de confiance irrépressible et, sous le coup d'un certain désespoir à ce moment-là, Harry s'était précipité à l'intérieur. « Voilà pour vous, monsieur. » Puis il s'était lancé dans une série de questions, au point que Mamoon lui-même avait commencé à éprouver une certaine curiosité pour sa propre personne.

Finalement, l'écrivain était descendu précautionneusement de son échelle, s'était installé confortablement dans un fauteuil avant de déclarer presque à regret : « Il faut que je vous en dise plus, mon cher. Vous m'avez l'air stressé, en colère même. »

Mamoon lui parla de son père avec respect et affection ; il mentionna à peine sa mère mais, quand Harry le poussait dans ses retranchements, il disait toujours quelque chose de gentil sur elle. Quant à ses frères et sœur, Mamoon redit combien il les aimait, et qu'il en avait même aidé un tout le temps qu'il avait passé à la fac en Amérique. Il ne dit pas grand-chose de cette sœur qu'il n'avait pas vue depuis trente ans. « Ce n'est pas un sujet très intéressant. » Sur Peggy, il ne fit guère plus de commentaires, arguant du fait qu'il ne détaillait rien puisque « tout était dans les carnets qu'elle avait tenus ».

« Comment est-ce que vous percevez ça aujourd'hui ? lui demanda Harry. Comment vous la percevez ? Celle que vous avez aimée.

— Vous savez, Harry, je l'ai aimée pendant longtemps. Mais après avoir été quelqu'un d'intelligent, d'attirant, la pauvre femme était devenue très angoissée. Elle se mettait dans de tels états quand elle avait bu ! Parfois même, elle ne se lavait plus. Elle était née pour être déçue et ne désirait que ce que je ne pouvais pas lui donner. L'alcool la rendait agressive, surtout envers elle-même.

— Est-ce qu'un homme plus impitoyable lui aurait demandé de partir ?

— Comment est-ce qu'un homme plus impitoyable aurait pu lui faire quitter ce qui était aussi sa maison ? J'aurais pu déménager. Mais il y a beaucoup de choses que j'aime ici – le calme pour écrire. Les longues histoires, le roman, c'est passé de mode – un genre défunt, dit-on. Peut-être pourrait-on comparer le roman à la peinture à l'huile en ce sens que le processus créatif demande beaucoup de travail, une discipline de fer, de la patience, de l'endurance. Je ne sais rien faire d'autre. Mais, pour revenir à Peggy : on ne peut pas se contenter de laisser tomber les gens, merde. C'est l'enfer de la compassion. Mais, à l'époque, je me suis dit, la prochaine fois, épouse une vraie femme.

— Par opposition à ?

— Un cas clinique.

— Vous êtes un homme plein de compassion, monsieur. Tout le monde le sait. Mais est-ce que vous avez connu d'autres femmes ?

— Bien moins que ce que vous aimeriez croire.

— N'est-ce pas vous qui avez dit qu'on n'a jamais vraiment fait l'expérience de ce qu'est le mariage tant qu'on n'a pas trompé l'autre ?

— J'espère bien l'avoir dit. Elle et moi, on travaillait toujours ensemble sur mes manuscrits. C'était là notre intimité et l'objet de nos conversations.

— C'était ça votre amour l'un pour l'autre ?

— Beaucoup d'artistes ont une muse. C'est une idée qui perturbe beaucoup les idiots, s'agissant des origines de l'art. Ils veulent croire que l'art jaillit d'une source unique et pure. J'ai entendu dire que je n'avais pas fait grand-chose de bien depuis que Peggy était morte.

— Et vous êtes d'accord ? »

Mamoon haussa les épaules et se dirigea vers la porte.

« Je continue de travailler quand je peux. Qu'est-ce que je pourrais bien faire d'autre toute la sainte journée ? Vous parler ? Un artiste, ne l'oubliez pas, est au meilleur de lui-même quand il pratique son art. »

Voilà qui était bien plus morne que les rumeurs dressant le portrait d'un Indien diabolique et intransigeant qui rendait folles de lui des femmes entièrement dévouées à sa cause. Les coups de fil nocturnes de Rob (il beuglait tout ce qu'il pouvait, répétant tout au moins deux fois, sans oublier les points d'exclamation à la fin de chaque phrase : « Qu'est-ce que tu as sur lui ? Qu'est-ce que tu as ? Tu as déjà quelque chose ? Dis-le-moi, surtout ! ») mettaient Harry au supplice, au point qu'il se demandait s'il pourrait jamais écrire ce premier livre concernant un homme sur lequel on allait en écrire beaucoup, en fin de compte. Et s'il n'arrivait pas à aller au bout, expliquait-il à Julia, il pouvait dire adieu à sa carrière. Ses frères s'en sortaient bien, mais ils pouvaient être particulièrement cassants, et lui, Harry, ne serait jamais rien.

Il se réveilla avec le soleil et jeta un coup d'œil à la chambre aux murs bleu foncé dans laquelle il avait atterri.

Alors qu'il caressait et humait la belle femme toute simple allongée à ses côtés, il lui revint en mémoire la cinglante diatribe que lui avait assénée Liana la veille, juste après la conversation qu'il avait eue dans l'après-midi. Elle était sortie de la cuisine comme une furie pour le rejoindre dans le champ où il pensait être un peu tranquille, allongé à l'ombre d'un vieux pommier, un carnet à la main.

« Comment est-ce que vous avez pu insulter Mamoon à ce point ?

— Oh, mon Dieu, je suis désolé. » Il se redressa. « De quoi voulez-vous parler ?

— Quelque chose à propos de votre père qui était un homme, un vrai, un modèle pour vous, parce qu'il avait eu trois fils et qu'il les avait élevés seul ?

— Oui, Papa nous a élevés. Il disait que c'était son seul devoir. C'est tout à son honneur. J'ai envie de faire la même chose, Liana. »

Elle le regarda fixement.

« Ça doit être presque impossible pour vous d'imaginer ce que c'était pour un tout jeune Indien timide et précoce d'arriver ici, pas seulement pour vivre sa vie, mais pour faire un triomphe, parmi tous ces inconnus, ces ennemis même – en tout cas, des gens qui ne l'encourageaient pas, c'est sûr. Il avait montré ses histoires à quelques-uns et il s'était littéralement entendu dire : "Qu'est-ce qui te fait croire que tes fichues histoires d'Indiens vont intéresser qui que ce soit ?"

— Pourquoi ne pourrais-je pas le comprendre ?

— Est-ce qu'il faut que je vous rappelle régulièrement que vous êtes arrivé dans la vie sur le tapis magique des privilégiés ? Le monde a toujours été le jardin privé d'hommes grands, beaux et blonds qui peuvent aller partout demander ce qu'ils veulent.

« Et n'oubliez pas : quoi que Mamoon et moi soyons devenus, aussi snobs que vous nous trouviez, si nous avions échoué, nous n'aurions rien aujourd'hui. Dites-moi un peu, combien de soi-disant écrivains de couleur étaient là avant mon mari ? Les gens n'imaginaient même pas qu'un Noir sache épeler le nom de Tchaïkovski ! »

Au moment où il disait au revoir à Julia tôt le lendemain matin, il cherchait toujours à comprendre quel genre de leçon Liana avait cherché à lui donner.

Julia mit ses bras autour de son cou :

« C'est comme quand on est frappé par la foudre. Je suis tombée amoureuse. Je vais t'aimer désormais, Harry, et je ne te laisserai pas partir. Tu te souviens de mon nom ?

— Julia. C'est bien ça ?

— Je n'oublierai pas le tien. Je t'aurais volontiers embrassé quand je t'ai servi ton Earl Grey.

— Quel Earl Grey ?

— Tu ne te souviens pas ? La première fois, dans le jardin de Mamoon. Tu étais assis là, tu étais si beau et tu avais l'air tellement inquiet. J'ai eu envie de toi ce jour-là. Je t'ai vu dans la cour. Je sais que tu cherchais à te concentrer. On a toujours l'impression que ton esprit est ailleurs. Mais il y a quelque chose d'intangible qui s'est produit entre nous. Tu ne l'as pas senti ?

— Un peu, dit-il. Alors, c'était toi.

— Oui. Je suis désolée. Tu ne t'en étais pas rendu compte ?

— Si, d'une certaine manière.

— Tu ne te rappelles pas ? Je t'ai proposé un biscuit sec et un biscuit fourré Jaffa.

— Je n'oublierais jamais un Jaffa. Mais je devais me demander si j'arriverais un jour à écrire ce livre. »

Elle poussa un soupir.

« Ton sexe m'obéit au doigt et à l'œil. J'adore avoir ton goût dans ma bouche.

— *Bon appétit*[1]. »

1. En français dans le texte. *(N.d.T.)*

Il trouvait surprenant, mais gratifiant, cet amour qu'elle lui offrait. Il se fit la réflexion qu'il devait être la nouveauté du moment, dans cette ville où le patrimoine génétique n'était sans doute pas très diversifié ; la période d'extase s'estomperait d'elle-même bientôt. Il en profiterait le temps que ça durerait.

6

Quelques nuits plus tard, après avoir retiré ses bottes à l'étage, Harry sortit de la maison sans bruit, comme un adolescent qui fait le mur ; il ferma la porte doucement derrière lui.

Il inspira profondément : l'air du soir était une gorgée de whisky ; bientôt, il avait mis la musique à fond dans sa voiture et il chantait tout seul en taillant la route à travers les ruelles. C'était vrai : son sexe n'entendait rien à la raison. Mais n'était-ce pas plutôt que sa raison était devenue sourde aux appels de son sexe ? N'était-ce pas sa mère qui lui avait dit : « Prends l'amour là où tu le trouves et estime-toi heureux » ? Mais ce n'était pas seulement l'appel de la luxure : il tremblait, il était insomniaque. Il se rendait compte qu'il ne lui était plus possible de passer une nuit dans la « maison des cris ».

Il avait lu pratiquement toutes les pages sur les débuts de la relation de Mamoon avec Peggy et il avait commencé la partie qui racontait comment Mamoon, lors d'un voyage, avait vu Marion pour la première fois, sa « pulpeuse » amante colombienne. Quel vertige ne lui avait-elle pas procuré : Mamoon avait trouvé en elle une femme qui l'avait défié, désiré, et qui l'avait mis hors de lui.

Parallèlement, Peggy, qui disait dans son journal souffrir plus qu'elle ne l'aurait souhaité (annonçant peut-être ainsi sa propre mort), avait continué à rendre visite à Harry, sous les apparences de sa mère la plupart du temps. Il y avait dans le passé quelque chose qui n'avait pas été réglé et qui n'avait pas trouvé sa place ; il manquait un morceau à l'histoire. Le fantôme d'une mère avait commencé à lui demander qui il était et qui il aimait vraiment. Était-il capable d'aimer ? Est-ce qu'il pouvait vivre avec quelqu'un pour de bon ? « Pourquoi est-ce que tu t'adresses à moi ? » hurlait-il. Elle lui faisait peur. « S'il te plaît, laisse-moi tranquille, je t'en supplie. »

Et donc, quand Mamoon et Liana étaient remontés dans leur chambre, une fois de plus Harry était sorti boire un verre avec les gens du cru. Il attendait que Julia franchisse la porte et se glisse à ses côtés, véritable bloc de chaleur et de parfum. Même si elle n'avait pas caché son enthousiasme à la perspective de le revoir, même s'il l'apercevait dans la maison quand elle vidait le lave-vaisselle et qu'elle repassait, il s'était juré de l'éviter. Mais, là, ils allaient passer la nuit ensemble. Ravi de pouvoir lui rendre service, il lui donnerait une bonne fessée à coups de brosse à cheveux comme elle le lui demanderait, il dormirait entre ses bras et il partirait tôt le matin avant que les autres ne se réveillent.

Mais, le lendemain matin, il était encore fatigué ; il était resté éveillé tard à discuter avec elle et, cette fois-ci, il ne put se lever comme prévu. Il entendait des gens qui allaient et venaient dans la maison. En cherchant ses habits et son téléphone, il remarqua, sur un bureau, entre deux numéros de *Closer*, plusieurs atlas, des anthologies de poésie et des livres sur les mythes. Il descendit les escaliers à pas de loup et, alors qu'il avançait discrètement en direction de la porte d'entrée, Julia lui bloqua le passage avec son bras.

« Cinq minutes encore avec moi, supplia-t-elle. Cinq petites minutes. Regarde... »

Elle avait dû se lever tôt pour tout ranger. Un courant d'air gonflait les rideaux : les boîtes de bière avaient disparu, les cendriers avaient été vidés et les meubles remis en place. Dans la pièce de devant, équipée d'un énorme écran télé, d'un canapé, de quelques chaises et d'une table, Harry s'installa pour engloutir les œufs au bacon que Julia avait absolument tenu à lui préparer. Elle s'assit face à lui, sirotant un verre de son cidre brut local préféré (un peu trouble, avec des petits morceaux qui flottaient), dégustant une profiterole et fumant une cigarette.

« Qu'est-ce que ça fait ici ? » demanda Harry en lui montrant le drapeau de saint George au-dessus de la cheminée. Il remarqua aussi, posés sur le manteau de ladite cheminée, trois bouteilles de la marque de champagne que Mamoon et Liana avaient l'habitude de boire, ainsi qu'un gros morceau de fromage. Il y avait aussi une vieille photo de passeport de Mamoon posée contre un bock de bière avec une tête de gros bonhomme.

« Mon frère Scott le skin est au National Party. On est britanniques d'origine. Pas toi ?

— Julia, tu as peut-être remarqué – et pardon si j'en parle trop – mais j'écris un livre sur un Indien en ce moment.

— Tais-toi. Le vieux, c'est pas un problème. Et d'ailleurs, ses parents et son frère, ils étaient de couleur eux aussi ?

— Oh que oui ! Toute sa famille. Noire comme du charbon.

— Mais il n'est pas somalien ; et les gens disent qu'il n'hésite pas à critiquer les musulmans.

— Oui, j'imagine bien.

— Et toi, tu les aimes vraiment, les musulmans ?

— Le monde est plein de gens qui ont des croyances bizarres, Julia. Scientologues, rastafaris, catholiques, adeptes de Moon, mormons, baptistes, tories, dentistes, capitaines d'industrie : à chaque folie son meneur de revue. Les asiles, les parlements sont pleins à craquer d'illusionnistes et seul un fou pourrait avoir envie de s'en débarrasser. Mon père disait toujours : "Commence par penser que les gens sont fous, pour pouvoir en rire ensuite quand c'est possible."

— D'après Scott, ils disent que nous sommes tous de sales impurs et qu'on brûlera en enfer. Il dit : "C'est à ça que ressemble notre pays ? Qui est-ce qui nous l'a pris ?"

— Mais notre pays est bien mieux aujourd'hui. Tout le monde est fauché et pourtant la situation est relativement stable, contrairement à tous les autres pays d'Europe. Et on sent moins la haine qu'avant. »

Il ajouta :

« En parlant de croyances bizarres : quand j'ai fini mon dernier livre et que j'attendais d'avoir une bonne idée pour le suivant, je suis allé dans le sud de Londres et j'ai commencé une enquête de fond sur les nouveaux skinheads. À part râler, ils ne font pas grand-chose. Une vraie bande de petites vieilles, qui passent leur temps à se tourner les pouces. »

Elle se posa un doigt sur les lèvres.

« Chuuut… Sacré nom, tais-toi et garde ça pour toi. Ici, en ville – je suis sûre que tu n'y as jamais mis les pieds –, c'est plein de Polonais et de musulmans. Et de travailleurs blancs comme nous, dont personne n'a rien à faire. Il y a une mosquée dans une maison, que nos gars ont à l'œil. Ils mettent le feu à droite à gauche histoire de flanquer la trouille aux bougnoules et aux bamboulas. Ils leur courent après aussi pour les bastonner. Ça leur apprendra à nous poser des bombes. »

Il se leva.

« Bon, merci, mais je ferais mieux d'aller écrire mon livre.

— S'il te plaît, Harry, tu me plais vraiment. Je ne suis pas comme eux. Je ne suis pas haineuse. Est-ce que tu ne serais pas en train de me coller une étiquette ?

— Ne me donne pas de raisons de le faire.

— OK, joli cœur. Encore cinq minutes. »

Et elle lui demanda :

« Si tu aimes tant que ça ce qu'il écrit, raconte-moi une de ses histoires.

— Maintenant ?

— Le temps que je finisse ma tartine. »

Elle croqua une mini bouchée.

« Le dernier livre qu'il a écrit est un court roman qui s'appelle *Après-midi chez le dictateur*. Une satire pleine d'humour, très réussie, sur un groupe de cinq dictateurs loqueteux du tiers-monde qui ont été renversés et qui se retrouvent dans un café d'Edgware Road pour prendre le thé. Ils l'ont adapté en opéra au Barbican et, quand j'ai commencé à travailler sur lui, Mamoon m'a envoyé le voir un week-end, pour me tester, j'imagine. Les acteurs étaient sur des échasses, avec des uniformes gonflés comme des montgolfières et de la musique industrielle. J'ai bien aimé mais ça l'aurait tué s'il avait vu ça. D'après lui, le monde n'a pas besoin d'exagération.

— Ça raconte quoi ?

— Les cinq dictateurs – le genre d'hommes qui feraient rôtir ton teckel à la broche et qui dégusteraient volontiers une soupe où tes yeux flotteraient à la surface – se baladent avec leurs sacs de courses en plastique, ils jouent aux cartes, ils boivent.

« Au début, c'est surtout une conversation banale, sur les ascenseurs en panne dans leur immeuble, sur les difficultés qu'ils ont pour trouver quelqu'un capable de retoucher leur uniforme militaire à un prix raisonnable, surtout quand on grossit à force de passer des heures dans le canapé à regarder *Big Brother*. Mais, pas seulement : ils ne peuvent pas suivre l'émission politique *Newsnight* sans angoisse, ils se plaignent de ce que l'argent qu'ils ont volé à leur bon peuple ne dure pas aussi longtemps que les gens peuvent le penser en ces temps d'inflation où chacun est dans la gêne.

« Même s'il y a toujours des fans un peu bizarres, un peu excentriques, qui les admirent et leur courent après, ce dont ils rêvent, c'est de retourner à leur vie active de dictature et de torture. À quoi sert un dictateur au chômage qui a tout le temps devant lui ? Une fois qu'ils ont bien discuté de traîtres et d'espions, de la manière dont ils ont été lâchés par leur propre camp, ils commencent à se disputer. Le problème étant que, si leur groupe éclate, ils n'ont plus grand-monde qui puisse leur tenir compagnie. Et puis ils ne se connaissent pas bien eux-mêmes et, un jour, tout se délite…

— Comment ça ?

— L'un d'eux se rend compte qu'il est en train de tomber amoureux d'une jeune serveuse qui travaille dans le café où ils vont régulièrement.

— Elle est jolie ?

— Et jeune, et gentille. Comme toi.

— Arrête.
— Écoute la suite : il n'arrive jamais au café sans lui apporter quelques livres de poésie et des statuettes en bois. Elle se sent flattée.
— Ce serait vrai pour n'importe quelle fille dans ce genre de situation.
— Il donne l'impression d'être sensible et sympa, notre dictateur, mais il a déjà trois épouses et n'en a rien dit.
— Il les a mangées ?
— Elles auraient eu bon goût. Et, d'ordinaire, une jolie fille comme elle – la serveuse dont on parle est espagnole, avec une belle peau sombre ; il n'y a pas un Anglais à des kilomètres à la ronde…
— Vraiment ?
— Tu verras, Julia. Je te ferai visiter Londres.
— Tu m'emmènerais ?
— Dans certains endroits, oui.
— Je t'en prie, Harry, ne me promets rien si tu n'en es pas capable. Quand tu me dis quelque chose, je te crois, moi.
— Et ce n'est jamais une bonne idée, dit-il. Donc, d'ordinaire, dans le monde du dictateur, une fille appétissante comme elle se ferait violer, sa famille serait brûlée vive telle une sorte de hors-d'œuvre, pour les maintenir en alerte. Mais, avec cette beauté d'un genre particulier, un jour qu'il est en train de payer l'addition, il ne résiste plus : dans un murmure, il lui demande si elle veut bien l'accompagner au cinéma.

« Cependant, l'un des autres dictateurs repère son manège. Il est jaloux car, lui aussi, il en pince pour la jolie serveuse. Et il sait que celle-ci refusera l'invitation si elle découvre qui il est vraiment. Qui aurait envie d'un rendez-vous galant avec un homme qui a commandité des massacres, qui a torturé lui-même certaines de ses victimes ?

— *Gloups.* Même pas moi.

— À la place, il lui a fait croire qu'il était journaliste, un peu artiste même…

— Elle a avalé ça ?

— Oui.

— Qu'est-ce qui se passe, alors ? Elle accepte l'invitation ?

— Effectivement, ils se retrouvent pour un rendez-vous.

— Ne me dis qu'elle couche avec lui dès le premier soir ?

— Tu le ferais ? »

Elle haussa les épaules.

« Si j'avais envie de lui. Il faut bien s'amuser un peu par les temps qui courent. »

Il poursuivit :

« Ils passent une bonne soirée. C'est un homme qui a de l'expérience, de bonnes manières et qui sait se comporter en gentleman. Il l'embrasse doucement sur la bouche. Pendant ce temps-là, l'autre dictateur prévoit de lui montrer un article compromettant.

— Et alors ? Les deux sont découverts ?

— Mais un autre dictateur encore entre dans le jeu… »

À ce moment précis, une porte s'ouvrit et une femme à l'air tragique avec un œil tout gonflé en train de virer au bleu entra clopin-clopant dans la pièce, jeta un regard un peu vague autour d'elle, comme si elle découvrait les lieux. Harry leva les yeux et se fit la réflexion qu'il l'avait déjà croisée quelque part – la nuit précédente, bien sûr. Mais ailleurs également. Comment s'appelait donc cette maison, *Déjà-vu* ?

« Tu es en retard, maman, lui dit Julia.

— Bonjour, monsieur », dit la femme en s'adressant à Harry et en lui faisant presque une petite révérence, mais il lui semblait aussi qu'elle tremblait. « *Rousse.*

— Pardon ? demanda Harry en se tournant vers Julia. Qui est rousse ici ?

— Ruth, rectifia Julia. Ma mère. »

Ruth lui demanda :

« Est-ce que ça ne vous dérangerait pas, monsieur, de nous emmener en voiture jusqu'à la maison ? Personne n'a entendu le réveil, nous étions malades. Mme Azam peut être très dure, abominable.

— Ah bon ? dit Harry.

— Elle a giflé ma Julia.

— Où ça ?

— Dans la cuisine. J'ai dû retenir mon Scott pour pas qu'il y aille. Après tout ce qu'on a fait, pendant des années de ça, avant qu'elle ne soit là, elle nous traite comme des domestiques, et elle a baissé nos salaires en disant : “Je sais que vous n'avez aucune idée de ce qui se passe là-bas, au-delà de vos meules de foin, mais les temps sont durs.” Vous devriez voir pour combien ils dépensent en champagne. Elle et monsieur, ils descendent trois bouteilles par nuit. Mais qu'est-ce qu'on peut faire si on veut garder notre travail ? »

Harry continuait de regarder cette femme d'un air incrédule jusqu'à ce qu'il finisse par connecter toutes les informations dont il disposait et qu'il la replace. Ruth, la mère de Julia, travaillait à la maison pour Liana et Mamoon ; elle lui avait servi à souper la veille.

« Bien sûr », dit-il, un peu embarrassé.

La mère partie, il se dépêcha de finir son assiette. Julia lui dit :

« Ils t'aiment bien, monsieur et elle. Je les entends parler de toi. Ils ne remarquent même pas que je suis là.

— Et qu'est-ce qu'ils disent ?

— L'autre fois, il t'a entendu le décrire.

— Le décrire ?

— Au téléphone. Tu l'as appelé Saddam Hussein et tu disais qu'il avait un cul merdeux à la place du visage.

— Ah. Il a fait quoi comme commentaire ?

— Il répétait doucement ce que tu avais dit, comme s'il digérait la chose. Et puis il a dit un truc du genre que tu ne serais jamais écrivain, que les biographes, c'étaient les vautours – non, pardon, qu'est-ce qu'il a dit exactement – les croque-morts du monde littéraire.

— Merci, Julia.

— À qui tu racontais ça ? C'était ta petite amie ?

— Oui. Alice Jane Jackson. »

Julia lui demanda :

« Elle est jolie, non ? Liana a entendu quelqu'un dire ça. C'est vrai qu'elle va venir ici ?

— Oui. Non. Peut-être. Elle lit des magazines et se mange les cheveux. Elle n'est pas fan des milieux littéraires et des discussions de ceux qui s'écoutent parler, qui parlent de leurs articles, des prix et compagnie. Elle pense que je n'aurais pas dû accepter d'écrire ce livre. Négative, mais au moins elle me protège.

— Harry, fais-moi confiance, moi, je peux t'aider plus que tu ne l'imagines. Je peux te renseigner.

— Ah oui ?

— Je peux mettre la main sur pas mal de trucs vu que je vais à peu près partout dans la maison. »

Elle marqua un temps d'arrêt.

« Je pense qu'il y a peut-être quelque chose, et que je pourrais te le trouver. Je suis tombée sur des pages écrites par Mamoon. Des carnets. Ça pourrait être utile.

— Comment as-tu trouvé ça ?

— C'était il y a quelques années. C'était dans la grange, Mamoon m'avait demandé de faire du tri.

— Il y a un tas de trucs plein d'humidité là-dedans, en train de pourrir dans des cartons. À part moi, personne n'y a jamais eu accès. Comment se fait-il que tu aies pris et lu ces documents privés ? »

Elle se tapota le bout du nez en souriant.

« Je voulais savoir deux trois choses.

— Quoi donc ?

— En feuilletant les carnets, j'avais vu mon nom à plusieurs reprises. Et celui de ma mère et de Scott.

— Je vois. À quel sujet ? »

Elle ne dit rien. Il reprit :

« Je peux y jeter un œil ?

— Je pense bien. Oui.

— Tu es tellement mignonne. »

Il l'embrassa sur la tête et lui dit :

« S'il te plaît, tiens-moi au courant quand tu auras du nouveau. »

Elle l'embrassa sur la bouche.

« Tant que tu me donnes du plaisir.

— Ça marche. Je suis ton homme.

— C'est vrai, Harry ? Je suis tellement contente. Je n'arrive pas à y croire.

— C'est une façon de parler, Julia, pas un contrat. »

La mère de Julia monta à l'avant du 4 × 4 et posa son sac sur ses genoux. Julia s'assit à l'arrière et mit ses écouteurs. Ruth lui demanda :

« Est-ce que ça vous va, s'il vous plaît, monsieur, si au passage on prend Whynne ? C'est ma sœur, elle nous donne un coup de main aujourd'hui.

— Pas de problème, Ruth. Plus on est de fous, plus on rit en cette belle journée à la campagne, avec le soleil qui arrive et la pluie qui n'est pas encore tombée.

— Merci vraiment d'être venu chez nous, de tout cœur. Vous aimez bien ma fille Julia, monsieur ?

— Elle est gentille, très affectueuse. Vous avez fait du bon boulot.

— Merci, monsieur. Je prends ça comme un immense compliment, venant de vous. Un si grand homme, docteur même. Vous faites des ordonnances ?

— Uniquement des ordonnances philosophiques.

— J'ai un fils aussi.

— Vous êtes deux fois bénie. Qu'est-ce qu'il fait ?

— Il fait peur aux gens.

— C'est son métier ? »

Elle eut un gloussement.

« Il leur fout la pétoche.

— Il est dans quel secteur ?

— Sécurité. Ils n'ont pas ça à Londres ?

— Si, on a tellement de vigiles qu'on tremble en permanence.

— C'est bien que vous soyez ici. Il a de la chance, mon fils.

— En quel sens ?

— De faire un boulot qui lui convienne.

— On ne peut pas mieux dire, Ruth. Il est clair qu'une belle vie l'attend malgré les difficultés en ce moment.

— Vous l'avez déjà vu ?

— Je ne crois pas avoir eu cette chance.

— Ça ne tardera pas. Vous pensez qu'il pourrait trouver du travail à Londres un jour ?

— Pourquoi pas ?

— Vous pourriez lui donner un coup de main, si vous en aviez la possibilité ? Vous devez connaître des gens qui ont besoin de vigiles.

— Effectivement.

— Je vous en serais vraiment reconnaissante. Ces enfants n'ont pas de père. Les hommes par ici sont des bons à rien.

— Apparemment, c'est partout que les hommes sont des bons à rien, Ruth. Mais l'ambition chez un jeune homme, c'est quelque chose de merveilleux. »

Contrairement à ce que Harry imaginait, le quartier où la mère de Julia les emmenait n'avait rien de la campagne anglaise verdoyante, enchanteresse, peuplée de cottages égayés de fleurs et équipés d'un chauffage Aga : on y voyait plutôt des logements affreux et délabrés – la plupart, avec des planches aux fenêtres, donnaient l'impression d'être abandonnés – et des rues plutôt minables avec des graffitis partout. Les gens avaient le teint terreux, l'air malpropre, ils avançaient lentement et semblaient à la fois endormis et violents. De toute évidence, les pères avaient pris leurs cliques et leurs claques, ou ils avaient été mis à la porte de chez eux par le chômage ou par les femmes. Harry avait l'impression de découvrir une île où les adolescents régnaient en maîtres, mélange de pauvreté anglaise, de violence larvée et de désespoir que, depuis des années, les investissements du gouvernement ne parvenaient pas à soulager. On n'avait aucune envie de garer sa voiture dans le coin, et encore moins sa famille.

Quand la sœur arriva, elle s'installa sans un mot, posant sur ses genoux la boîte en plastique qui contenait son déjeuner. Pour éviter les questions inutiles, Harry déposa les trois femmes dans l'allée, à mi-chemin de la maison. Relevant la tête au moment où il tendait à Ruth les vingt livres qu'elle lui avait demandé de lui prêter pour « des dépenses », il eut le sentiment, même s'il ne pouvait en être certain à cette distance, que Mamoon était à la fenêtre de sa chambre, remontant son col de chemise, ses yeux aux paupières tombantes soudain animés et éclairés d'un intérêt malicieux.

Harry se précipita dans la cuisine pour préparer du café. Liana le regarda sans rien dire. Peu de temps après, Ruth, sa sœur et Julia arrivèrent et commencèrent à secouer les tapis, à plonger les bras jusqu'aux coudes dans la cuvette des toilettes. Harry s'apprêtait à reprendre le chemin de la grange ; il continuerait de dépouiller les lettres et carnets intimes de Peggy toute la journée encore.

Mais il monta d'abord dans sa chambre se changer. Alors qu'il était là-haut, il entendit quelqu'un frapper à sa porte.

7

« Harry ? »

Le toc-toc léger de Mamoon surprit Harry, qui laissa échapper les papiers qu'il avait à la main.

« Il faut que je vous voie.

— Vraiment, monsieur ?

— Oh que oui ! On peut trouver un moment pour discuter plus tard dans la matinée ? Vous serez disponible ?

— Pour discuter ? Je suis là exprès pour ça, monsieur, pour m'incruster entre vos doigts de pied comme de la vermine, c'est vous-même qui l'avez dit l'autre fois.

— On se retrouve à la bibliothèque, l'ami. *Inch'allah*. J'ai hâte.

— Tant que ça ?

— Pourquoi pas ? Il y a beaucoup à dire. »

C'était une vraie surprise pour Harry ; Mamoon n'avait jamais requis sa compagnie jusque-là. Soit il voulait mettre les choses au clair sur tel ou tel sujet, ce qui était peu probable, soit il allait le virer.

Harry se sentait distrait, fatigué et coupable aussi après ses exploits avec Julia ; il s'inquiétait également de n'avoir pas tiré grand-chose de ses dernières questions à Mamoon, au sujet de Margaret Thatcher.

Pourquoi, lui avait-il demandé, appréciait-il quelqu'un qui n'avait pas particulièrement de culture et qui avait entraîné l'Angleterre sur le chemin de la vulgarité et du consumérisme ? Qui plus est, on aurait tendance à penser qu'un Indien qui écrit des livres serait bien la dernière personne que Mme Thatcher ait pu chercher à fréquenter. Mais, apparemment, elle appréciait sa compagnie et l'avait invité à lui rendre visite le soir à Downing Street. Quelques jours plus tôt, Harry avait réussi à faire dire à Mamoon que Thatcher « avait tenu bon face à la populace » et face à « des démagogues aussi inutiles que Scargill », et que « Margaret aimait les hommes ». Un scoop sur les conversations privées de Mamoon avec Thatcher aurait donné un coup de pouce au livre, mais Mamoon refusait d'aller plus loin.

Là, s'efforçant de trouver un moyen d'approcher Mamoon de manière plus profitable, Harry partit vers les bois avec Ying et Yang, qui pouvaient passer leur journée à courir.

Au téléphone, il dit à Alice : « Je le sens mal. Mamoon ne m'a donné que des miettes. J'ai des tonnes de faits et de dates mais qui a envie de lire ça ? Qu'est-ce que je dois faire, mon amour ? Comment est-ce que je peux l'amener à m'en dire plus ? »

Harry savait depuis le début qu'il devrait poser à Mamoon des questions qu'il n'aurait jamais posées à ses amis, ni à n'importe quel autre homme d'ailleurs. Il y avait certains aspects de la vie de ses amis, voire de ses petites amies, que Harry, tout empreint de retenue britannique, ne voulait pas connaître. À ses yeux, l'oubli ainsi que l'hypocrisie étaient des arts indispensables à la vie, et visiblement Mamoon en était lui aussi convaincu. Pourquoi donc, se demandait-il, parmi toutes les possibilités qui s'offraient à lui, avait-il choisi de devenir biographe – quelqu'un qui cherchait à débusquer la vérité d'un autre pour la remodeler selon ses propres termes ? Est-ce qu'il était fait pour ça, ou bien est-ce qu'il aurait été plus à sa place comme garde-côte, ce que l'un de ses frères lui avait suggéré récemment ?

La semaine d'avant, à Londres, alors qu'il se promenait avec son père dans Richmond Park, il lui avait demandé comment progresser avec Mamoon. Le vieil homme avait répondu : « La clé, c'est la ténacité, tu le sais sans doute après les années que tu as passées avec moi. Si tu veux entamer un traitement avec un schizophrène, par exemple, tout particulièrement s'il a une tendance à la catatonie, les seuls remèdes dont tu disposes sont le temps et une attention aiguë. Et mieux vaut que tu entres dans son fantasme plutôt que d'essayer de refuser de l'entendre. Ça peut prendre des mois, voire des années avant que tu parviennes à quoi que ce soit. Parfois, tu n'arrives à rien. Non seulement ça, mais le patient essaie de te rendre fou. Il veut te confier sa maladie jusque dans ta chair. Parallèlement, le médecin s'irrite du fait que le patient n'aille pas mieux et, souvent, il le punit, comme un prof qui s'impatiente du manque de progrès de ses élèves. La vérité, Harry, c'est que dans ce genre de relations, il se passe beaucoup de choses, même quand on a l'impression que rien ne se passe. Ceux qui sont sains d'esprit ont toujours envié les fous pour leur liberté et leur extase. Regarde ta mère, elle pouvait être adorable, et on l'adorait. Mais tout notre amour et toute notre attention n'ont pas suffi à la maintenir en vie.

— Je peux te le demander maintenant – je ne l'ai jamais fait. Tu l'aimais ?

— Oui, Harry, je l'aimais. Et elle aimait d'autres hommes. Il se trouve que je ne crois pas vraiment à l'état installé du mariage bourgeois, conçu pour brider la sexualité et qui, de toute évidence, requiert un prix trop élevé. Mais elle ne m'a pas facilité les choses. Elle était curieuse du monde et elle croyait ce que les gens lui disaient : c'était sa faiblesse. Si elle avait envie de connaître quelqu'un, elle le suivait, qu'il soit faussaire ou fakir, et tant pis pour les conséquences. Elle disparaissait ; on était fous d'inquiétude ; mais elle revenait au bout d'une semaine, nous racontant qu'elle avait traîné avec un DJ à Brighton. Tu savais un peu ce qu'il en était ? Tes frères t'en ont parlé ?

— Pas mal. »

Il n'avait pas voulu dire à son père qu'il rêvait encore de leurs vacances en Italie, et du jour où il était monté dans la chambre de sa mère pour trouver la porte entrouverte. Regardant à l'intérieur, il l'avait vue au lit avec un autre homme. Ils étaient allongés sans rien faire ; elle le tenait entre ses bras. Ses habits étaient répandus par terre mais, bizarrement, ses chaussures avaient été posées sur une chaise – il se demanda si c'était une façon de les exposer ou une manière de les protéger. Harry avait légèrement poussé la porte et était entré. Sa mère avait sauté au pied du lit, tirant le drap sur elle ; l'homme était nu. Elle hurla à Harry de sortir.

Il était parti en courant et, quand il l'avait revue quelques heures plus tard, elle était la même qu'avant et n'avait fait aucune allusion à ce qui s'était passé. Il sut dès lors qu'il y avait une autre mère à l'intérieur de celle qu'il croyait connaître et, par la suite, il se demanda souvent s'il reverrait sa vraie mère. Mais laquelle était-ce ? Est-ce qu'elle avait volontairement provoqué des érections chez lui quand elle le massait paresseusement pour faire pénétrer la crème contre l'eczéma ?

Ses frères lui apprirent qu'il avait échappé aux pires de ses comportements, dont il n'avait jamais eu conscience, bien qu'il ait vu sa mère traquer les cafards à travers toute la maison ou fermer les rideaux pour ne pas être repérée par les espions. Comme ça n'avait pas suffi à les tenir à distance, elle avait mis ses trois garçons dans la voiture et les avait emmenés, chantant à tue-tête, une bouteille de vodka à la main, parce que l'eau était empoisonnée, jusqu'en Écosse pour échapper à un homme qui maltraitait les enfants. Elle s'était rendue au commissariat pour porter plainte et les garçons l'avaient vue, menottes aux poignets, emmenée à l'asile, où on l'avait mise sous tranquillisants et dont elle n'était revenue que plusieurs mois après, dans un état pire encore.

Son père lui dit :

« Il faut que tu saches, elle serait fière de savoir que tu es devenu un homme de lettres. Elle adorait, souvent un peu trop, le moindre connard qui savait tenir un stylo. Les écrivains font passer leur art en premier, comme il se doit. Mais, la plupart du temps, ils sont disponibles dans l'après-midi et c'est justement le moment où leur esprit cède la place au sexe. Les femmes sont attirées par les artistes, bien sûr, tout comme elles sont attirées par les médecins et les prisonniers qui attendent dans le couloir de la mort. Les puissants et les vulnérables. Si tu veux continuer à coucher, surtout en vieillissant, il faut que tu investisses un de ces créneaux, mon garçon.

— Est-ce que ça te blessait, ses infidélités ? »

Il haussa les épaules :

« Je ne saurais compter le nombre de manières dont nous pouvions nous blesser l'un l'autre. C'était aussi comme ça que nous cherchions à nous aider – moi, en la transformant en patiente et, elle, en me transformant en figure d'autorité bornée –, ce qui était aussi dommageable, voire pire, que les blessures que nous nous infligions réellement. »

Puis son père dit la chose la plus dure que Harry ait jamais entendue :

« La vérité, c'est qu'elle était toute ta vie et qu'elle hantera tes rêves jusqu'à ta mort ; c'était ta mère, Harry. Mais, pour moi, c'était juste une autre femme. Vous, les garçons, vous êtes comme des photos souvenirs de vacances heureuses. Tu sais, quand tu mets fin à une relation et que tu dis que tu n'es plus amoureux, ce que tu veux dire en fait, c'est que tu ne l'as jamais vraiment été. Le passé est une rivière, pas une statue. »

Même si Alice était opposée au projet de biographie, elle avait insisté au tout début, avant que Harry ne parte chez Mamoon, pour qu'il s'exerce à la technique de l'entretien. Elle se faisait du souci, connaissant le tempérament de Mamoon et son indifférence, ainsi que la politesse joyeuse de Harry, et craignait que Mamoon n'embobine le jeune homme, si bien que les deux n'échangeraient que des banalités. Alice avait donc fait le forcing pour qu'ils mettent au point ensemble une liste de questions exigeantes et mordantes et elle avait fait un enregistrement vidéo de Harry s'entraînant à poser les questions sur un ton aussi doux et neutre que possible. Mais Mamoon, lui, avait conduit de nombreux entretiens avec les gens les plus désagréables du monde, les interrogeant sur les enfants qu'ils avaient assassinés et les femmes qu'ils avaient violées (« Quand vous étranglez une femme jusqu'à ce que mort s'ensuive, est-ce que vous allez au bout de votre plaisir ou s'agit-il seulement d'un petit plus, comme un verre de brandy en fin de repas ? »), et il maniait le silence comme un couteau. Le « maître », c'était toujours celui qui pouvait attendre sans que ça l'angoisse ; et puis, comme Rob l'avait dit, Mamoon pouvait aussi se lasser et devenir irritable. « Le simple fait que tu sois là, Harry, lui avait expliqué Rob quelque temps auparavant, lui rappellera à coup sûr qu'il n'en a plus pour longtemps à vivre de manière véritable et authentique. »

C'est par inadvertance que Harry avait découvert que certains sujets littéraires avaient le don d'agacer prodigieusement Mamoon. Ils lui fournissaient l'occasion de quelques moments d'imprudence, que Harry devait utiliser avec parcimonie, de crainte que son adversaire ne repère sa tactique pour l'appâter. C'était plus sur le mode du chapelet d'insultes du conducteur au volant que de la critique littéraire ; généralement, Mamoon se redressait soudain sur son siège : « Ce garçon sans punch, une vraie fille ! Et il écrit de la littérature anglaise, cet enculé toujours fourré dans les jupes de sa mère, qui n'a rien dans le ventre et qui ne sait pas ce que c'est que le travail ? »

Harry venait de faire référence, au passage et à voix basse, à E. M. Forster.

« Pourquoi, qu'est-ce que vous en pensez, monsieur ?

— Qu'est-ce que j'en pense ? Je ne pense rien d'un homme qui disait partout qu'il voulait écrire sur les pratiques des homosexuels – et nous avions certainement besoin d'en savoir plus à ce sujet. Mais comme il n'avait pas de couilles, il a passé trente ans à regarder à sa fenêtre, quand il ne montrait pas ses fesses aux contrôleurs de bus et autres Pakistanais. Un homme pas complètement fini qui disait haut et fort qu'il détestait le colonialisme mais qui se servait du tiers-monde comme d'un bordel privé parce que là-bas il ne se ferait pas arrêter, ce qui n'aurait pas été le cas s'il avait fait de l'exhibitionnisme dans des toilettes de Chiswick. Il semblerait qu'il ait préféré ses amis à son pays ! Quel courage, quelle originalité ! Bien sûr, continua-t-il, les yeux brillants de colère, Orwell était largement pire. C'est le pire de tous les Blair. Est-ce qu'on le prend toujours autant au sérieux chez nous ?

— Surtout comme essayiste.

— Il a écrit des ouvrages pour la jeunesse ou, plutôt, pour des jeunes qui ont la malchance de devoir les étudier. Cette écriture schématique, le style sobre, l'esprit vide, nu, animé par un profond relent de sadisme, le socialisme sentimental, Big Brother et les cochons, mais rien sur l'amour. Intolérable. Il n'y a aucun adulte qui aurait encore envie de perdre son temps à lire un de ses textes, sauf à être prof. Si j'essaie de me représenter l'enfer, j'imagine que je me retrouve tout seul pour toujours dans la salle 101, sans rien d'autre à lire qu'un de ses ouvrages.

— Ce n'est pas vous qui avez dit un jour que le mystère de la cruauté humaine était le seul sujet digne d'intérêt ?

— Ça sonne comme quelque chose que j'aurais pu dire, oui, même si je renie complètement ce point de vue aujourd'hui. L'amour est là. Aucun de ces deux écrivains, la grande folle pas plus que le puritain, n'a décrit une belle femme. Qu'est-ce qu'un écrivain qui ne peut pas faire ça ? »

Il frissonna ; puis, comme s'il avait atteint la jouissance extrême après cette diatribe jihadiste emplie de haine, il s'affala dans son fauteuil, la bouche ouverte, marmonnant :

« Je préfère de loin le petit Willie Maugham ou le lubrique H. G. Wells. Mais la seule que j'aime encore lire, c'est la Déesse.

— Laquelle ?

— Celle qui me rappelle ma belle bâtarde alcoolique et esseulée, errant dans Londres et dans Paris, quand je suis arrivé pour la première fois : Jean Rhys. C'est la seule femme écrivain de la littérature anglaise avec laquelle on ait envie de coucher. Sinon, il faut se contenter des Brontë, et autre Eliot, Woolf et Murdoch ! Vous imaginez un cunnilingus avec elles ? Comme disait Jean, le monde est très simple : il y a les cafés où l'on vous aime, et ceux où l'on ne vous aime pas. »

Harry frappa doucement à la porte.

8

Il se tenait sur le seuil de la bibliothèque. Ne parvenant plus à se souvenir du mantra dont Alice lui avait affirmé qu'il le calmerait, il se répétait à la place : « Boum, boum, boum. »

« Entrez. »

La pièce couverte de rayonnages était calme et fraîche, protégée par de lourds rideaux qui empêchaient la lumière d'y pénétrer. Les tables, où s'empilaient les livres les plus difficiles et les plus obscurs de la terre entière, étaient particulièrement anciennes. Des bustes, des sculptures, des peintures, des tapisseries – certains de ces objets étaient très beaux, d'autres extrêmement vulgaires – avaient été rapatriés depuis la maison des parents de Liana près de Bologne. Harry ôta ses chaussures et avança fébrilement sur un grand tapis vénitien que Mamoon avait choisi en faisant les boutiques avec Liana. Il avait l'impression de marcher sur un Montagna et d'aller au-devant d'un juge qui le ferait pendre.

Mamoon avait troqué son habituel survêtement ample contre un pantalon de flanelle gris, des mocassins italiens, des chaussettes en laine grises et une chemise blanche dont il n'avait pas boutonné les manches. Le chat roux pelotonné sur ses genoux fermait les yeux tandis qu'il lui caressait la tête.

Harry s'assit en face de lui, posa son carnet de notes, son stylo ainsi que son magnétophone sur la table basse.

Mamoon commença :

« Harry, s'il vous plaît, mon cher, avant que vous ne lanciez votre horrible boîte à enregistrer, est-ce que, pour une fois, je ne pourrais pas vous ennuyer avec une de mes questions ? »

Harry acquiesça nerveusement. Quand il ne piquait pas du nez, il arrivait que Mamoon lui pose une question directe et délicate, mais Harry se disait qu'il devait y répondre malgré tout, pour lui montrer que le silence n'était d'aucune utilité.

« Harry, est-ce que vous croyez à la monogamie et à la fidélité ? »

Harry rétorqua :

« Et vous ?

— Oui. Oui, j'y crois, oui, en théorie.

— En théorie ?

— Ah, ah.

— Vous dites que vous êtes un théoricien ?

— D'une certaine manière.

— Quel genre de théoricien êtes-vous, en fait ?

« Les gens disent qu'être fidèle, c'est la meilleure solution, que tout est plus simple à l'intérieur de la prison de l'amour. Les gens ont moins de risques de devenir fous. Les autres alternatives ouvrent à plus de malheur, vous ne pensez pas ?

— Comment est-ce que je saurais, moi ? dit Mamoon. J'ai déjà tellement vécu et, pourtant, je suis incapable de répondre aux questions qui n'ont pas de réponse. Les gens viennent me demander de leur livrer des vérités universelles mais ils se trompent d'adresse. Ici, vous n'obtiendrez que des questions universelles, celles qui font la littérature.

— Alors, comment pouvez-vous attendre de moi que j'y réponde ?

— J'ai bien vu la manière dont vous regardez les femmes. Nous avons fait des recherches vous concernant et nous avons entendu des choses qui nous ont choqués. Vous avez eu de la chance, Rob a misé sur vous, sinon nous ne vous aurions jamais choisi. Toutefois, peut-être que vous n'êtes pas encore prêt à vous retirer complètement du jeu. »

Harry enchaîna :

« Ma mère est morte. J'avais besoin d'attention féminine. Il y avait des tantes, les amies de mon père et les petites copines de mes frères. C'était un plaisir somptueux de courir se précipiter dans les bras de ces femmes à cet âge-là ; certaines étaient d'ailleurs particulièrement gentilles avec moi. C'est peut-être devenu une sorte d'obsession d'essayer de satisfaire une femme à qui l'on est redevable.

— La payer en retour pour sa gentillesse ?

— Vous devriez savoir, monsieur, qu'en ce moment je suis en phase de désintoxication sérieuse de ce point de vue. J'ai compris que je pouvais avoir un véritable impact sur les femmes. Quand elles voulaient être désirées, elles étaient capables de passions impressionnantes. Mais j'essaie d'arrêter, ou tout au moins de réduire de ce côté-là, suite à quelques équipées risquées et autres algarades.

— Récemment ?

— Oh, pourtant, je devrais savoir ce qu'il en est maintenant.

— Que me racontez-vous ? Il me faut un exemple.

— Je ne suis pas certain qu'on doive se laisser distraire, monsieur Mamoon. »

Mamoon se pencha en avant. L'impatience le gagnait.

« Ce que je veux dire, Harry, c'est que si je ne dois pas vous trouver détestable, il faudra qu'il y ait plus de réciprocité entre nous. Surtout venant de vous. »

Mamoon gratta sous le menton le chat qui s'étirait.

« Vous me suivez ?

— Monsieur, j'ai fait quelques excès avec les femmes. J'en avais trop demandé. Il fallait que je rembourse toutes mes dettes. Une fois, j'ai rencontré une femme dans le métro.

— Sur quelle ligne ?

— La Centrale.

— Ah oui. Marble Arch. Bond Street.

— J'ai adoré cette femme, je l'ai prise en pitié, mais je l'ai peut-être fait marcher – c'était quelqu'un d'isolé, une étudiante un peu plus âgée, qui venait d'outre-mer, qui ne voulait plus me quitter au bout d'un moment et qui a fait en sorte de tomber enceinte de moi. En tout cas, c'est ce qu'elle m'a dit. D'après elle, c'était sa dernière chance vu son âge. Elle n'attendait rien d'autre de moi qu'un enfant ! Je me faisais du souci. Je me souviens qu'elle notait tout.

— Ah, ah. Tout est consigné quelque part. Continuez.

— Prenant le risque, j'ai escaladé la façade de son immeuble pour m'introduire chez elle : j'ai lu son journal en y cherchant les pages où elle parlait de sa grossesse. La porte s'est ouverte alors que je cherchais les preuves. J'ai cru que j'allais mourir d'un arrêt cardiaque. C'était sa colocataire, elle avait un couteau à la main. Elle était si terrifiée que j'ai pensé qu'elle pourrait me tuer sans le faire exprès.

« Je lui ai dit que j'allais tout lui expliquer. On a bu du whisky. J'ai couché avec elle. Mais j'ai refusé que ça se reproduise. Alors, cette femme a tout avoué à son amie, qui a pris sa voiture pour essayer de me retrouver. J'ai appris que, trois jours durant, elle m'avait attendu dans divers endroits, avant de tenter de me renverser alors que j'étais à vélo. Ma roue arrière a été écrasée. Quand j'ai levé les yeux et que j'ai croisé son regard, j'ai jeté mon vélo sur le côté et je me suis sauvé. Mais, pendant ce temps, il fallait que j'empêche tout ça d'arriver aux oreilles de ma petite amie, avec qui j'avais commencé à vivre.

— Alice, c'est bien ça ?

— Oui, elle est douce, désespérée et tourne un peu en rond. Mais elle est belle à regarder, et je suis fou d'elle. Avant, j'aimais bien coucher avec trois filles par jour, si j'en avais l'occasion.

— Trois ? Vous faisiez ça sans problème ?

— Mon record, c'est quatre. Non, cinq. C'est quoi le vôtre, monsieur ? »

Comme Mamoon ne répondait pas, Harry poursuivit :

« Maintenant, je suis décidé à ne plus céder à la tentation et à rentrer dans le droit chemin. Mais, à l'époque, il y en avait quelques-unes encore avec qui je n'avais pas complètement coupé les ponts – reliquats d'une période antérieure, pourrait-on dire. L'une avait avorté. Une autre avait fait une tentative de suicide – juste devant moi. Un de mes frères m'a dit que je n'aurais jamais à me toucher tout seul, même si ça m'aurait évité quelques ennuis.

— Il semblerait que votre spécialité, si on peut dire ça comme ça, ce soit une aptitude à rendre les autres fous. Est-ce que c'est délibéré ?

— C'était une mauvaise passe, monsieur Mamoon. Mais, à ce moment-là, j'avais l'impression que ça valait le coup.

— En quel sens ?

— Ces femmes étaient spectaculaires.

— Comment ça ?

— L'une d'elles avait de très gros yeux. Chaque fois qu'elle les écarquillait, c'était comme si son corps s'épluchait de tous ses vêtements. Elle était violoniste, elle jouait du Bach et elle chantait pour moi.

— Ah.

— Donc, vous comprenez, elles poussaient au sacrifice. Je savais que j'étais bête de les suivre, mais j'aurais été plus bête encore de ne pas le faire.

— Bien. Un homme qui n'a pas dans son sillage une flopée de femmes au cœur brisé n'a pas vécu grand-chose. Et s'il y a des gens pour réussir à synchroniser leur vie amoureuse et leur vie sexuelle, ils ont bien de la chance. C'est aussi rare qu'un beau jour de printemps quand on est à la campagne.

— Je suis content, je dois le dire, d'être à la campagne, où tout est plus calme. Je suis capable d'être plus monstrueux que je ne voudrais l'admettre, dans mes passions et dans la manière dont elles se terminent brutalement, comme si la relation n'avait jamais existé. Je suis de ces gens qui ont besoin de savoir où ils mangeront la fois d'après, juste au cas où ce repas n'aurait pas lieu. Mais je n'insinue pas que les femmes aiment qu'on les compare à un repas, c'est sûr.

— Pourquoi un tel comportement ?

— Je me le suis déjà demandé, monsieur Mamoon, et vous seriez surpris de connaître la conclusion à laquelle je suis arrivé.

— Alors ?

— J'aime le fil du rasoir. J'ai envie d'être écorché vif. Ce qui m'effraie, c'est la vie bourgeoise, ordinaire. Je ne supporte pas la contrainte au quotidien. Telles que je vois les choses, je pense que l'ordinaire viendrait étouffer l'étincelle qu'il y a en moi.

— J'ai déjà dit ça quelque part : nous devons nous incliner avec gratitude devant les fondamentalistes, qui nous rappellent à quel point les livres et la sexualité sont dangereux. Toute sexualité, tout plaisir en fait, doit recéler une goutte du poison de la perversion, de la transgression diabolique – du mal, même – si on veut que ça vaille le coup de passer au lit. C'est devenu banal, maintenant que tout est à portée de main. En tant qu'étudiant assidu des journaux à scandale, j'ai compris que l'adultère – le plaisir et la trahison combinés – est le seul délice qui nous reste. Le mariage domestique la sexualité mais libère l'amour.

— Ça n'est pas une solution qui convient à nos besoins d'humains, mais c'est comme avec le capitalisme, les alternatives sont encore pires.

— Mais tout cela, continua Mamoon en désignant la pièce où ils se trouvaient, ce que vous décrivez comme le quotidien, le bourgeois, le morne, c'est ce dont j'ai envie. Ce dont j'ai besoin. J'aime ça.

— Ah bon ? »

Harry se pencha pour mettre en route le magnéto.

« N'y touchez pas, interrompit Mamoon. Je suis enfin en paix avec moi-même, Harry. L'autre jour, il a fallu que je plonge un couteau dans le grille-pain et c'était au-delà du type de danger que je peux affronter aujourd'hui. Je suis persuadé que ça vous arrivera un jour, l'envie du confort et de la satisfaction. L'envie de ne pas être spécial. Mais il me semblait que quelqu'un m'avait dit – Rob, peut-être – que vous aviez l'intention de vous marier ?

— J'espère bien, oui. J'en ai envie. Absolument. Je vois le mariage comme une sorte de rempart, de digue contre les turbulences du désir. Vous pensez que ça marche comme ça ?

— Qu'est-ce qui vous le fait croire ? »

Harry prit le magnétophone et le tendit à Mamoon.

« C'est moi qui suis censé vous poser des questions.

— Vous avez une vie plus intéressante que la mienne.

— Vous n'allez pas écrire sur moi, n'est-ce pas ?

— Je vous aimerais plus si vous étiez un personnage de fiction, et vous devriez être flatté d'apparaître dans un de mes livres, même sans pantalon. Mais, de toute façon, mon horloge s'est arrêtée. L'embaumeur remonte ses manches. Au moment où nous parlons, soixante-douze vierges enfilent leur uniforme de collégienne pour m'accueillir. Vous devez vivre et je vous le confirme : faites toujours passer votre pénis en premier. Harry, vous savez, je trouve que vous êtes un imbécile et un crétin fini, mais ça ne veut pas dire que vous ne m'ayez pas beaucoup appris.

— Merci pour ça. C'est réconfortant. Mais qu'est-ce que je vous ai appris, monsieur ?

— Mon revers, c'était n'importe quoi, vous avez vu. Et ça faisait des années que ça durait. Il était beaucoup trop haut. »

Mamoon reprit :

« Vous êtes bien plus sophistiqué, bien plus réfléchi et cultivé que je ne l'étais à votre âge. Mais, par d'autres aspects, vous êtes quelqu'un d'assez rudimentaire et vous vous mentez à vous-même.

— Ah bon ?

— Pardon si je me suis moqué de vous.

— Vous vous êtes moqué de moi ?

— Vous n'avez pas entendu le bruit que j'ai fait ?

— Si, monsieur, et j'ai cru que vous vous sentiez mal. C'était quoi, ce bruit ?

— Toutes ces juxtapositions que vous décrivez sont franchement risibles. D'un côté, la banalité de l'existence bourgeoise et, de l'autre, un fantasme de ce que pourrait être la jouissance sans limites – comme s'il n'y avait pas d'autre possibilité.

— Effectivement, reprit Harry. Ça donne l'impression d'être royalement stupide présenté comme ça.

— Désolé si j'ai été brutal. Mais la manière dont vous décrivez les choses est trompeuse. Le cadre, pourrait-on dire, n'est pas placé au bon endroit. Vous n'avez pas eu recours à cette extraordinaire intelligence dont vous disposez pour examiner cette question et j'ai envie de savoir pourquoi. C'est presque une forme de scission fondamentaliste qui vous caractérise. »

Il fixa le plafond :

« Le roman, c'est la contagion. Le roman voit les complications. Vous seriez bien inspiré de réfléchir à ce que Joseph Conrad a pu dire une fois ; non pas que ce soit un écrivain auquel je m'intéresse beaucoup aujourd'hui – j'y trouve assez peu de plaisir, comme vous le savez, maintenant que je suis presque mort.

— Que disait Conrad ?

— "La découverte de nouvelles valeurs est une expérience chaotique. On traverse un moment d'obscurité. Je laisse mon esprit flotter à l'envers sur ce chaos."

— "Flotter à l'envers sur ce chaos", répéta Harry. C'est ce dont j'ai besoin.

— C'est plutôt sur la question des valeurs que je m'attarderais, si j'étais vous. »

Harry remarqua que Mamoon le regardait avec un certain amusement. Il lui demanda :

« Vous pensez que je suis un jeune homme faible ? Ou quelqu'un qui a plus de plaisir qu'il ne le mérite ?

— Plaisir, vous dites ? » Mamoon éclata de rire. « La plupart des gens ne savent pas comment optimiser leur plaisir, Harry ; ils sexualisent leur douleur. Vous n'avez pas été sans remarquer que, souvent, on vit sans amour et on passe toute sa vie à chercher quelqu'un qui ne nous fait aucun effet.

— Et pourquoi, alors ?

— À vous d'y réfléchir.

— Est-ce que ça pourrait être un portrait de vous, cette dernière phrase, monsieur ? »

Mamoon se pencha en avant.

« Je déteste exprimer un point de vue, mais vous insistez pour que je le fasse. Je n'ai jamais envie d'être très clair. Rien n'est plus perturbant que la clarté. Les meilleures histoires sont celles qui restent ouvertes, qu'on ne comprend pas très bien. Mais mon idée sur la question est très simple : les amours que vous décrivez sont des rencontres très limitées, bien sûr. Pas des relations, non. On ne pourrait pas les décrire comme telles. Ce sont des dépendances, ou des antirelations. Peut-être que vous n'aimez être qu'avec des gens que vous détestez ?

— Comment serait-ce possible, monsieur ?

— Les relations qui n'évoluent pas prennent un tour sadique. Il faut qu'il y ait un échange qui fasse évoluer les deux partenaires : il doit y avoir une sorte de transformation, une forme de nouveauté, sinon, c'est la violence. La violence de ceux qui souhaitent faire exploser une situation pour pouvoir en sortir.

— Vous en savez quelque chose, monsieur ? »

Mamoon haussa les épaules.

« La transformation mutuelle, c'est quelque chose de rare, tout comme les bonnes choses. De mon point de vue, on devrait vivre comme on en a envie jusqu'à ce qu'on trouve quelqu'un pour qui on veut rester fidèle. Après tout, comme vous l'avez dit, on ne peut pas jouir en se suçant soi-même.

— Exactement. »

Mamoon poursuivit :

« Je pense qu'on en a dit assez pour aujourd'hui. J'ai besoin de m'allonger un peu pour réfléchir à tout ce que vous m'avez fait raconter. »

Il lança un sourire à Harry.

« Pourquoi est-ce que vous n'invitez pas votre petite amie à venir passer quelques jours ici ? J'aimerais bien la rencontrer.

— Vraiment ?

— J'ai le sentiment que la présence d'une jeune femme me rendrait plus volubile.

— Comment ça ? »

Mamoon ferma les yeux :

« Peut-être que c'est de nouveau le moment pour moi de me rappeler les choses plus essentielles et plus appréciables. À l'enterrement de Victor Hugo, il était impossible de trouver une prostituée dans tout Paris. Elles étaient trop occupées à venir lui rendre hommage. Ça, c'était un homme ; et il a toujours un spectacle dans le West End.

— C'est vrai. »

Harry rassembla ses affaires et repartit en trottinant sur le tapis.

Mais, avant qu'il n'atteigne la porte, Mamoon ouvrit les yeux et lui dit :

« Vous comprendrez peut-être un jour qu'on ne trouve pas sa sexualité aussi facilement que si on achetait un fantasme taille-unique-pour-tous dans un magasin de prêt-à-porter : c'est une grossière idée de bourgeois, d'une neutralité d'esclaves. Si vous y réfléchissez pour de bon, vous verrez que les gens doivent élaborer leur sexualité à partir de ce qui leur est donné. Mais c'est plus proche de l'écriture d'un livre que de la lecture d'un script.

— Merci.

— Tout le plaisir est pour moi. Et comment va notre psychorécit ? Mon monument – votre ontologie ?

— Ça avance, monsieur. Mais il y a encore pas mal de chemin à parcourir.

— C'est bien. Il y en aura toujours, à mon avis. J'espère que vous faites de moi une histoire que je pourrai apprécier. Est-ce que je suis intéressant ? J'ai tellement hâte d'être surpris par la manière dont je vais émerger de là.

— Vous serez très surpris.

— Pourquoi ?

— La vérité est un tatouage que l'on a sur le front. Tout seul, vous ne pouvez pas le voir. Et moi, je suis votre miroir.

— Vous. Merde alors !

— Pas de bol. »

Harry s'interrompit quelques secondes.

« Il faut que je vous demande, est-ce que vous avez déjà réfléchi à la possibilité que j'aille voir Marion pour un entretien ?

— Pourquoi vous embêter avec elle ? Il y aura toujours des femmes. Elles vont, elles viennent, apparemment. Et alors ? Ne leur courez pas après. Laissez-les venir à vous.

— Pourquoi est-ce que vous refusez, monsieur ?

— J'ai dit que ce n'était pas une bonne idée. Vous ne ferez que l'irriter. Comme si la pauvre femme n'en avait pas déjà assez vu comme ça.

— Qu'est-ce qu'elle a déjà tellement subi ?

— Sortez.

— Une dernière chose, monsieur. Votre revers, il faut encore le travailler.

— Oui, c'est ce que je me disais. Il faut qu'on s'y remette. J'ai envie de retrouver ma forme physique. J'ai besoin que vous m'encouragiez à faire des redressements assis et des pompes à la barre. J'ai besoin de refaire fonctionner mon corps. Ça pourrait être utile un de ces jours. »

Harry sortit d'un pas pressé mais, comme il l'avait prévu, Liana l'attendait dehors puisqu'elle n'avait pas d'autre compagnie que Julia. Elle marchait à ses côtés alors qu'ils traversaient les champs : elle avait envie de parler avec lui. Quand elle disait « parler avec lui », elle voulait surtout qu'il l'écoute, en fait. Ce fut un soulagement de n'avoir qu'à écouter : il était épuisé après ce qu'il avait dit à Mamoon, comme s'il avait participé, sans le chercher, à une séance de thérapie éreintante.

Elle commença :

« Vous me connaissez suffisamment, Harry, pour voir que je suis une femme de désir et d'attente. »

Elle voulait lui parler de ce désir qu'elle avait de sortir « de la boue », puisque c'est en ces termes qu'elle avait commencé à percevoir la campagne.

« La campagne, ça sent la merde, dit-elle. Mamoon aime parce que ça lui rappelle son enfance là-bas. Mais, maintenant, j'ai besoin de retourner vivre à Londres et il faut que nous trouvions de l'argent pour acheter un appartement. Je déteste l'idée d'habiter si loin de chez mon coiffeur. Mes vêtements tombent en lambeaux. On organisera des fêtes, des dîners. Vous savez que j'ai très envie de rencontrer Sean Connery et cet acteur qui a joué Gandhi. Mais, en attendant, je prévois un dîner avec Mamoon dans les environs. Est-ce que votre petite amie voudrait bien se joindre à nous et venir passer quelques jours ici ? Je suis tellement lasse, Harry, peut-être nous remontera-t-elle le moral ? Est-ce qu'elle est drôle ? J'aurais tellement envie que quelqu'un vienne ici et nous sorte de l'ordinaire.

— Votre invitation à tous les deux est très aimable mais je suis un peu nerveux à la perspective de lui demander de venir, répondit Harry. Alice a toujours vécu dans des logements sociaux, son père était schizophrène. Elle n'est pas allée à l'université et son frère est en prison.

— Qu'est-ce qu'il a fait ?

— Trafic de drogue et cambriolage. Elle a été dans une école d'art mais, à part ça, elle n'a pas de formation supérieure. Là où elle habitait, elle lisait des magazines de mode comme si elle déchiffrait des documents du samizdat et, d'une manière ou d'une autre, elle a trouvé un boulot dans la mode. Elle n'est pas très bien payée, mais elle adore les vêtements et elle fait des photos magnifiques. En revanche, pour ce qui est des discussions littéraires, autant dire que Valentino est son Dante et Alexander McQueen son Baudelaire.

— Le maître de Rome est son Dante ? Une fois, je lui ai pris la main quand j'habitais encore là-bas, comme avec Fellini. Je vous en prie, invitez-la. Mamoon travaille, mais il ne se plaindra pas trop s'il y a des gens qui viennent à la maison et qui ne l'irritent pas. S'il les prend en grippe, bien sûr, ils peuvent abandonner tout espoir.

— L'autre matin, quand j'ai conduit Mamoon en ville chez le pédicure, il m'a dit qu'il aimerait avoir un fusil de chasse. » Harry se mit à imiter l'accent ridiculement chic de Mamoon : « Quelqu'un le remarquerait-il si nous éliminions un ou deux de ces jeunes gens ? Qui s'en préoccuperait quand il y en a tant qui traînent à ne rien faire ? »

Liana reprit :

« Il dit la même chose à propos des cyclistes. Mais s'il y en a un seul qui refuse l'invitation, j'entame les lamentations de la *banshee*. Allez, vous l'amènerez à la fête d'anniversaire de Mamoon ? Qui que ce soit sera le bienvenu, pourvu qu'il soit jeune.

— Je lui demanderai. Je sais ce qu'elle va dire.

— Vous le savez ?

— "Qu'est-ce que je vais mettre ?"

— Une femme comme je les aime. Oh, Harry, comme le disait Dante : "Ce soir est le début de toujours… *Amore e 'l cor gentil sono una cosa.*" »

9

« Alors, Boswell, vous êtes un homme, un vrai, ou bien vos histoires sont de pures inventions, comme les miennes ? lança Mamoon, toujours prompt à engager une joute fatale après une matinée passée à entretenir sa forme. Je n'ai même pas les couilles en sueur ! Faites-moi courir ! Vous ne voulez pas vous débarrasser du nègre effronté qui a volé toutes vos femmes blanches ? Allez-y, tentez votre chance, passez donc au meurtre ! Quel genre de risque avez-vous déjà pris dans la vie ? »

Harry trouvait amusant de taper dans des balles que Mamoon devait lui renvoyer et Mamoon appréciait beaucoup ces vigoureuses séances ; elles lui donnaient un sacré coup de fouet, les moments de mise en boîte en particulier.

Paf ! – Harry envoya une balle en hurlant : « Allez, Fred Perry, faites-moi un revers avec ça, si vous en êtes capable ! Foncez, foncez, foncez, grand-père ! »

Quand Mamoon piquait un sprint, il se mettait à tousser ; il se raclait la gorge, on avait l'impression qu'il avait un haut-le-cœur et il crachait en tremblant de tout son corps. Malgré tout, il voulait recommencer à jouer, pour se forcer encore un peu.

Dans la cuisine, au moment où ils sortaient avec leurs raquettes, Liana avait agité un doigt couronné de bagues en direction de Harry : « Dès qu'il commence à vous demander de le tuer, à vous répéter qu'il adorerait que vous l'assassiniez, je ne veux pas que vous lui serviez un arrêt cardiaque sur un plateau, d'accord ? C'est peut-être une partie de haine pour vous ici et je ne connais pas les statistiques sur le nombre de biographes qui finissent par tuer leur sujet, mais ce n'est pas la peine de lancer la mode. »

Harry se demanda bientôt s'il n'avait pas effectivement lancé cette mode. Il envoya une balle assez fort, mais pas trop fort non plus. Le vieil homme s'avança lourdement pour la renvoyer mais soudain il se redressa comme si on lui avait tiré dessus, hurlant de douleur avant de tomber à genoux.

Harry se précipita vers lui, l'allongea sur le dos et lui dit de ne pas bouger. Il allait chercher de l'aide.

« Je n'ai jamais été immobile de ma vie, rétorqua Mamoon. Je vais me relever, je vais marcher. »

Harry avait beau dire à Mamoon qu'il devait souffrir d'une déchirure, celui-ci commença à ramper sur le terrain en disant qu'il voulait absolument reprendre la partie. Il se remit debout, s'agrippant à la barrière, basculant presque par-dessus, et il leva sa raquette.

« Service ! Je suis prêt ! Allez, putain de fils à papa ! »

Harry fit doucement rebondir la balle dans sa direction. Mamoon courut dessus, s'effondra une deuxième fois, face contre terre, les mains agrippées sur le côté.

Harry n'avait pas pris son téléphone. Il dut aider Mamoon à se mettre debout et le porta plus ou moins comme ça jusqu'à la maison. Ce fut une sacrée expédition ; Mamoon pesait son poids, il transpirait à grosses gouttes, jurait tout ce qu'il savait. Finalement, Harry demanda à Mamoon de grimper sur son dos ; à la réflexion, c'était ce qui lui semblait le plus efficace.

Tandis qu'ils progressaient ainsi, Mamoon murmura à l'oreille de Harry : « Je parie que vous vous dites que ce serait tellement mieux si vous étiez en train d'écrire un autre mauvais livre sur Conrad. Dites-moi, au fait, c'est quoi cette histoire où un homme doit transporter un cadavre sur son dos ? À moins que je ne me sois transformé en insecte autoritaire tout droit sorti de chez Kafka ? »

Harry devait ménager son souffle et fut incapable de répondre.

Liana était probablement en train de regarder à la fenêtre quand elle vit arriver cette créature gémissante à deux têtes et deux pattes. Elle se précipita vers eux, harcelant Harry de questions pour savoir ce qu'il avait fait à son mari. Elle commença à s'affairer autour de lui ; Harry attendait que Mamoon explique ce qui s'était passé, mais le vieil homme continuait de geindre, de jurer et il refusa de s'allonger jusqu'à ce que Liana le menace d'une fessée. Elle dit à Harry d'aller chercher une branche dans les bois pour lui faire une canne.

Les jours qui suivirent, Liana était trop occupée à organiser la fête d'anniversaire, si bien que Harry se vit confier la mission de veiller au confort de Mamoon. Il traînait le vieil homme d'une chaise à une autre, l'aidait à marcher jusqu'à la porte de son atelier – mais, comme les autres, il n'était pas autorisé à entrer – et à en revenir. Liana lui avait mis un téléphone autour du cou avec deux numéros préenregistrés, le sien et celui de Harry. Un écrivain est adoré par des gens qui ne le connaissent pas mais détesté par ses proches. Étant plus jeune, Harry aurait été ébahi, reconnaissant, flatté que Mamoon Azam l'appelle cinq fois par jour. Pourquoi est-ce qu'un homme si distingué, avec qui, c'est sûr, tout le monde voudrait discuter, pouvait avoir envie de lui parler à lui ? Mais, maintenant, comme il faisait partie de la « famille », il en était devenu trop familier et il appréhendait d'entendre sa voix pleine de langueur. « S'il vous plaît, cher Harry, si vous êtes dans les parages, seriez-vous assez gentil pour m'apporter un livre – celui qui a une couverture verte, je crois qu'elle est verte, une sorte de vert, ou peut-être turquoise, mais je ne souviens pas du titre, ni de l'auteur – à côté de la télévision… Enfin, je crois qu'il est quelque part pas loin de la télé. Et puis je n'arrive plus à retrouver mes lunettes. Vous savez, pas celles qui ont une monture noire, non : avec la monture bleue. Vous ne sauriez pas par hasard… »

Coïncidence malheureuse : le dos bloqué de Mamoon, qui le rendait physiquement impotent et bien plus irascible que d'ordinaire, tombait en même temps que le projet de Liana d'impressionner Harry avec leurs amis. Elle s'était particulièrement investie dans l'organisation du dîner, jusqu'à un point de maniaquerie évident – « le début de toujours », comme elle aimait à le dire en parlant de cette soirée.

Tandis que Julia la suivait partout et subissait sans cesse ses remontrances, Liana filait en ville, une liste à la main, pour s'occuper du menu, des boissons, du plan de table. Elle voulait que les invités forment un groupe de convives idéal. Apparemment, la plupart d'entre eux habitaient dans les environs, mais il y avait aussi des amis qui venaient de Londres ; d'autres encore allaient traverser tout le pays. Il y aurait des discussions spirituelles et drôles, de la bonne chère et du bon vin. Ce serait utile pour Harry aussi : ça lui permettrait de voir de près comment un homme qui avait réussi pouvait vivre, combien il était aimé. Ce serait une répétition du genre d'événements dont Liana espérait qu'ils se produiraient régulièrement à Londres, une fois qu'ils auraient rassemblé l'argent leur permettant d'acheter là-bas.

Alice, qui travaillait maintenant dans la capitale, savait tout cela grâce à Harry. Elle était allée à Paris avec des collègues, mais lui avait promis qu'elle prendrait le train pour les rejoindre si elle pouvait, suivant la manière dont les choses tourneraient.

Le soir du dîner, un mois après l'installation de Harry à la campagne, celui-ci était assis à la table de la cuisine avec Mamoon, attendant que Julia ait fini d'aider Liana à se préparer. Cela faisait un moment qu'elles s'y étaient attelées et Ruth leur donnait un coup de main – depuis la veille au matin, en fait. Mamoon avait dit que c'était comme refaire la décoration de Chartres. Pendant ce temps-là, les deux hommes, qui avaient mis à peine quelques secondes pour enfiler leur costume et se passer la main dans les cheveux, s'étaient déjà servi un bon nombre de martinis tout à fait revigorants.

Harry demanda à Mamoon s'il se sentait bien.

« Sans vouloir vous offenser, vous avez l'air désemparé de celui qui vient de se rendre compte qu'il est monté dans le mauvais train.

— Ce n'est pas ce qu'on boit qui fait trembler mes mains, Harry. Qu'est-ce qu'il y a de pire, l'ami, qu'un dîner en son honneur ? J'aurais préféré rester à la maison et me faire du mal tout seul. Bobonne, comme vous devez dire quand vous parlez le faux cockney que vous avez appris dans votre boîte privée de blancs-becs, on a l'impression qu'elle passe par un moment de folie, même pour elle.

— C'est ce dîner qui vous rend nerveux tous les deux. Liana est merveilleuse, gentille…

— Il faut bien le dire, vous êtes un sacré petit gars, à vous lancer dans une effigie comme ça et à nous amener à boire. Je commence à bien vous apprécier. Vous pourriez peut-être juste me rendre un minuscule service.

— Je me disais bien que ça devait cacher quelque chose… »

Mamoon se pencha vers lui :

« Gardez un œil sur Liana ce soir. Vous savez que vous êtes très fort quand il s'agit de parler soutiens-gorge, alignements de points d'énergie, tous ces sujets qui intéressent les femmes.

— Je ne comprends pas.

— Vous êtes suffisamment malin pour savoir que, dès qu'on parle migraines, chats, vous mettez une femme dans votre poche. Branchez-la donc sur le thé à la menthe.

— D'accord.

— Et, tant qu'on y est, vous me rendriez un autre service en allant me chercher une bouteille de vodka, s'il vous plaît. Celle qui est au congélateur, là où Liana met ses pulls en cachemire. »

Harry en profita pour ramener deux petits verres en cristal. Mamoon les remplit, en but un, qu'il remplit à nouveau.

« Buvez ça. C'est meilleur nature. Le vermouth nous embrouillait l'esprit. »

Harry but son verre et Mamoon le resservit tout en lui disant :

« Je sais que vous avez pas mal d'expérience dans le domaine.

— De quel domaine parlez-vous, monsieur ?

— Celui des femmes.

— Vous en savez plus que moi, monsieur. Vous avez été avec Peggy pendant des années. Je suis plongé dedans en ce moment.

— Harry, je vous en prie, n'oubliez pas de bien préciser, à l'attention des masses avides de lecture, que c'était une femme absolument délicieuse, mais que personne n'aurait dû l'épouser. Un jour, on tombe amoureux et on apprend, le temps que ça dure, qu'on est à la merci de l'enfance de quelqu'un d'autre. Après un certain temps, par exemple, on finit par comprendre qu'on vit au creux de l'aisselle de la mère de sa femme. J'ai commis une erreur. Une erreur parfaitement compréhensible.

— En quel sens ?

— Je croyais que la sexualité et le travail pouvaient remplacer l'amour. Je dois l'avouer, quand Peggy est morte, j'étais soulagé, peut-être même un peu euphorique. Pendant quelque temps, je n'ai pas su quoi faire. Vraiment, ce dont j'avais besoin, c'est ce que j'ai maintenant. Une femme, qui n'est pas facile – franchement pas facile, il n'y a pas de doute là-dessus – mais qui est bien la femme d'un seul homme.

— C'est quoi exactement ce genre de femme ?

— Pas une femme qui se consacre à elle-même, ou aux enfants, à une cause, à l'alcool, non, mais qui se voue à l'homme qu'elle idéalise, au stylo qu'il a en main, à son génie. Et cet homme, si c'est possible (Mamoon poussa un soupir), ça devrait être moi.

— Vous avez de la chance, monsieur. Et, bientôt, vous en aurez encore plus.

— Pour quelles raisons ?

— Attendez de voir votre femme ce soir.

— Elle s'est fait faire un lifting ? »

Harry secoua la tête.

« Quelque chose de plus cher encore ? Dites-le-moi, s'il vous plaît.

— Une seconde. »

Harry était adossé à la porte de derrière, il alluma une cigarette :

« Je vais vous le dire. »

Ce matin-là, Julia était entrée dans la chambre de Harry, avait refermé la porte derrière elle et s'était presque effondrée en larmes. Ce n'était pas exactement le genre à pleurer facilement. Quand Harry lui demanda ce qui n'allait pas, elle lui raconta que Liana, qui était dans tous ses états ces derniers jours à cause du stress, lui avait brutalement rappelé que c'était elle qui commandait et qui possédait tout ici, tandis que Julia n'avait rien, et qu'elle avait intérêt à se tenir à carreau, qu'elle était prévenue.

« Ma fille, vous devriez manifester un peu plus de reconnaissance et vous comporter un peu mieux, avait ajouté Liana. Et puis, *inch'allah*, peut-être que Mamoon et moi vous aiderons à progresser dans ce monde si dur. »

Harry apprit qu'il y avait eu une accumulation de vexations : à une autre occasion, Liana avait accusé Julia d'avoir les cheveux gras et de se négliger. Exaspérée par son autoritarisme, par son impatience et par la crainte de se prendre une autre gifle, Julia avait sérieusement réfléchi. Elle avait échafaudé un plan pour revenir vers Liana et ne pas se faire renvoyer. Harry ne pensait pas que Liana cherchait à se débarrasser d'elle, d'ailleurs ; il savait qu'elle ne payait pas Julia pour les heures qu'elle faisait et qu'elle essayait aussi de comprendre la relation qui les liait.

Pour Julia, ce n'était pas l'argent qui importait dans cette histoire. Elle avait finalement trouvé un but et œuvrait pour se rendre indispensable auprès de Liana. La première chose qu'elle faisait le matin, c'était de préparer la tenue de sa maîtresse : elle étalait sur le lit ses vêtements, ses bijoux, ses divers accessoires pour la journée. Elle faisait en sorte que la salle de bains soit aussi impeccable qu'une salle d'opération. Puis elle l'emmenait en voiture, faisait les courses avec elle, brossait les animaux, leur donnait à manger, et se prenait un peu de glace à la vanille quand elle sentait la tension monter. Elle en faisait cette grande dame que Liana avait toujours pensé être, et elle voyait tout. De l'autre côté, Harry avait entendu Liana dire, sans que ça la gêne particulièrement, que cette « expérience » de travail chez eux, ça « ferait bien » sur le CV de Julia, laquelle avait eu un sourire narquois.

« Pourquoi faites-vous cette drôle de tête ? » lui avait demandé Liana.

Julia avait répondu :

« Vous savez, mademoiselle, on ne fait pas carrière par chez nous. Parfois, on a un travail. Mais pas si souvent. »

Ça n'était pas un secret pour Harry que Julia préférait Prospects House à sa propre maison. Elle était enfant la première fois qu'elle y était venue, quand sa mère travaillait pour Peggy. Scott, le frère de Julia, qui s'occupait beaucoup d'elle à l'époque, n'était pas souvent là et, ces derniers mois, les exploits nocturnes de sa mère avaient augmenté en intensité et en fréquence. Il se passait rarement un soir sans que Ruth aille au pub et en ramène quelques gaillards pour des prolongations.

« Je mérite bien un peu de compagnie à mon âge, déclara-t-elle en tirant une caisse de bières. Je n'ai peut-être pas eu beaucoup de chance en amour, mais il n'est jamais trop tard pour vivre ! Regarde donc ce que tu fais, toi, continua-t-elle. Tu rentres à la maison avec ce garçon très propre sur lui, est-ce que je te dis quelque chose ?

— Mais pourquoi tu devrais me dire quelque chose ? » demanda Julia.

Elle confia à Harry :

« Bref, maman a commencé à te détester.

— La dernière fois, quand j'avalais mes œufs brouillés le matin, j'ai bien remarqué qu'elle me jetait un drôle de regard. Est-ce que je n'ai pas toujours été poli avec elle ?

— C'est juste ta personnalité. Elle fait des imitations de toi quand tu dragues : c'est à mourir de rire. »

Julia était sur le point de lui montrer mais se ravisa.

« Elle dit que tu es snob, très classe moyenne, imbu de ta personne, que tu es tout ce qu'elle déteste dans ce pays. Un de ces quatre, quelqu'un va te donner une bonne leçon.

— Tu sais que j'ai toujours envie d'apprendre. Je prie simplement pour que ce ne soit pas Scott mon prof. »

Lors des « soirées » de Ruth, ça dansait, ça forniquait bruyamment, puis le matin il y avait de la bagarre et du sang versé. Julia allait chez son amie Lucy aussi souvent qu'elle le pouvait ; parfois, quand elle se disait que ça allait être trop insupportable de passer la nuit chez elle, elle se faufilait dans une des granges et dormait sur un canapé, sans que Liana et Mamoon s'en rendent compte. Mais, la plupart du temps, elle restait chez elle, enfermée dans sa chambre, sans pouvoir dormir, à se demander si elle devait intervenir et à quel moment. Quand les cris étaient trop désespérés et les coups trop forts, elle s'habillait, descendait et piquait une crise. Elle avait fracassé la sono. Une autre fois, elle avait appelé la police. Ruth avait beau porter des lunettes et être toute mince, émaciée même, à la manière de certains alcooliques décharnés, elle avait violemment frappé sa fille sur le crâne, au point de la laisser avec un chuintement permanent dans l'oreille. Et puis l'un des hommes du groupe semblait avoir emménagé là depuis qu'il s'était installé dans un carton sous la table de la salle à manger. Quand Julia s'y asseyait, une main moite surgissait et lui caressait la cheville.

« C'est comme si j'habitais dans un pub », dit-elle.

Quand elle avait du temps libre, elle ne rentrait pas chez elle et préférait aller nager dans la petite rivière froide mais agréable cachée au bout des champs de blé. Avec Harry, ils empruntaient un quad que Scott avait réparé. Tandis qu'il lui chantait un blues traînant tout en s'accompagnant à la guitare, elle se perdait dans la contemplation du ciel bleu lavande, du paysage, de son avenir.

Elle s'était mise à marcher avec plus d'énergie et, bientôt, elle eut envie de faire un peu de jogging, avec Harry parfois. Elle s'était teint des mèches en rouge et la couleur donnait l'impression que ses cheveux dansaient quand elle courait. Pour se détendre, elle s'asseyait sur une chaise de cuisine au bout du champ, le visage tourné vers le soleil. Elle disait : « Beaucoup de mes amies ont eu des enfants. Je sais qu'elles souffrent. Et qu'elles continuent de souffrir bien après l'accouchement et que le gars soit parti. » Elle avait gardé nombre de ces enfants ; elle était patiente et gentille avec eux. Elle disait que les filles comme elle, les gens de la classe moyenne du coin les appelaient les « landaus », mais la seule distraction quotidienne dans les environs, c'était le sexe.

Un soir, alors qu'il venait de l'embrasser, elle sortit de son sac une enveloppe qu'elle lui donna. Dedans, il y avait trois carnets de notes tachés, abîmés, pleins de gribouillis illisibles que Mamoon avait consignés là, au crayon à papier ou au stylo, et qui étaient un peu passés. Elle les avait gardés sous son lit. Harry la remercia et les glissa dans les poches de son treillis ; plus tard, quand il eut un peu de temps pour y jeter un œil, il comprit qu'il avait entre les mains de la poussière d'or.

À la maison, ils évitaient de croiser leurs regards. Mais, convaincue qu'il y avait un lien « intangible » entre eux, elle lui écrivait souvent des textos, pour lui envoyer des baisers ou pour lui décrire ce qu'il devrait lui faire plus tard. Une fois, elle était entrée dans la pièce où il travaillait avec son seau et son balai. Quand il se retourna, elle fit glisser sa main sur ses collants : elle se lécha lentement le majeur, puis commença à se caresser tandis qu'il la regardait dans le miroir.

Harry appréciait que Julia ait de l'audace ; la chaleur de son sourire malicieux et frondeur lui faisait chaque fois du bien. Il l'aimait encore plus quand elle mobilisait son intelligence des intrigues pour reconnaître que taquiner la paranoïa de sa patronne, ce serait d'enfer.

C'était sa manière à elle de se venger.

« Liana, c'est vous le chef, vous organisez tout ici, Dieu merci. Mais j'ai quelque chose de plus que vous.

— Vous me faites marcher, c'est sûr. Quoi donc ?

— Devinez. »

Après avoir laissé échapper un gloussement, Julia reprit, avec cette manière à la fois humble et obstinée :

« Vous avez moins la niaque que moi. Moins que la plupart des gens. »

Liana s'interrompit dans ses activités et se mit à la fixer comme si elle ne l'avait jamais vue auparavant. Julia tressaillit : elle se demanda si Liana allait lui donner un coup ou la flanquer à la porte pour de bon.

« Oui, d'accord... Les gens parlent de ça ?

— Oui, oui. »

Liana fit une moue. Ce n'était pas pour rien qu'elle se décrivait comme un mélange de sorcière, de mystique et de médium. Elle réfléchit un instant puis reprit :

« J'ai toujours les mains moites quand Mamoon entre dans la pièce. »

Julia rétorqua :

« Et lui, est-ce qu'il a encore des parties du corps qui deviennent moites ?

— Voilà, c'est toute la question. Vous avez parfaitement raison là-dessus, il faut que je développe le pouvoir que j'ai sur lui.

— Il le faut absolument, mademoiselle.

— Sinon, il va s'ennuyer, devenir dangereux, comme avec Peggy et Marion. Dans mon pays, nous, les femmes, nous sommes particulièrement puissantes et nous savons très bien qu'il n'y a qu'une manière de garder un homme – c'est de lui donner entière satisfaction. Je ne lui laisserai pas une seule goutte dans les veines, pas une once d'énergie qui lui permette de dire bonjour à une autre femme. »

Liana allait faire en sorte que tout le monde sache qu'elle pouvait faire usage de ses artifices et de sa ruse pour ranimer la flamme de son mari – cette nuit même.

« Et alors, les langues de vipère qui font circuler des ragots dans mon dos et qui pensent que mon mari n'a plus envie de moi seront réduites au silence pour toujours. »

« Bien vu, Julia, commenta Harry. Risqué mais tout en subtilité. J'ai hâte de voir le genre d'artifices et de ruses dont parle Liana. Elle ne trouvera pas meilleure alliée que toi. Espérons seulement que le plan ne se retournera contre personne. »

Harry écrasa sa cigarette et versa un autre verre à Mamoon.

« Liana, assistée de la gracieuse Julia, fait tout ce qu'elle peut pour vous faire plaisir. Cela va sans dire, cette femme idéale dont vous parlez – la femme d'un seul homme –, il faut que cet homme s'en occupe.

— Vous n'allez pas en revenir si je vous dis que j'ai décidé de donner plus d'argent à Liana le mois dernier.

— Vous lui avez donné combien ?

— Il est vrai que, si un homme veut s'emparer d'une femme, c'est par les oreilles qu'il va la retenir, en lui parlant et, parfois même, en l'écoutant. Mais, cette fois, c'est sa tête que j'ai su retenir. C'est comme si je lui avais acheté une perruque.

— Elle a vraisemblablement besoin qu'on la sorte, qu'on l'exhibe. Sinon, c'est comme si vous gardiez un Vélasquez dans un placard. Soyez prévenant : offrez-lui une nouvelle paire de nichons pour Noël, par exemple. Elle adorera ce genre d'attention. »

Mamoon éclata de rire.

« Mon cher, vous avez la bite tellement raide que vous arrivez tout juste à marcher droit. Moi, je peux à peine marcher – mais vous savez pourquoi. Et puis, enfin, je ne suis plus travaillé par mes ardeurs. »

Il se mit alors à lui parler d'un bon ami à Paris, un merveilleux poète, plus âgé :

« Imaginez, deux vieux assis dans un café, qui regardent le monde à l'agonie autour d'eux. Il est tantôt plus faible tantôt plus costaud que moi mais il joue toujours au jeu de l'amour. L'autre jour, il disait que la seule chose qui vient avec l'âge, c'est qu'on met plus de temps à jouir, quand on y arrive encore. »

Mamoon raconta comment, soudain, le regard de son ami se faisait plus aigu, il se levait et suivait une femme dans la rue tout en citant Stendhal : « La beauté est la promesse du bonheur… » L'ami de Mamoon installait ces femmes dans des appartements, leur faisait l'amour – au début, tout au moins –, payait leurs études pour qu'elles fassent du droit. La relation cassait quand elles trouvaient quelqu'un de plus riche et de plus jeune. Un jour, il s'était fait interpeller par la police alors qu'il se trouvait sur un balcon et qu'il espionnait une de ces beautés qui se trouvait avec un autre homme.

« Après ça, Harry, il vient me voir en pleurant – je suis le meilleur thérapeute au monde quand il s'agit de consoler ceux qui se languissent d'amour.

— Vous l'enviez ?

— Mon ami aurait peut-être besoin de comprendre, comme vous un jour je pense, quand il sera trop tard, que plutôt qu'un big bang, les gémissements d'un mariage amical, un *agapè*, une conversation chaleureuse puissent constituer un modèle d'union, le but à atteindre de tout amour. Attentionné, encourageant, stable, objectif – un tel amour fera l'affaire pour des jours heureux et tranquilles, quand on peut penser librement. Et, en plus, le repas est prêt quand on a faim.

— C'est un fonctionnement parental, ou pseudo-fraternel, plutôt qu'adulte, non ?

— Pourquoi cela ne serait-il pas adulte ?

— S'il n'y a pas de sexualité. »

Mamoon avala son verre de vodka.

« Je dois reconnaître que vous touchez quelque chose, peut-être. »

Le visage de Harry se fendit d'un large sourire : il était content d'intéresser Mamoon, enfin.

« Vous êtes presque, mais pas complètement, cet imbécile que j'aime à penser que vous êtes. »

Harry se rapprocha :

« Vous couchez votre pénis sur la page. »

Mamoon le regarda d'un air narquois :

« Pardon ?

— Mamoon, vous avez transformé vos femmes en personnages de fiction au lieu de les aimer comme de vraies personnes.

— Pensez donc à tout ce que vous pourriez faire, Harry, lui dit Mamoon sur un ton triste, si vous n'alliez pas toujours trop loin.

— C'est justement quand je vais trop loin que j'ai l'impression d'arriver à quelque chose. »

Mamoon venait juste de fermer les yeux quand un cri retentit à l'autre bout de la maison :

« Je me sens en pleine forme, prête à faire la fête ! Gare à vous !

— Les garçons, elle arrive ! » hurla Julia d'une voix aiguë.

Mamoon se dirigea vers sa canne.

« Il y a intérêt que ça vaille le coup. »

Tandis que Julia lui tenait légèrement le coude, Liana descendait les marches avec précaution. Prenant quelques risques avec son dos, Mamoon se retourna pour regarder sa femme. Harry ne sut pas si c'était le style des vêtements qu'elle avait choisis, ou si c'est parce qu'elle donnait l'impression d'avoir mis tout l'argent qu'il possédait dans une seule tenue qui métamorphosa Mamoon en un homme qui comprend qu'on va jeter un radiateur électrique dans son bain.

« Aidez-moi, dit-il à Harry en levant les bras. S'il vous plaît, aidez-moi à me redresser – je ne sens plus rien sous la ceinture. »

10

Il y eut un claquement sec, puis un crépitement : Harry crut que le monde allait s'enflammer. Liana croisait les jambes.

« Si ça, ça ne marche pas, rien n'y fera, murmura-t-elle à l'oreille de Harry en tirant sur sa jupe.

— Pour ce qui me concerne, je sens une légère contraction au niveau de mon pantalon.

— J'ai hâte d'être à cette nuit. J'ai tellement envie de le toucher.

— Je vous souhaite d'avoir les orgasmes les plus doux et les plus nombreux.

— J'en aurai, plus tard, dit-elle. Juste de vous à moi, je jouis facilement, deux trois fois d'affilée dans certains cas – si l'homme me plaît. S'il ne me plaît pas plus que ça, c'est une fois seulement. Est-ce que c'est la sexualité qui fait que la vie vaut la peine d'être vécue ? Ce n'est pas vous qui avez dit l'autre jour : "Nos vies sont à la hauteur de nos orgasmes" ? »

Il pouffa.

« J'espère bien que c'est moi. »

Il regarda Liana une nouvelle fois et la complimenta sur sa courte jupe en cuir légèrement évasée, son haut tout simple et ce qu'il avait identifié comme une paire de Louboutin noirs à talons aiguilles. Et pour ce qui était de son sac à main, il devait bien reconnaître qu'il avait toujours été un grand fan des motifs léopard ; il avait un bas de pyjama dans le même style.

« Arrêtez-vous et garez-vous : c'est là, indiqua-t-elle à Harry au bout d'un moment. Mamoon, dit-elle d'une voix forte. Écoute-moi, s'il te plaît, on va descendre.

— Ici ? »

Mamoon examinait les alentours avec une certaine inquiétude.

« Tu es sûre ?

— Parfaitement sûre.

— Ce n'est pas possible. Continuez, mon garçon !

— Non, non, dit-elle en sortant de la voiture et en passant de l'autre côté pour aider Mamoon à descendre. Je suis sérieuse. »

Harry aussi était surpris de voir que le dîner aurait lieu dans l'arrière-salle d'un restaurant indien assez banal, au milieu d'un décor vaguement colonial qui remontait aux années soixante-dix. C'était visiblement un choc pour Mamoon, qui commença à trembler de partout comme un pensionnaire que l'on est sur le point de laisser à la maison de retraite.

« Tu disais que tu ne voulais pas faire de long trajet ; c'est notre bon vieux Pottapatti, là où on se regardait les yeux dans les yeux pendant des heures, à parler de notre enfance, de la couleur que nous voulions mettre dans la bibliothèque, de l'avenir et de ce que nous ferions ensemble. Tu sais bien que tu aimes la cuisine d'ici, *habibi* chéri, disait Liana sur un ton un peu insistant, tout en lui caressant les mains et en s'efforçant de lui faire lâcher le fauteuil auquel il s'accrochait.

— Ah oui ?

— Tu disais que leur *keema*, c'était l'ambroisie de Dieu. Il y a de quoi boire à volonté, et regarde : nos amis sont là !

— Je déteste tous ces connards...

— Ne fais pas l'idiot. Ils ont lu tes livres. On peut leur être reconnaissants pour les droits d'auteur.

— Mon éditeur leur a envoyé des exemplaires gratuits. »

Harry et Liana eurent du mal à l'extirper de la voiture, puis à le faire avancer jusqu'au restaurant, surtout qu'il dut s'arrêter pour dévisager Liana d'un air incrédule au moment où elle lui annonçait que ce serait très gentil de sa part s'il pouvait « juste faire un petit discours », un peu plus tard.

« Un discours ? Dans cet endroit ?

— Je t'en prie, chéri, quelques minutes, juste quelques mots gentils pour tes bons amis. Il faudra juste que tu mettes ton masque de Nelson Mandela. Tu fais ça à merveille. »

Comme Mamoon le pressentait – « Mon Dieu, on va avoir l'impression d'assister à l'une des conférences du jeudi de Charcot » –, une série de gens plus ou moins flétris, plus ou moins fous commencèrent à arriver. Mamoon resta assis au fond de sa chaise en bout de table, sans s'incliner (aurait-il seulement pu se lever, d'ailleurs ?), et il accueillit la file de morts-vivants avec l'indifférence d'un milliardaire indien passant en revue ses domestiques. Pour introduire un peu de « variété », Liana avait également invité un riche couple d'Américains vivant à Londres, qui avaient toujours admiré l'œuvre de Mamoon et qui voulaient rencontrer « le grand homme ». Malgré le torrent de compliments déversés par l'épouse à propos de son dernier livre sur l'Australie, qu'elle décrivait comme un classique éblouissant, emblématique du « journalisme personnel », l'exhibitionnisme américain en moins, Mamoon n'avait aucune envie de leur parler.

Pendant le dîner, quand ses amis demandèrent à Mamoon ce qu'il faisait maintenant et qu'il se contenta de hausser les épaules en répondant : « Rien, c'est trop tard, le travail est fait, le travail est là, c'est fini pour moi, les ténèbres éternelles m'attendent », Liana se lança dans une conversation sur les routes à doubles voies, les contournantes et « la ceinture verte », comme font ceux qui habitent la campagne.

Alors qu'on lui demandait ce qu'il en pensait, Mamoon se racla la gorge et déclara d'une voix ferme : « Je vous aime tous, et j'aime l'Angleterre – la campagne, les gens, la cuisine, surtout quand c'est de la cuisine indienne », avant de fermer les yeux.

Liana tapota son verre avec un couteau pour que tout le monde fasse silence ; ils observaient tous Mamoon avec un air de profond respect et attendaient que les lèvres du vieil homme s'animent une fois encore.

Au bout d'un moment, Mamoon ouvrit les yeux et dit : « Nous vivons dans un pays qui n'a qu'un passé, mais pas d'avenir. Si je suis conservateur, c'est parce que je veux préserver ce que je pense être la nature particulière de ce passé, de l'Angleterre et du peuple anglais. Je suis un immigré, mais l'Angleterre est ma maison. J'ai passé plus de temps dans cette jungle de singes, cette démocratie de cancres que nulle part ailleurs, et je préfère son atmosphère villageoise de liberté et de droiture à toutes celles qui peuvent exister.

« Moi aussi, j'ai suivi le récit de ses moments tragiques et comiques avec beaucoup d'intérêt. Quand j'étais enfant, la Grande-Bretagne était le pays le plus puissant de la terre, ses représentants étaient autant redoutés qu'admirés. J'adore le cynisme qui s'est déployé ici dans les années soixante, la manière dont les personnalités du monde politique, loin d'être idéalisées, comme c'est trop souvent le cas dans les autres pays, sont caricaturées et ridiculisées sans nulle crainte.

« Mais, apparemment, de nos jours, nous autres, écrivains, artistes, ne sommes plus autorisés à offenser qui que ce soit. Nous n'avons plus le droit de remettre en cause, de critiquer ou d'insulter, sous peine de nous voir traqués, assassinés. Désormais, un écrivain sans gardes du corps est à peine pris au sérieux. Un mauvais article dans la presse est le cadet de nos soucis. Il faut forcément faire plaisir au premier imbécile qui adhère à telle ou telle folie : c'est là un droit incontestable. Mais le droit de parole, lui, est toujours bafoué, toujours provisoire. Je crains que, s'agissant de la vérité, les jeux ne soient presque faits. Les gens n'en veulent pas : elle ne peut nullement les aider à s'enrichir.

« Si j'adapte ce que disait Georg Lukács, nous résidons à l'hôtel du Grand Gouffre, où l'on dispose de tous les services et de tous les équipements possibles : c'est un beau bâtiment, bien éclairé, confortable, avec un personnel dévoué. La vue est imprenable : il est situé juste au bord d'une falaise. Et, avec ses habitants qui creusent des galeries juste en dessous, en quête de pétrole, il pourrait s'effondrer à tout moment. Nous sommes en situation de survie, dans cette agréable enclave de tolérance où les gens peuvent lire et s'exprimer à leur guise, mais nous n'en avons plus pour longtemps. Et pour ceux qui n'y vivent pas – les expropriés du monde, les pauvres, les réfugiés, ceux qui sont contraints à l'exil –, l'existence est en jachère.

« Ce décalage s'accentue dangereusement. Nous, dans l'hôtel, nous avons de la chance et nous ne devons pas l'oublier. Même moi je sais l'apprécier. Je ne retournerai jamais au pays. C'est ici que je mourrai.

— Pas dans ce restaurant, j'espère », dit Liana.

Mamoon poursuivit :

« Ce que je venais vous dire ce soir, c'est que, l'homme étant le seul animal à se haïr, il est probable que le monde soit condamné à une autodestruction totale. »

Il leva son verre.

« Je bois à ce qui peut nous arriver de meilleur, mes amis. À une joyeuse apocalypse.

— Joyeuse apocalypse, répondirent tout bas les invités obéissants, levant aussi leur verre.

— À l'autodestruction totale, dit Mamoon.

— À l'autodestruction totale, reprirent-ils tous en chœur.

— Et à la mort, ajouta Mamoon.

— À la mort.

— À la mort. »

Ils chantèrent « Joyeux anniversaire ». Puis, avant qu'on ne serve le *kulfi*, l'un des acolytes de Mamoon, un jeune Indien qui faisait parfois des recherches pour lui, se leva et prononça un discours qui rendait hommage, comme tous l'auraient fait, au talent de Mamoon, à son humanité, à sa compassion et à sa bienveillance. L'universitaire décrivit aussi Mamoon comme un révolutionnaire, le comparant à Derrida, Fanon, Orwell, Gogol, Edward Said. Fort heureusement, Mamoon n'était plus capable de laisser transparaître quoi que ce soit ; seul demeurait sur son visage un air perplexe et embarrassé tandis que les mots glissaient sur lui comme de l'eau.

Harry s'était dit que ça pourrait être une bonne idée de faire figurer cette scène de clôture et d'adieux dans son introduction et il avait pris des notes depuis le début. Une fois les discours terminés, il sortit prendre l'air et s'assit sur un mur pour compléter ce qu'il avait écrit et ajouter quelques détails choisis à sa description des invités. Il ne voulait pas se contenter de présenter « les faits » ; il cherchait un ton plus romanesque, plus personnel, qui lui permettrait de faire le portrait de l'écrivain sur ses vieux jours, alors qu'il était au faîte de sa gloire et des honneurs. Quand il retourna à l'intérieur, Harry ne fut pas mécontent de voir qu'on servait le café, même si la plupart des invités étaient complètement soûls maintenant. Il se mit dans un coin du restaurant pour vérifier ses messages. L'avait-elle appelé ?

Alice lui manquait mais il ne pensait pas qu'il lui manquait, ou n'importe qui d'autre. Étant d'un tempérament plutôt indépendant, ce n'était pas tellement son genre. Avec des parents qui n'avaient pas de temps à lui consacrer, elle avait appris à se débrouiller toute seule dès son plus jeune âge. Mais, cela faisait presque cinq semaines que Harry était parti et il commençait à se dire qu'il perdait patience, qu'il déprimait de voir les choses avancer si lentement ; il lui avait assuré, juré ses grands dieux que, si elle venait le rejoindre à la campagne, aucun de ceux qui l'approcheraient ne lui dirait quoi que ce soit de prétentieux, d'incompréhensible ou même d'intelligent. C'est uniquement à cette condition qu'elle avait fini par accepter. Mais Harry avait reçu un texto qu'il venait donc de lire pour découvrir qu'Alice n'était pas sûre de pouvoir être là ce soir. Elle ne connaissait pas les autres invités et, de toute façon, elle était occupée. Comme toujours, elle le mettait « en attente ».

« Chéri, aidez-moi. »

Il sentit une main se poser sur son épaule et un bras se glisser autour de sa taille. Liana lui dit tout bas : « Il faut qu'on parte d'ici. J'en ai assez. Regardez. »

Harry s'aperçut que Mamoon, qui s'était complètement replié sur lui-même après son panégyrique sur l'Angleterre, avait glissé de sa chaise et s'était retrouvé assis par terre comme un enfant perdu. Quelques-uns des autres invités l'avaient rejoint en titubant pour l'aider à se rasseoir. Entre-temps, Liana expliquait à leurs amis qu'elle pensait que Mamoon était trop fatigué.

Avec l'aide de deux serveurs au nœud papillon de travers, Harry parvint à extraire du restaurant un Mamoon plus ou moins inconscient, et à l'installer à l'arrière de la voiture. Ils lui enlevèrent ses chaussures avant de lui caler la tête avec un coussin et de l'envelopper dans une couverture.

« Si on m'avait dit que le travail de biographe serait aussi éprouvant physiquement, j'y aurais réfléchi à deux fois, dit-il à Liana, après avoir donné un pourboire aux serveurs.

— Allons-y, dit-elle. S'il vous plaît, démarrez. »

11

Elle demanda à Harry de conduire prudemment pour que Mamoon puisse continuer à dormir. Il se réveillerait dans une heure ou deux, se disait-elle, et il pourrait s'envoyer en l'air un peu plus tard. Elle lançait ses dernières salutations depuis la voiture, faisait signe à ceux qui s'en allaient, dont l'un était en train de vomir dans le caniveau.

Harry voyait bien que Liana faisait une drôle de tête et se balançait de manière assez ridicule, comme si elle allait exploser sous la pression d'une tension intérieure : tenant le volant d'une main, il posa l'autre sur sa poitrine.

« Doucement, hurla-t-elle. J'ai un cristal de quartz rose dans mon soutien-gorge ! »

Quand Harry fit négligemment remarquer qu'il avait l'impression que ses invités avaient trouvé le repas délicieux, elle rétorqua :

« Si vous pensez ça, c'est que vous ne connaissez rien à la cuisine indienne. Vous ne serez plus jamais constipé. Vous n'avez pas vu que c'était une catastrophe ? Je ne veux plus voir ces bouffons.

— Ce dont vous avez vraiment envie, Liana, c'est de devenir une grande dame, une femme du monde à la mode, avec un salon où Somerset Maugham,

Arnold Bennett et, de temps à autre, Thomas Hardy viendraient prendre le thé et discuteraient de ce qui se joue au théâtre.

— Il faudrait que je sois à Londres pour ça. Mamoon fait si peu pour moi, vous avez remarqué ?

— Mais vous êtes l'épouse de Tolstoï. Est-ce que le respect et le statut qui vont avec ne sont pas des consolations suffisantes ?

— Si j'ai organisé ce dîner que personne n'a apprécié, c'est parce que Mamoon ne m'emmène nulle part. Vous connaissez Ben-le-vicieux, mon médium à l'esprit tordu ?

— Celui qui ne travaille qu'à court terme ? Dont vous dites que c'est un travelo ?

— Mon chou, avec les ongles qu'il a, c'est forcément le cas.

— Liana, si je peux me permettre, quel est l'intérêt de voir un médium qui n'a pas de visibilité sur ses rendez-vous au-delà de six mois ? C'est un peu comme si vous vous adressiez à un chirurgien aveugle, non ?

— J'ai demandé à Ben-le-vicieux : "Vous ne pouvez pas rallumer la fougue de Mamoon ? Dans les six mois qui viennent, est-ce que vous me voyez en train de faire l'amour ?" Rien – il pense que mon ex-mari m'a jeté un sort et il m'a réclamé sept cents livres pour me libérer de ce charme maléfique.

— Aucune chance qu'il vous fasse une réduction en tant que fidèle cliente ?

— Harry, je vous le demande, quel choix est-ce que j'avais ? C'est tout juste si Mamoon me parle. J'ai écrit dans mon journal intime, avec ma plus grosse écriture, ce dont j'ai besoin, et je l'ai laissé sur ma table. Dites-moi un peu, quel mari peut passer à côté du journal intime de sa femme sans y jeter un œil ?

— Il vous touche encore ?

— Même pas pour mon anniversaire ! Pour moi, le sacré vit dans le profane. Est-ce que quelqu'un peut devenir fou par manque d'amour et de passion ? Est-ce que je ne suis pas encore désirable ? J'imagine que vous le savez, Harry. »

Il la regarda.

« Vous êtes une femme succulente, aussi craquante qu'un sucre d'orge, au top de votre sexualité. Une femme avec un formidable potentiel en friche, mais vous avez la vie devant vous. Surtout dans les six mois qui viennent.

— J'ai fait des efforts mais, même à la quarantaine, ce n'était pas très satisfaisant non plus, dit-elle. *Tesoro*, mon cher, le divorce et tous ces trucs, c'est ça qui nous assèche. »

Elle lui raconta son admiration littéraire pour Mamoon et comment, en l'espace d'un instant, l'amour s'y était substitué. Pour elle, ça avait été un véritable « éveil » – sexuellement, spirituellement, émotionnellement. Elle avait compris la raison d'être du monde ; tout s'était mis à faire sens et son âme s'était remplie de lumière et de vie. Elle avait vécu ainsi pendant les trois premières années. Puis la lumière avait commencé à faiblir.

« En ce moment, il n'a rien à me donner et il n'a aucune intention de me le donner.

— Vous rangiez des livres dans des sacs en papier, Liana. Aujourd'hui, vous avez la maison, le terrain, des chiens qui sont tout contents de vous voir arriver. Quand Mamoon ne sera plus là, vous aurez l'argent et les autres vous regarderont avec respect, vous serez la gardienne de la flamme éternelle. Vous avez toute une carrière devant vous, à refuser la permission pour telle ou telle chose, à attaquer le premier journaliste qui écrit que votre mari était un pédé de charlatan.

— Harry, c'est plus dur pour les femmes. Vous ne comprenez pas. Quand vous aurez soixante-quinze ans, vous pourrez encore vous trouver une femme. Mais, lui, c'est mon dernier amant. Peut-être le dernier homme que j'aurai dans ma vie et, ensuite, aucun ne m'aimera plus jamais. Quel homme voudra m'approcher après Mamoon ?

— Vous aurez été mariée à un grand artiste. Et, Liana, ça vous arrive toujours d'être excitée ? »

Mamoon ronflait mais Liana se retourna pour vérifier qu'il dormait bien. L'iPod de Harry était réglé au plus bas : on entendait des chansons brésiliennes et du jazz norvégien, trompettes en sourdine et lents accords de piano. Harry entendit la respiration de Liana s'accélérer. Il la laissa profiter de la musique et se concentra sur la conduite maintenant qu'ils roulaient le long d'allées sombres, étroites, encadrées d'arbres et de buissons, allumant ou éteignant ses pleins phares quand c'était nécessaire.

Elle se pencha vers lui et lui dit à voix basse :

« Je suis enragée, mon cher, enragée. L'autre jour, je disais à Julia, idéalement, j'aimerais ne pas rester plus d'un mois sans faire l'amour.

— Qu'est-ce qu'elle a dit ?

— Elle a hurlé : "Quoi, une semaine, plutôt !" Elle m'a expliqué qu'une femme qui n'a pas un orgasme par jour voit sa peau se dessécher, des rides apparaître. D'après elle, il faut se masser le front avec le sperme de son amant.

— C'est vrai qu'elle a la peau laiteuse.

— Je ne devrais pas dire ça – ne le mettez pas dans votre livre – mais, une fois, j'ai ouvert les bras et j'ai enlacé un arbre.

— Il y a des chiens qui pissent sur les arbres, Liana. Vous voulez que je lui parle ?

— Vous feriez ça ? Sinon – elle le regarda droit dans les yeux – je pourrais avoir envie de vous demander où vous allez la nuit.

— Quoi ?

— Quand il fait noir. »

Il savait qu'elle l'observait attentivement et reprit :

« Quand il fait noir, j'aime bien me détendre, Liana. J'aime prendre ma voiture. Parfois, je vais jusqu'à Stonehenge, je passe par-dessus la clôture et je vais appuyer ma joue contre ces vieux rochers. La détente que j'y trouve m'aide à penser au livre. C'est mon travail de recherche, comme vous dites.

— Je vous dis ça gentiment, Harry. Faites très attention. Je respecte vos secrets, mais gardez cette histoire de Stonehenge pour votre petite amie plutôt. Je suis curieuse de voir à quoi elle ressemble.

— Je suis passablement agacé : elle avait dit qu'elle serait là pour le repas de Mamoon.

— Elle est toujours aussi insaisissable ?

— Elle passe sa vie à se dérober.

— Je n'aime pas dire ça mais vous me faites penser au Magicien dans le jeu de tarot. Vous avez un grand pouvoir spirituel. Vous méritez mieux. Je vais vous dire ce qu'on va faire. Je viens d'un milieu catholique puritain. De mon temps, on était puni quand on doutait de Dieu. Je me suis gardée de faire telle ou telle expérience chimique. Mais j'ai lu ce qu'il en était dans des romans. Vous avez déjà essayé la cocaïne, ou – peu importe son nom – l'ecstasy ? Vous en avez ?

— La MDMA ? Ce n'est pas quelque chose pour vous, ça.

— Pourquoi, alors, d'après les journaux, est-ce que des millions de gens en prennent ?

— C'est plaisant sur le court terme.

— C'est ce que je veux, dit-elle dans un souffle, du plaisir à court terme. Je commence à me sentir vieille. Mes genoux me font mal. Mon cœur aussi.

— Mon père m'a toujours dit que les drogues illégales sont meilleures que ce qui est légal. Combien d'artistes ont écrit, peint en étant soûls, shootés au laudanum, à l'opium, au chloral, aux amphétamines ? Et qu'est-ce que les antidépresseurs ont fait pour la culture, eux ?

— Bien vu. Si vous ne me donnez pas de la bonne camelote pour que j'essaie, j'irai dans cet horrible pub en ville où vous avez pris l'habitude d'aller boire. »

Elle mit la main sur son genou.

« Un tout petit peu seulement, Harry, s'il vous plaît. »

Il lui dit qu'elle devait lui promettre d'être gentille avec lui.

« Vous devez demander à Mamoon de me donner sa bénédiction pour que je puisse avoir un entretien avec Marion. D'accord ?

— Mais il est très méfiant vis-à-vis d'elle. Elle était pleine de haine et l'a menacé d'une vengeance terrible.

— Quel genre ?

— On attend de voir. Il est juste tombé follement amoureux de moi. Il ne la laissera pas le critiquer. Ne prenez pas ce risque : si vous lui parlez d'elle, il pourrait vous casser en deux.

— Il faut que je coure le risque. »

En arrivant à la maison, Harry se retrouva une fois encore à aider Mamoon à sortir de la voiture, puis à traverser la cuisine et à monter tant bien que mal jusqu'à sa chambre.

Liana s'y était rendue avant eux pour éteindre les lumières et allumer des bougies. Puis elle s'affala dans son fauteuil jaune décoré d'oiseaux exotiques, celui qu'elle préférait, dénoua ses cheveux et enleva ses chaussures.

« Il faut que vous sachiez, lui dit-elle au moment où il s'efforçait de faire passer la porte à Mamoon avant de le traîner jusqu'au lit, que la cambrure de cet escarpin correspond exactement à la forme du pied d'une femme quand elle a un orgasme. »

Elle glissa la main dans son soutien-gorge, en retira le cristal qu'elle caressa impatiemment.

« Réveillez-le. »

Harry commença doucement :

« Mamoon, Mamoon… »

Aucune réaction.

Elle poursuivit :

« C'est vous Monsieur Muscle : donnez-lui une bonne gifle. Il vous en remerciera plus tard. Tous les deux, on vous en remerciera. »

Harry donna une petite tape sur la joue de Mamoon.

« Allez, mon vieux. »

Elle lui demanda de frapper plus fort :

« Il faut le mettre en route. Jetez-lui de l'eau sur le visage. »

Harry le tapa un peu du revers de la main et versa quelques gouttes d'eau sur son front. Mamoon leva la tête, ouvrit les yeux et regarda fixement Harry pendant quelques secondes. Puis il retomba en arrière et ses yeux se fermèrent à nouveau.

Liana poussa un grognement et lui montra le pyjama en soie de Mamoon.

« Le salopard, il est parti pour toute la nuit. Il faudra qu'on trouve à s'amuser tout seuls. Vous pouvez au moins essayer de lui enfiler ça.

— Mais pourquoi c'est à moi de le faire, Liana ?

— Vous vouliez le connaître, et moi, je suis morte ce soir ! Vous ne trouvez pas que mes chevilles sont enflées ? Pour revenir aux choses sérieuses : vous m'avez redonné espoir. Vous pensez vraiment que je peux reconquérir Mamoon en faisant comme vous m'avez dit ? »

Après quelques reniflements et hoquets indignés, Mamoon avait replongé dans un profond sommeil, même quand Harry s'était attaqué à la tâche délicate qui consistait à le déshabiller pour le mettre en pyjama.

Harry jeta un coup d'œil à l'extérieur. Il faisait nuit noire et il tombait une petite pluie fine. Harry se mit à la fenêtre : il avait cru voir la lumière d'un écran de téléphone portable au loin.

Il dit à Liana :

« Il faudra que vous soyez déterminée, vous devrez utiliser tous vos atouts de séduction. »

Elle passait et repassait le cristal sur l'accoudoir du fauteuil.

« Vous avez raison. J'ai été trop passive. »

Elle croisa les jambes en prenant son temps.

« Je vois que vous me regardez. Lui aussi me regardait avant. Il aimait particulièrement mes jambes même si je pense qu'il a été un peu surpris, ce jour magnifique à Venise, de devoir épouser tout ce qui allait avec. Harry…

— Oui ?

— Vous avez été très inspirant ce soir… Est-ce que vous pensez sortir comme vous le faites d'habitude ? Et si je prenais peur ? Et si je me mettais à pleurer ?

— Ne pleurez pas. »

Mamoon avait son compte, finalement. Harry se dirigea vers la porte et salua Liana. Il la remercia pour la soirée et lui souhaita bonne nuit. Il se retira dans sa chambre et ferma la porte à clé. Quelques minutes plus tard, elle essayait de l'ouvrir ; elle était en pleurs : « Ne me rejetez pas, ne faites pas comme tous les autres ! »

Mais il sentait que le cœur n'y était pas ; elle abandonna assez vite. Il ouvrit sa fenêtre, l'enjamba et sauta. Julia l'attendait dans la cour, son imperméable sur la tête sous cette pluie de minuit.

12

« Ils ne sont vraiment pas mon genre.

— C'est sûr.

— Mais vraiment pas.

— Je sais ce que tu penses et je t'avais dit qu'ils n'étaient pas le genre de beaucoup de monde, Alice. Fréquenter ces vieux hommes pompeux, autoritaires, c'est bien plus qu'apprendre à les apprécier – c'est une perversion. »

Mais ça amusait Alice de lui dire qu'elle était persuadée qu'il était amoureux de Mamoon. C'était « évident ». Il lui demanda d'où elle tenait cette idée.

« L'autre jour, quand tu m'as appelée et que tu n'allais pas bien du tout, il a fallu que je supporte une longue description de ses lèvres, de ses yeux. »

Elle imita la voix de Harry, traînante, bien timbrée et ironique, style classe supérieure.

« "Ses yeux, ma chère Alice, on pourrait les trouver sombres, impénétrables, mais ils recèlent la chaleur de châtaignes qui auraient bouilli pendant des centaines et des centaines d'années…"

— Oui, mais ce n'était pas pour que tu le répètes. Tu verras comme on va te remercier d'être venue jusqu'ici. »

Il lui redit qu'il y avait de quoi engranger quelques années de remboursement de crédit ; un véritable feu de joie de billets flambait pour elle à Bond Street. Finalement, après pas mal de discussions, d'échappatoires et, aussi, la promesse d'un voyage à Venise, un événement incroyable s'était produit : non seulement Alice avait accepté de venir, mais il l'avait trouvée, sur le quai de la petite gare, un peu plus tôt le matin même, attendant avec impatience qu'il arrive, tout en pianotant sur son téléphone.

Ils roulaient à travers le labyrinthe de ruelles étroites et se dirigeaient là où menaient toutes les routes du coin : Prospects House. Elle tourna sa jolie tête posée sur un long cou et, juste à ce moment-là, les bosquets s'écartèrent devant eux : les vaches broutaient tranquillement, les oiseaux chantaient, un chevreuil attendait. Tandis qu'elle absorbait la beauté apaisante du paysage (il s'y était attendu), il lui dit qu'il devait s'excuser de l'avoir invitée dans un endroit qui n'était pas exactement le royaume du sang-froid.

« Mais mon corps est en train de se détendre, lui dit-elle. C'est presque comme si je faisais une séance de yoga. Pourquoi tu ne m'as pas dit que c'était magnifique ?

— Regarde un peu de l'autre côté. Dis-moi, comment tu me trouves ?

— Tu as pris une douche ? Et ce tee-shirt a vraiment besoin d'être changé. À ta place, je me frictionnerais les cheveux avec un peu de cire pour leur donner du volume. Et le dîner d'hier soir, ça t'a plu ? Raconte-moi tout. »

Harry lui expliqua qu'avant que Mamoon ne perde conscience, il l'avait présenté à ses amis comme son *darbari* – en d'autres termes, son courtisan, son catamite. Puis Liana lui avait demandé de la drogue et avait insisté pour qu'il déshabille complètement Mamoon. Elle avait vaguement suggéré que Harry pourrait avoir envie de faire pareil avec elle. Bientôt, il aurait les compétences pour travailler à l'Old Vic comme costumier au service des acteurs.

Alice lui demanda :

« Vous avez flirté ? Oh, non, Harry, je t'avais supplié de te conduire normalement en venant ici. Est-ce que tu couches avec tout le monde, alors ?

— Je t'assure que c'est elle. Même ses pâtes sont noires. Elle renifle l'odeur de mon sang, ma peur, ma faiblesse et elle me cherche, elle est d'une intimité déplacée, excessivement curieuse, elle se moque de mes origines. Quand elle dit que je suis médiocre, que je n'ai aucun talent pour la création, ce qu'elle me répète presque tous les jours, j'en tremble de rage et je fonds en larmes dès que je me retrouve seul.

— Est-ce qu'elle voit juste ?

— Il faut que je garde le sourire.

— Parce que Rob te le demande ?

— Je suis venu ici pour progresser, spirituellement, mentalement. »

Quand Alice lui demanda comment les entretiens se passaient, il répondit :

« Comme tu me l'avais si justement conseillé, quand je suis derrière la porte de la bibliothèque de Mamoon, j'enclenche le compte à rebours à partir de dix avant de me décider à entrer. Mais, à ce moment-là, j'ai tellement peur que mon sujet d'étude ne m'enfonce entre les fesses une tête de poisson hérissée d'écailles que mon corps commence à trembler et je dois me précipiter aux toilettes avant qu'il ait pu dire un mot. »

Alice lui demanda alors ce qu'il en était de sa masculinité, comme elle le faisait souvent ; ce à quoi il répondit :

« Si tu lisais les essais de Mamoon, ce que tu ne feras pas, tu saurais qu'il a mangé de la chair humaine.

— Je t'en prie…

— Pas beaucoup. Pas un bras entier, ni une gorge. Mais, au moins, comme on dit avec les enfants, il y a goûté – en friture, avec du sel et du poivre. Je l'effraie un peu, Alice. Quand j'approche avec mon carnet et qu'il me regarde par en dessous, il a l'air perturbé, comme un crustacé qui va se prendre une giclée de citron sur le nez.

« Beaucoup de choses dépendent de la possibilité que je vais avoir ou non de rencontrer l'ex-amante, Marion. Rob m'avait dit que je devais demander la permission à Mamoon si je ne voulais pas que le vieux me soit plus hostile encore, sinon il me jetterait dehors.

— Qu'est-ce qui te fait peur ?

— Sa désapprobation. Ses humeurs. Tu vas voir ce qu'il en est, et tu saisiras mieux l'ambiance ici.

— Tu crois ?

— Je ne peux pas m'empêcher de me mettre dans des situations où il va penser que je ne vaux rien. »

Elle croisa les bras sur sa poitrine :

« Tu crois qu'il va penser ça de moi ?

— Pas au début. Il va d'abord te charmer. Et après, il te décapitera d'un coup sec et donnera ta tête à manger aux cochons.

— Oh, ce n'est pas possible, Harry : je t'en prie, ramène-moi à la gare. Mais pourquoi tu m'as embarquée dans cette merde ?

— Ma noirceur se répand, Alice. J'ai vu et entendu des choses qui ne peuvent pas exister, là ou ailleurs. La nuit, quand je n'ai pas d'hallucinations où je vois des femmes folles, je sens la dépression qui rougeoie tout autour de moi. Si je plonge dedans, il faudra que j'abandonne le projet et que j'écrive un roman.

— Mais nous serons pauvres alors.

— Pire encore. Ma famille nous méprisera. Toutes les familles nous mépriseront, en fait.

— Je déteste te le rappeler, mais je t'avais mis en garde.

— Mais tu verras, je réussirai à passer au travers du feu et j'en sortirai avec presque tous mes cheveux et au moins un testicule en bon état. »

Ils dépassèrent le garage, l'église et le pub et s'engagèrent dans l'allée. Bientôt, ils abordèrent le chemin cahotant qui menait à la maison en pain d'épices.

Elle se pencha pour l'embrasser et lui dit qu'il était un vrai sadique :

« Je sens bien que tu es impatient de voir ça. Mais tu ne feras pas tout un cirque quand je me volatiliserai, on est bien d'accord ? Tu sais que j'aime bien m'échapper. »

Tandis qu'il sortait les nombreuses valises qu'elle avait amenées pour les porter jusqu'à la maison, il l'informa que les gens du coin appelaient la maison l'Hôtel du Surplomb et que toutes les sorties étaient cadenassées. Elle ne pourrait pas se volatiliser.

À ce moment précis, ils entendirent un cri : Liana sortit précipitamment pour les accueillir, voir comment était Alice et la prendre dans ses bras. Alice aima tout de suite les chiens et Liana proposa aussitôt de lui faire faire le tour du propriétaire.

Mais tous deux montèrent d'abord dans leur chambre ; Harry s'allongea sur le lit. À moitié endormi, il la regardait ranger ses vêtements. Alice en changeait au moins trois fois par jour et elle dépensait presque tout son argent, et une bonne partie du sien, à s'acheter des habits. Elle réussissait souvent à en trouver à des prix intéressants grâce à des gens qui travaillaient dans le domaine et elle savait s'habiller. Ceux qu'elle préférait, elle ne les avait jamais portés : ils attendaient « la bonne occasion », et il y en avait beaucoup. Vêtements et accessoires reflètent la créativité de tout un chacun ; l'apparence est toujours le résultat d'un libre choix, tel un coup de pinceau sur une toile. Il apprécierait davantage les femmes, lui avait-elle dit, s'il comprenait leur manière de s'habiller.

Quand elle avait emménagé chez lui, les habillages et déshabillages étaient réguliers, fréquents. Tous deux aimaient les chaussures de femme et pouvaient passer des soirées entières à s'occuper de ses pieds. Son minuscule bureau était devenu une sorte de grotte où elle stockait robes et manteaux. Il y en avait même partout sur ses livres à lui. C'était la moindre des choses.

« J'ai des dettes, Harry. Je ne peux pas m'empêcher de dépenser. Un service à thé, une machine à café espresso, des bijoux, Milan – tout ce que ces petites choses indispensables ont fait pour moi. »

Elle voulait lui emprunter de l'argent mais, à moins que Rob ne lui en avance un peu plus, Harry n'avait rien sur son compte. S'il leur fallait acheter une maison et fonder une famille, ils devaient se montrer prudents, comme tout le monde en Europe.

Il ne connaissait personne qui ne soit atteint de cette folie et il voyait bien qu'Alice n'était pas différente des autres : il n'y avait plus de honte à accumuler les dettes ; de fait, on trouvait maintenant que ceux qui n'en avaient pas et qui faisaient attention à leurs dépenses étaient de pauvres losers. Cependant, il devait l'inciter à réduire sa consommation, comme pour n'importe quelle dépendance. Mais, pour elle, le shopping, c'était sa « soupape » et elle se disait avec inquiétude que, si elle se restreignait de ce côté-là, il faudrait qu'elle trouve un autre moyen d'apaiser son angoisse.

Harry se faisait la réflexion qu'une fois installée, ce serait une bonne chose qu'Alice passe du temps avec Liana. Avec cet intérêt féroce et enthousiaste pour la nourriture, les meubles et l'humeur de son homme, Liana serait un bon exemple à suivre pour la jeune femme.

« Liana, ma chère, dites-moi, qu'est-ce que vous pensez de ma copine ? murmura Harry quand, plus tard dans la matinée, il fut seul un moment avec elle. Est-ce que je devrais l'envoyer bouler ?

— Je me suis sentie toute ragaillardie quand j'ai vu son visage souriant. Elle est un peu hautaine, comme vous me l'aviez dit, mais elle est pleine de fraîcheur et de délicatesse. Dès que j'ai vu qu'elle avait du goût, elle m'a plu. Et elle a dit quelque chose de merveilleux. "Liana, vous avez vraiment une maison très féminine." Elle me rappelle tellement ce que j'étais avant que je fasse mes premières expériences de gueule de bois et que je rencontre Mamoon : elle pourrait être ma fille. Elle est mannequin ?

— À une époque, les gens l'arrêtaient dans la rue pour lui dire de se lancer dans le mannequinat. Ce qu'elle a fait, mais pas longtemps. Elle est trop réservée pour montrer ses fesses pour de l'argent.

— Elle est si frêle que j'ai presque l'impression de voir au travers. Et ses cheveux, quelle couleur extraordinaire !

— C'est leur couleur naturelle.

— Est-ce que j'ai dit autre chose ? J'imagine que vous la présenteriez comme une "blonde platine". Ils sont presque blancs.

— Et s'il vous plaît, Liana, ne lui donnez pas de vêtements. Pourquoi voulez-vous vous en débarrasser ?

— À quoi est-ce qu'ils me servent ici ? Les femmes ne portent de beaux habits que parce que des hommes ont envie de les leur enlever.

— Pauvre Alice, c'est tout juste si elle ne tremblait pas de peur ce matin, Liana, à la perspective de vous rencontrer. »

Elle lui agrippa le bras.

« À cause de moi ? Ne dites pas ça ! Il n'y a que Mamoon que je cherche à effrayer – et vous, bien sûr. Pourquoi était-elle dans cet état ?

— Elle est craintive. Votre expérience, votre sophistication l'intimidaient.

— Chère enfant, je dois l'aider, la guider. Elle illumine la maison de sa présence. »

Alice apparut. Liana appela en faisant de grands signes à l'extérieur, les chiens bondirent vers la voiture et elle embarqua Alice faire des courses en ville pour le repas du midi. Plus tard, elle lui montra la cuisine, l'embaucha pour préparer le déjeuner en même temps qu'elles s'ouvraient une bouteille de vin et que Liana lui racontait tout un tas de choses. Bientôt, elle appelait Alice sa « fille adorée enfin retrouvée » et elle l'entraîna avec les chiens faire le tour de la maison, des bâtiments, du terrain alentour pour finir, sans même s'en rendre compte, par lui montrer ses vêtements et ses chaussures – comme tout était vintage et venait d'Italie, Alice était particulièrement intéressée.

Quand une femme plus âgée rencontre une femme plus jeune et qu'elle l'aime bien, elle lui donne des habits. Cela cimenta quelque chose entre elles, une hiérarchie peut-être, une compréhension aussi. Liana lui donna également des bijoux italiens et indiens, tant et si bien que, lorsque Harry croisa Alice dans la journée, il marqua un temps d'arrêt : à la gare, elle avait juste une veste orange, un short en jean et des sandales, mais là, déambulant et tintinnabulant à travers la maison, elle ressemblait à une actrice de Bollywood. En la regardant plus attentivement, Harry s'aperçut que Liana l'avait relookée en une version d'elle-même, mais plus jeune.

« Quelle fille extrêmement inventive, ton Alice ! Elle a fait une fois le tour de cet endroit qui tombe en ruine et elle m'a donné plein de bonnes idées pour lui redonner un coup de neuf. Je vais en parler à mon agent. On pourrait tourner une série télé ici. Je vois bien que vous me regardez comme si j'étais quelqu'un qui ne pense qu'à l'argent. Mais nous mettons au point des plans pour que cette maison puisse subvenir à ses propres besoins. On va la remplir de jeunes artistes.

— Jeunes comment ?

— Ne racontez rien de tout ça à Mamoon si vous ne voulez pas mettre votre vie en danger. Il est déjà en train de se dessécher sur pied parce que nous sommes en retard pour le repas. Mais, grâce à Alice, nous allons manger des asperges, des figues, des rougets, de la glace et la meilleure mozzarella qui soit, la *burrata*, envoyée par ma sœur. Oh, mais je me fais un sang d'encre à l'idée qu'il se comporte mal avec elle. Ces derniers temps, il est un peu incontrôlable, à cause de vous. »

Quand Harry lui demanda si elle avait prévenu Mamoon s'agissant d'Alice, comme elle le lui avait promis, elle eut une réponse évasive :

« Eh bien, j'y ai travaillé.

— Vous lui avez dit quoi ?

— Je l'ai assuré que, même si elle n'avait jamais entendu parler de lui en tant qu'écrivain, elle penserait bientôt le plus grand bien de lui, comme s'il était un grand nom de la mode. »

Il frissonna.

« Vous avez fait ce genre de comparaison ?

— Le contexte s'y prêtait.

— Et s'il lui dit quelque chose de complètement fou ?

— Je lui ai demandé de ne pas commencer à vous parler de ses rêves. Mais, bon, dépêchez-vous maintenant : allez chercher le minotaure avant que la colère ne le fasse exploser. »

13

Au milieu de l'après-midi, Harry traversa la cour pour aller chercher le vieil homme reclus dans son bureau – il était toujours plié en deux sur sa canne. Suite à l'incident du court de tennis, le médecin avait diagnostiqué un problème de hernie discale et avait conseillé à Mamoon de se faire opérer, sans pouvoir lui garantir quoi que ce soit étant donné son âge. Tandis qu'il examinait ce choix cornélien sous toutes ses coutures, Mamoon prenait des calmants par poignées et, d'après Liana, il était plus méchant, plus agressif que d'habitude quand il songeait aux années d'impuissance et de décrépitude qui, pensait-il, l'attendaient.

« Encore un matin sans rien », dit-il alors que Harry l'accompagnait jusqu'à la cuisine et lui indiquait sa chaise.

Julia se dépêcha de lui servir son eau pétillante préférée, sans glaçons.

Alice s'approcha et s'assit, lui prit la main et lui dit en le regardant dans les yeux :

« Merci de m'avoir invitée ici. C'est vraiment un bel endroit.

— Ma chère, nous vous attendions. Dites-moi, comment ça se passe dans la mode ?

— Plutôt bien, merci.

— Vous pourriez expliquer à quoi ça sert exactement ?

— Pardon ? »

Elle secoua la tête sans comprendre.

« C'est un commerce. On achète, on vend, on empêche les gens d'avoir froid. Qu'est-ce qui pourrait ne pas *servir* là-dedans ?

— Ne pensez pas que je n'aie pas déjà entendu parler de vous, lui dit Mamoon en la regardant des pieds à la tête. Liana ici présente m'a raconté que m'aviez comparé à un tailleur.

— Un tailleur ? »

Mamoon avait une veine qui palpitait depuis la ligne de ses cheveux jusqu'à son front.

« Un tailleur ou un cordonnier, quelqu'un qui bricole dans ce domaine en tout cas. Est-ce que je me trompe, Liana ? »

Alice regarda Liana, qui les observait en retenant son souffle. Celle-ci ne sachant pas quoi dire, Alice enchaîna :

« Est-ce que vous avez déjà vu une veste dessinée par Alexander McQueen ?

— Bien sûr que non. De qui parlez-vous ? Cette reine de la mode aurait-elle lu ce que j'écris ? Est-ce qu'il peut lire sans remuer les lèvres ?

— J'ai peut-être dit, afin de mieux vous situer, que vous êtes un maestro de la même trempe que le maestro Valentino, que beaucoup de gens admirent, dont Liana.

— Vous vouliez me situer, c'est ça ? Et donc, vous avez dit que nous étions comparables.

— C'est un honneur, peut-être.

— Mais en quoi est-ce que ça peut bien être un honneur ?

— Eh bien, c'en est un, à mes yeux. »

Mamoon commençait à avoir l'air irrité. Il reprit :

« On ne parle que d'apparence avec ces gens-là.

— Je n'en suis pas sûre.

— Pardon ?

— C'est plus que ça. Nous discutons de la manière dont quelque chose doit être conçu. De ce à quoi ça va ressembler. De ce que c'est. D'une attitude.

— Une attitude. Que voulez-vous dire ?

— Un baiser…

— Parlez plus fort. Je n'entends presque plus rien.

— Un baiser, un juron, une chaussure, un ourlet, un cardigan, une montre, une blague, un geste poli – et, bien sûr, une phrase, un paragraphe, une page… Est-ce que toutes ces choses ne doivent pas avoir un certain style, de la grâce, quelque chose qui les distingue – et de l'esprit ?

— Bien sûr.

— L'art n'est pas seulement dans les livres ? »

Harry souffla :

« Flaubert a écrit : "Le style, c'est la vie." »

Et Mamoon commenta :

« Une beauté plus universelle, ça pourrait être quelque chose à quoi on aspire.

— Bien, dit Alice en poussant un soupir. Oui.

— Bien. Dieu merci, bien », dit Liana.

Elle brandit une bouteille de vin.

« C'est un Guigal 2009. À moins que tu ne préfères le chablis ?

— Du calme, Liana, s'il te plaît.

— Que dis-tu, Mamoon ?

— Contrairement à vous, maestro, je lis des magazines, poursuivit Alice. N'est-ce pas vous qui avez dit à un journaliste qu'un artiste se devait de répandre un peu de poussière magique sur ce qu'il faisait ? Est-ce que ça n'est pas vrai dans tous les domaines ? Regardez cette bague en platine toute simple. »

Elle lui tendit la main, qu'il saisit pour mieux la regarder.

« Vous voyez ce que je veux dire. La bague a reçu quelques grains de cette poussière.

— Oui, dit-il, d'accord, il y a effectivement une forme de sensualité. Certains la désignent sous le nom d'Éros : né dans un œuf, il a mis tout l'univers en mouvement. Cette radiation lumineuse de l'amour.

— Vous voyez. »

Il la regarda :

« Vous me remontez presque le moral, ma chère.

— Presque seulement ?

— Vous me rappelez que le langage – toutes les choses réelles, en fait – doit vibrer de sensualité. Je comprends ça. Mais, si j'ai l'air un peu abattu, c'est à cause de ce fichu cauchemar qui revient sans cesse. C'est un cauchemar assez banal et commun, mais il est tenace et je voudrais bien qu'il s'en aille, une fois pour toutes.

— Vous êtes nu dans ce rêve, monsieur ? » lui demanda Julia tout à trac.

Elle écoutait pendant qu'elle servait le repas.

« Le maestro n'est jamais nu, dit Liana. Allez, Mamoon, s'il te plaît. »

Mamoon relança :

« Et vous, est-ce que vous êtes nue dans vos rêves, Julia ?

— Je n'ai jamais rien sur moi, je cours et je chante comme une folle à travers champ, et tout le monde me regarde.

— Quelle drôlesse vous faites. »

Mamoon s'épongea le front et poursuivit :

« Harry, si vous nous imposez votre présence pendant quelque temps encore, vous pourriez vous rendre utile. J'ai cru comprendre que vous aviez des dons de déchiffreur de rêves, ou quelque chose d'approchant.

— Ah bon ?

— Liana m'a raconté que vous pouviez lire dans un rêve comme ça, au pied levé. Que votre révéré père vous avait appris. »

Harry secoua la tête :

« Mon père m'a aussi clairement expliqué qu'on ferait mieux de ne pas divulguer ses rêves, de même qu'on ne devrait jamais donner son numéro de compte.

— Mais vous êtes remarquable, Harry, ajouta Liana. Mamoon, tu voudrais bien nous raconter, s'il te plaît – est-ce que tu peux nous dire où ton âme est allée voyager ? Ses errances nous causent de la peine à tous depuis un certain temps. »

14

« Ah ? Laisse-moi parler pour une fois, Liana.

— Vas-y », dit-elle.

Mamoon se racla la gorge et prit l'air de celui qui prononce un discours de réception du prix Nobel, comme disait Liana.

« Je suis dans une très grande salle dotée, pour une raison qui m'échappe, de murs courbes bien tournés. Je suis censé passer mes examens de dernière année mais je n'ai rien révisé. Je suis là, assis, en train de contempler ma feuille blanche au fur et à mesure qu'augmente l'horreur de la certitude de mon échec, et je sais que je vais imploser. Je me réveille trempé de sueur et, comme vous le savez, Harry, en hurlant comme un possédé. Alors, qu'est-ce ça veut dire ?

— Je te l'ai déjà dit, Harry, ça ne sert à rien de cacher la lumière qui émane de toi », lui dit Alice en lui serrant la main. Elle gloussa : « Allez, le singe, danse, danse. »

Tous les regards étaient tournés vers Harry qui, hésitant à dévoiler ses lumières ou à danser, fredonnait l'air de Winnie l'Ourson sur un rythme inquiet et se frottait nerveusement les mains sur son jean.

« C'est un rêve très fréquent…

— Oui, mais pourquoi ? demanda Mamoon.

— Parce qu'il met en scène ce à quoi nous ne pouvons pas nous préparer – cette formidable épreuve que nous, les hommes, nous avons passée avec succès un jour, mais sans aucun moyen de savoir si nous la réussirons encore.

— Merci à vous, madame Sosostris, commenta Mamoon. Vous faites référence à quelle épreuve, exactement ?

— Celle de la puissance sexuelle. De l'efficacité du phallus mâle. La question de savoir si, cette fois, contrairement à toutes les autres fois, un homme va pouvoir satisfaire telle femme. Ou s'il va échouer à la satisfaire. Qu'est-ce que possède réellement cet homme – un phallus faillible ? Pas étonnant que vous soyez couvert de sueur. Nos rêves nous précèdent toujours, monsieur.

« Très gentiment, vous m'avez laissé lire les lettres de votre cher père. Il répétait, avec insistance, que vous deviez faire entrer la gloire dans votre famille en réussissant – dans tous les domaines. J'ai été choqué, il était tellement dur. Pire que mon propre père avec ses injonctions. »

Mamoon le regardait fixement. Harry se souvient que Rob lui avait dit à un moment donné qu'une citation, réelle ou imaginaire, d'un auteur antique, ça en imposait et ça impressionnait toujours l'écrivain.

« Nous savons que les malheureux chrétiens veulent renoncer au désir mais, comme le dit si bien le grand Pétrone : "Comment être un bon soldat si vous n'avez pas d'arme ?" »

Il y eut un silence.

« Je vois, dit Mamoon.

— Julia, arrêtez de regarder dans le vide, dit Liana, j'ai horreur de cette expression. Retournez à vos occupations. Pourquoi est-ce que vous restez plantée là ?

— Qu'est-ce que je dois faire ?

— Je ne me suis jamais sentie aussi répugnante. Faites-moi couler un bain.

— Oui, mademoiselle.

— Et, pendant que j'y pense, qu'est-ce que vous fabriquez avec ce livre de Mamoon ?

— Ça ? Je suis en train de le lire, mademoiselle.

— Vous lisez ce que j'écris, Julia ? demanda Mamoon. Vraiment ?

— Oui… Je relis, dit-elle. C'est mon préféré : l'histoire des quatre dictateurs. L'un est africain, un autre est du Moyen-Orient, un autre encore est chinois, et le dernier est plus de par chez nous – tous sont amoureux de cette fille. Vous montrez bien la manière dont l'amour évolue doucement et l'homme qui se trouve dans le monstre. C'est beau, monsieur. Ça me fait rire et pleurer chaque fois. »

Mamoon rougit.

« Bon, bon. Vous lisiez beaucoup avant.

— Quand ça ? Quand est-ce qu'elle lisait beaucoup ? demanda Liana.

— Quand elle était petite ; et c'était une sacrée fillette, très drôle aussi », répondit Mamoon.

Il leva la main pour lui pincer la joue.

« Une gentille fille, hein, *beta* ?

— Mamoon me donnait des livres. Il me les passait tous pour voir, c'était comme une sorte de test ; il devait penser que je ne les lirais jamais mais je m'installais, je lisais tout jusqu'au bout et j'allais lui montrer.

— C'est vrai, dit-il.

— Quel genre de livres ? demanda Liana.

— Euh… Harper Lee, Ruth Rendell, Muriel Spark…

— *Grazie a Dio*, vous êtes franchement ridicule ! l'interrompit Liana.

— Ne m'accusez pas ! s'exclama Julia. Et ne dites jamais que je suis stupide. C'est ça que vous êtes en train de dire, mademoiselle ?

— Liana n'oserait jamais dire une chose pareille, *beta*, dit Mamoon.

— Elle est en train de hurler dans *notre* maison, Mamoon, dit Liana. Tu l'entends !

— Tout va bien, dit-il.

— Ne te mets pas à la défendre !

— Je n'en fais rien », répondit-il calmement.

Julia s'assit à côté de lui :

« Ça doit être vraiment incroyable, monsieur, de savoir raconter une histoire comme ça. Vous devez être fier quand vous vous levez le matin.

— Merci, chère enfant, j'en suis fier maintenant. Je me réveille la nuit, trempé de sueur, soulagé. Je m'en suis sorti. Avoir été écrivain par le passé, c'est quelque chose.

— Par le passé ?

— Vous vous moquez, monsieur, ce n'est pas possible, dit Harry.

— Pourquoi ?

— Un ami de mon père, un réalisateur de votre génération, a augmenté sa productivité en vieillissant. Il comprend la nécessité qu'il a de poursuivre, d'honorer le talent qui lui a été octroyé.

— À quoi ça rime ?

— Pourquoi est-ce que le désir d'un homme d'être viril, d'avoir du travail devrait décliner ? Après tout, à quelle autre dignité aspirer ? Il n'y en a aucune dans l'impuissance feinte, c'est certain. “Un homme doit suivre son chemin même au milieu des ruines", dit Sophocle dans *Antigone*. Le Titien a réalisé ses plus belles œuvres après soixante-dix ans. Goethe, à l'âge de soixante-quatorze ans, a demandé la main – ne serait-ce que la main – d'une jeune fille de dix-neuf ans.

— C'est réconfortant de savoir qu'il y a encore des formes de satisfaction accessibles pour quelqu'un comme moi. J'aime écrire – j'aime vraiment ça. Mais est-ce que le travail suffit ? »

Depuis le début, Liana regardait Julia fixement ; elle claqua la main sur la table :

« Comment osez-vous ! Pourquoi est-ce que vous êtes assise tranquillement comme ça ? Vous avez oublié que vous travaillez pour nous ici ?

— Vous voulez que je continue à nettoyer vos chaussures ?

— Oui, et ne prenez rien sans l'avoir demandé. Je n'ai aucune envie de vous recroiser en ville avec mes Marc Jacobs pourpres aux pieds. Je vous ai demandé de les porter pour moi à l'intérieur, pas dehors.

— Désolée, mademoiselle. Ça ne se reproduira plus.

— Et n'oubliez pas d'y mettre des peaux d'orange pour la nuit », lui rappela Liana.

La jeune femme n'était pas complètement sortie de la pièce qu'elle se mit à fulminer :

« Une boniche qui croit qu'elle fait partie du groupe de Bloomsbury. Et tout ce galimatias pour attirer l'attention. Il est vraiment temps qu'on la remplace par quelqu'un qui ne sait rien à rien. Imagines-tu, Mamoon, qu'elle décide de se syndiquer ?

— J'aurais dû en toucher deux mots à Mme Thatcher », rétorqua-t-il.

Quand Julia fut partie et que Liana sortit dans le jardin pour aller chercher les chiens, Mamoon, s'agrippant aux accoudoirs de son fauteuil en maugréant, essaya de se mettre debout.

« Si vous saviez, Alice, les grognements, les efforts, quand on est artiste, pour conserver une langue pleine de verve, et les douleurs que j'ai dans le dos depuis cette partie de tennis : je suis raide de partout sauf de là où il faudrait. Je pourrais aussi bien être à moitié handicapé à l'heure qu'il est, avec votre petit ami qui pousserait mon fauteuil roulant.

— Maestro, pourquoi vous ne l'avez pas dit plus tôt ? Je peux vous aider.

— Comment ça ?

— Harry ne vous a pas raconté que j'ai suivi une formation de masseuse à une époque ?

— Vraiment ? Je n'ai jamais entendu paroles plus douces. Votre cher Harry n'est d'aucune utilité : il ne fait que poser des questions stupides sur des événements qui se sont produits il y a quarante ans !

— Même un athlète n'y résisterait pas. »

Il se tortilla nerveusement.

« Chère enfant, vous êtes sûre que vous supporterez de me toucher ?

— Quand j'étais adolescente, j'ai travaillé comme infirmière en gériatrie.

— Parfait.

— Le temps de trouver de l'huile d'amande.

— Essayez dans la salle de bains de Liana. Dépêchez-vous : on peut aller dans mon atelier pour être un peu tranquilles. Pendant que Harry reconfigure mon histoire, vous remettrez ma colonne en place – si Harry nous donne sa permission. »

Harry répondit que rien ne pouvait lui faire davantage plaisir. Il entraîna Alice dans l'entrée, ils s'étreignirent et s'embrassèrent, plaqués contre le mur.

« Sublime déesse, comment tu t'y es prise pour te mesurer à lui comme ça ?

— Je n'en sais rien, Harry. Il était comme tu m'avais dit, pas commode du tout, il s'en prenait à moi, j'étais coincée. Tout s'est passé si rapidement, je n'arrivais plus à respirer. Mais je savais qu'il fallait que je me batte, sinon j'étais fichue. C'est sorti tout seul.

— Toi, la tigresse, si tu lui fais un massage, il va se calmer et nous arriverons peut-être à quelque chose. »

Elle l'embrassa.

« J'y vais : je te laisse t'occuper du reste. »

Quand Harry retourna à la cuisine, Mamoon grommela :

« Merci à vous pour l'interprétation du rêve.

— Ce fut un plaisir.

— Apparemment, oui. Ah, Julia, l'adorable fille de la campagne. Celle qui rêve qu'elle est nue et qui, une fois, je crois bien, alors que je pouvais l'entendre et que vous jouiez au billard américain un après-midi, vous a appelé “Caleçon en ébullition”. Et, pendant que les autres bavardent, vous, vous la regardez avec intérêt d'un air amusé.

— Tiens donc.

— Qu'est-ce qui peut bien expliquer ça ?

— J'imagine que c'est parce qu'à Londres on ne voit jamais de Blancs en train de travailler.

— Je suis d'accord pour dire que c'est un spectacle extraordinaire, que vous ne voyez pas beaucoup par ici non plus. Ça fait longtemps que j'ai dit que c'était fini pour les peuples blancs – vérité tellement flagrante qu'elle avait provoqué un tollé chez les journalistes. Les riches continueront à diriger ; il y en a de toutes les couleurs, des Jaunes en particulier.

Mais je reconnais que ça fait du bien de regarder les gens travailler.

— Vous vous sentez supérieur ?

— Pas du tout. Ça me rappelle à mon humble devoir, à la nécessité que j'ai de contribuer, à ce que j'aimerais pouvoir refaire, une fois que je n'aurai plus à subir ces douleurs.

— Pourquoi vous n'avez pas pu vous remettre au travail ?

— Je peux écouter Bach, à peu près, et je supporte Schubert parce que je suis un mélancolique. Tout le reste me déprime : Beethoven et surtout Mozart, toujours excessivement enjoué, pépiant à perdre haleine. L'autre jour, quand j'ai fait semblant de balayer d'un revers de main Forster et Orwell, j'ai bien vu la contrariété sur votre petit visage. Vous aimez toujours qu'on vous subjugue. Quand j'avais dix ans, vingt ans et, même plus tard, à trente ans, j'adorais lire et je pouvais me laisser absorber par un auteur pendant des semaines, à dévorer l'intégralité de son œuvre, tout. Aujourd'hui, il ne m'en reste rien et, de toute façon, personne n'en parle plus.

— Personne ?

— Réfléchissez deux minutes : Bertrand Russell, A. J. Ayer, D. H. Lawrence, Aldous Huxley, Anthony Powell, Anthony Burgess, William Golding, Henry Green, Graham Greene…

— Non, pas ce Greene-là. Non… Jamais.

— D'accord, c'est courageux de votre part. Mais, sinon : on ne les lit plus, ils sont illisibles, abandonnés, laissés pour morts, montagnes de mots rejetés à la mer, qui ne referont jamais surface. Comparativement, Popeye le marin a une durée de vie culturelle bien plus longue. Il n'y a plus que les femmes et les pédés pour écrire ou lire maintenant. De nos jours, le premier à se faire sodomiser par un proche croit qu'il peut écrire un livre. Non, c'est fini.

— Mais certains de vos livres resteront.

— Vous y croyez ?

— Quatre environ, probablement...

— Quatre ?

— Non, trois ouvrages majeurs. Le premier roman et plusieurs histoires longues, qui seront toujours sur le haut de la pile. Et, vraisemblablement, l'essai de vos débuts sur les femmes chez Ibsen et Strindberg.

— Tant que ça ? Mais c'est fait, et c'est trop tard. Je ne devrais pas me plaindre. Qu'est-ce qu'il me reste ? Combien d'artistes plus vieux que moi ont encore écrit des livres importants ?

— Mais, monsieur, c'était le sens de votre rêve : le désir d'échouer.

— Pourquoi ?

— Pour que votre père soit furieux, lui qui ne vous a jamais lâché avec ses attentes.

— Continuez.

— Renoncer au travail, à l'amour des femmes pour un équilibre ou une retraite sans but est une trahison de soi hautement destructrice. La manière dont vous vous décrivez donne un récit bien plus limité que tout ce que je pourrais dire de vous dans mon livre. Et regardez ce qui arrive à Lear. Il laisse les autres l'humilier, il les encourage même à le faire. C'est sûr, un homme peut conserver sa vitalité, sa vigueur s'il se sent fort.

— Comment s'y prend-on ?

— Je dois dire, monsieur, que depuis que je suis ici, j'ai appris quelque chose. Vous m'avez fait comprendre que c'est la frustration qui nous rend créatifs. On se bat avec le matériau, on devient inventif, visionnaire même. »

Mamoon se tenait la tête.

« Vous me donnez le tournis – ça après le lumbago. Tout ce que je me dis, c'est que je dois persévérer, continuer à fabriquer des mots qui seront ensuite oubliés. C'est ce dont j'ai envie ; je peux le faire. En même temps, ce n'est pas suffisant. Il doit y avoir quelque chose d'autre.

— Qu'est-ce que c'est, ce quelque chose ?

— Je ne sais pas. Il faut que je réfléchisse maintenant. Cette conversation m'a épuisé. »

Harry l'aida à se lever. Peu de temps après, Harry le regardait par la fenêtre de la cuisine tandis que Mamoon, en pantoufles et robe de chambre à rayures, trottinait vaillamment vers la grange avec Alice. Harry se fit la réflexion qu'il ressemblait de plus en plus au point d'interrogation insistant qu'il donnait l'impression d'être devenu. Quelques minutes plus tard, il entendit la porte du bâtiment se refermer en claquant. C'était l'endroit interdit, auquel ni Liana ni personne d'autre n'avait accès. Depuis sa cuisine, tout ce que Liana voyait de Mamoon quand il était là-bas, c'était le haut de son crâne, qui ne bougeait pas d'un pouce de la journée. « Le roi est dans la salle des comptes », aimait-elle à dire. Si elle avait besoin de lui de toute urgence, elle devait l'appeler, avec le risque qu'il laisse le téléphone sonner et passer en messagerie vocale tandis qu'il sifflotait un air de Stéphane Grappelli. Rob lui avait dit que cette pièce regorgeait de tous les cadeaux mirifiques offerts par les malades et pervers du pouvoir, cleptomanes et autres dictateurs fous. On racontait que Mamoon n'avait jamais rencontré un dictateur dont il n'ait pas eu envie de baiser le cul. Alice était la seule autre personne qui, à sa connaissance, avait pu pénétrer dans ce lieu depuis qu'il était là.

Environ une heure et demie plus tard, quand il entendit les chiens aboyer, Harry se mit à la fenêtre, alors que Julia passait la serpillière à ses pieds, et il vit Mamoon traverser la cour, l'air jovial, comme s'il était plus grand, comme un point d'exclamation à l'envers.

« Elle a le visage de Jean Seberg et les mains de Sviatoslav Richter, dit Mamoon, tout essoufflé. À chaque caresse, je me sentais devenir un génie. »

Alice applaudit des deux mains.

« Grâce à moi, le voilà plus créatif !

— Si seulement j'avais encore soixante-cinq ans… Harry, vous avez de la chance. »

15

« Je t'assure, c'est la première nuit reposante que je passe depuis que je suis ici », déclara Harry à Alice au réveil, alors qu'ils faisaient l'amour.

Elle était la seule femme qu'il aimait regarder quand il ouvrait les yeux ; tout en l'embrassant, il se disait qu'il était précisément né pour ça.

« Ah, heureusement, tu es venue et tu es avec moi. Le bruit ne t'a pas rendue folle ?

— Quel bruit ?

— Les animaux dehors. Les renards glapissant piégés par les Tories.

— C'est la campagne, Harry. Il y a forcément des bruits dans la nature. Mais j'en ai entendu un autre.

— Quoi ? Où ça ?

— Pourquoi tu es si fébrile ? Il y a quelque chose qui te perturbe ?

— Oui, je suis perturbé tout le temps ici. J'ai l'impression que Maman m'appelle à travers les murs. Quand elles sont mortes, les mères sont encore plus bavardes que quand elles sont vivantes.

— Qu'est-ce qu'elle te dit ?

— Elle me demande ce que je fabrique là.

— C'est ce que les mères sont censées dire.

— Continue à me tenir la queue comme ça.

— Une seconde. Allez, dit-elle avec force. Wouah, elle est grosse, grosse. Oh, wouahou. »

La porte s'ouvrit et Julia entra avec le petit déjeuner.

« Bonjour, madame », dit-elle en posant le plateau sur la table basse au bout du lit. Harry se recroquevilla sous les draps. C'était bien la première fois que son sexe se ratatinait en présence de Julia.

« Et monsieur. Désolée, c'est moi aujourd'hui : maman n'est pas très bien. Elle est tombée sur un genou.

— Personne ne l'a poussée ? Je suis désolé de l'apprendre, Julia. J'espère qu'elle s'en remettra vite.

— Merci, monsieur. Je vous sers votre thé ?

— Ce serait parfait, mon petit.

— Il y a des toasts et des œufs en bas. Je fais couler votre bain, madame.

— Merci », lui répondit Alice.

Quand Julia fut sortie, elle murmura :

« C'est comme ça tous les jours, comme si nous étions dans la maison de P. G. Wodehouse ?

— Que oui ! Je n'ai pas eu à lever le petit doigt depuis que je suis ici. Je trouve d'ailleurs cette indolence tout à fait débilitante. »

Ils descendirent retrouver Liana, tandis que Julia et sa mère se déplaçaient précautionneusement autour d'eux, agitant des torchons et aspergeant les meubles de divers produits. Alice avait demandé à Julia de lui prêter une planche à repasser mais, apparemment, Julia avait pris leurs affaires et décidé de faire leur lessive et leur repassage, expliquant que non seulement elle se sentirait offensée si Alice faisait ce travail mais qu'en plus, elle risquait de perdre sa place.

« Je vous en supplie, madame Alice, c'est mon seul gagne-pain, lui dit-elle, depuis qu'ils ont fermé l'abattoir. »

Cette fermeture avait eu pas mal de conséquences dans les environs, la plupart assez dommageables. Alors qu'elle travaillait le week-end chez Liana et Mamoon, Julia avait pris des heures à l'abattoir pendant la semaine, pour augmenter un peu ses revenus. Mais, voyant que Liana la supportait de moins en moins, elle avait décidé de prendre particulièrement soin du couple, mais aussi de nettoyer et de ranger la chambre et la salle de bains de Harry et Alice, de mettre de l'ordre dans les papiers de Harry, ses carnets, ses crayons et stylos. Harry se sentait légèrement oppressé par la présence permanente de Julia, mais il ne pouvait rien y faire, pas plus qu'il ne pouvait l'empêcher de l'observer sous un angle avantageux quand il était avec Alice et que Julia se trouvait à hauteur de plinthe.

Après ce long week-end, Alice se rendit compte qu'il lui restait des jours de congé à prendre, si bien qu'elle décida de rester au lieu de retourner à Londres au plus vite comme elle l'avait d'abord prévu. D'une certaine manière, elle était tombée amoureuse de l'endroit, en dépit du fait que, Harry s'en plaignait, il fallait bien une heure de route pour trouver du lait, et que les bottes en caoutchouc, voire l'imperméable et le gilet, étaient indispensables la plupart du temps. Alice disait maintenant qu'elle aimait Mamoon et Liana un peu comme s'ils étaient ses parents, et que passer du temps avec Harry – à partager ses angoisses, à l'écouter lui en parler, lui dévoiler ce dont il avait besoin – était une des meilleures choses qui leur soient arrivées.

Quand Harry travaillait, Alice aidait Mamoon à choisir les vêtements qu'il allait mettre puis elle l'accompagnait dans des balades à pied ou en voiture ;

elle avait même commencé une série de photos de lui en extérieur, adossé à un arbre, « pour le livre ».

« Je croyais qu'il détestait qu'on le prenne en photo ?

— Pas avec moi. Il écoute quand une femme lui parle », lui dit Alice quelque temps plus tard, alors qu'ils faisaient tranquillement du canoë sur la petite rivière qui coulait doucement.

Elle s'était installée à l'avant, vêtue d'une marinière et d'un chapeau à bords flottants et redressait parfois leur trajectoire en plongeant sa pagaie dans l'eau comme quelqu'un qui remue une cuillère dans une tasse de thé.

« Je sens qu'il cherche à me comprendre et qu'il veut m'aider.

— T'aider à quoi faire ?

— À mieux réussir ma vie.

— C'est-à-dire ?

— À y prendre plus de plaisir. »

Plus tôt ce matin-là, il l'avait regardée marcher devant lui, dans la lumière du soleil, lentement, sensuellement, l'air rêveur, le regard vide et hors du temps, créature surgie d'une autre dimension, et il s'était dit, avec un net sentiment de culpabilité, qu'à ses yeux c'était ça une femme : toujours autre, et la provocation incarnée. Il lui tendit une pêche qui se trouvait dans un panier à ses pieds : il la regarda croquer dedans tandis que le jus coulait le long de son menton.

« Quelle belle minette tu fais…

— Merci.

— Je suis surpris de t'entendre dire qu'il t'écoutait et qu'il était intéressé, dit Harry en lui passant une serviette. Quelques-uns de ses amis que j'ai interviewés disent qu'il est égocentrique. Il a piqué une colère l'autre soir à cause d'une tomate trop froide.

— Je détesterais assister à ce genre de crises. Je ne saurais pas quoi faire. Je pense que je me mettrais à pleurer. Et Liana, comment fait-elle ?

— "Froide, *habibi*. Oh, mon Dieu, lui a-t-elle dit en prenant la tomate pour la glisser sous sa robe et se la coincer entre les cuisses. Une tomate froide. La chose la plus horrible au monde, je pense. Pourquoi est-ce que je ne la réchaufferais pas pour toi ? C'est mieux comme ça ?" Elle l'a remise dans son assiette et il en a mangé un morceau. "C'est nettement mieux, *memsahib*, lui dit-il. Tu sais que je dois faire attention à mes dents." »

Alice, qui considérait que la vulgarité et l'humour servaient de seuils à la folie, poursuivit :

« Lui, avec les hommes, ça ne peut pas marcher. Mais, avec les femmes, il faut voir la manière dont il nous regarde. Il fait des blagues complètement débridées, il chantonne les chansons de Dido que je lui ai fait écouter.

— Dido ?

— Oui : Stéphane Grappelli commençait à me déprimer.

— Moi aussi. Mais il fredonne Dido ? Vous deux, vous écoutez "White Flag" ?

— Oui, il fait la-la-la-la-la tout du long. La prochaine fois, ce sera Tracey Thorn, et puis je l'amènerai doucement jusqu'à Amy Winehouse. Qu'est-ce que vous en pensez, Julia ? Est-ce qu'il vous écoute, vous ?

— Oui, il m'écoute », répondit Julia qui les attendait à l'embarcadère avec une pile de serviettes de bain.

Harry et Alice avaient compris qu'il suffisait de prononcer son nom pour qu'elle apparaisse, tel un esprit.

« Il ne me traite pas comme une domestique. Il ne l'a jamais fait, depuis que je suis toute petite. Il s'assoit, il me parle de ce qu'il a lu dans les journaux le matin, il me demande qui sont untel et untel.

— Tu vois, dit Alice en s'avançant vers Julia qui l'aida à se hisser sur la rive. Va vers lui, Harry, parle-lui. Tente ta chance. J'ai pointé un index menaçant vers lui et je lui ai dit : "Harry fait des insomnies et il déprime. Si vous faites de la peine à mon compagnon, monsieur l'écrivain, les choses vont mal tourner, croyez-moi."

— Et il l'a bien pris ?

— Il t'en dira plus à partir de maintenant. Tout à l'heure, j'avais l'impression qu'il pétillait, et peut-être que tu pourras rencontrer l'autre femme.

— Marion ?

— Maintenant, vas-y, lui dit-elle. J'ai envie de passer un peu de temps avec Julia.

— Pour quoi faire ?

— On vient de milieux identiques. On a des goûts communs. Allez, chère amie, venez, dit-elle à Julia. Nous allons un peu discuter. Des hommes, des bébés, du poids énorme que nous pesions quand on était enfants. Laissons Harry avoir quelques sueurs froides et puis nous irons faire du shopping avec Liana cet après-midi. Il me faut du parfum. Et peut-être qu'après, nous pourrions aller danser dans la grange.

— Je peux venir avec vous ? demanda Harry

— Bien sûr que non. Tu as des choses importantes à faire. »

16

« Vous pensez qu'il serait possible qu'on discute un peu aujourd'hui ? » demanda Harry d'une voix basse.

Il était content d'avoir trouvé Mamoon dans la bibliothèque.

À sa grande surprise, Mamoon accepta :

« Oui, pourquoi pas, je suis partant, dit-il en regardant malgré tout le carnet de notes de Harry comme s'il voyait là son certificat de décès. Vous avez des questions intéressantes pour une fois ?

— Je me demandais si vous vous sentiriez en pleine forme après le massage de ce matin ?

— J'ai la peau qui chante. Et, malheureusement, vous m'avez mis dans une situation qui m'obligeait à penser à vous, ce que je cherchais à éviter jusque-là.

— À penser à moi ? Comment ça ?

— Vous êtes surpris.

— Je n'en reviens pas, monsieur.

— Bien, commenta Mamoon. Votre fascination pour le corps des femmes n'est pas anormale, ni inhabituelle. De fait, le corps des jeunes femmes est l'objet le plus important qui soit au monde ; il est aimé et désiré par les homosexuels, bien sûr, mais aussi par d'autres femmes, des bébés, des lesbiennes, des enfants, des créateurs de mode et des hommes. Pas étonnant que les musulmans cachent les femmes comme si c'étaient des photos obscènes, tandis que les fondamentalistes parmi eux nous rappellent que la sexualité féminine, c'est le problème le plus crucial de tous. Pour ces gens-là, la femme *est* une prostituée. Ils ont raison de s'inquiéter.

« Le corps des jeunes femmes est au centre du monde et, souvent, au centre de la plupart des choix qu'il faut faire dans la vie – avortement, mères célibataires, congés de maternité, prostitution, inceste, maltraitance, voile islamique… La femme, nous en venons tous et nous avons tous envie d'y plonger. Le corps d'une femme fait disparaître toute connaissance. C'est incroyable qu'il existe des gens qui ont du temps à consacrer à la philosophie, la littérature, la psychologie ou l'histoire. Les femmes aussi en ont conscience, raison pour laquelle elles ne traînent pas quand elles sortent dans la rue. Vous ne verrez jamais une jolie femme y marcher lentement.

— Quand est-ce que vous avez commencé à vous intéresser à ce sujet ? lui demanda Harry tout en préparant son magnétophone mais sans appuyer encore sur la touche "enregistrer".

— Je me souviens, étant jeune, j'avais lu à Madras un texte de Bertrand Russell, qui était réputé tout savoir ; j'avais une vraie passion pour lui à l'époque.

« Il a écrit quelque part que sa vie émotionnelle était "irrationnelle". Et Dieu sait s'il désapprouvait l'"irrationnel". Les amours, détestations et désirs de Russell – tout le chaos du corps, et tout ce que le plus grand philosophe au monde en disait, c'était que c'était "irrationnel". J'ai eu envie de mettre mon grain de sel, comme si tout ça demandait plus d'explications encore, et de partir à la recherche de ces gens irrationnels à travers le monde, les puissants, et d'écouter ce qu'ils avaient à dire.

— Quel est le remède, monsieur ?

— Vous avez intérêt de retenir ce coquin de doigt si vous ne voulez pas que je l'écrase. Interdiction d'enregistrer ça : c'est entre nous. Vous voulez le remède – j'imagine que vous parlez du remède contre l'excès d'appétit ?

— Oui. »

Mamoon explosa de rire.

« Toutes les religions se sont attachées à cette question du sevrage des désirs. Qui, au bout du compte, peut vivre avec ses propres envies ? Si on choisit la voie de l'endurance, comme le proposaient les Stoïciens. J'aime bien Sénèque, qui dit qu'on peut supporter ça. Ou ce que Platon préférait, le Connais-toi toi-même, qui permettrait d'apaiser les choses. Mais l'appétit, c'est tout ce que nous avons et on ne peut pas guérir de ça, on ne le devrait pas. Je ne suis pas freudien, mais personne ne peut nier que le désir est le moteur de notre existence, comme c'est le cas pour n'importe quel enfant qui veut continuer à vivre. Comme votre enthousiasme le montre bien, la plupart du temps, on ne peut pas le contrôler et il est étroitement lié à la folie, malheureusement, parce que l'objet – la femme que vous avez en tête – est forcément insaisissable, il vous échappe. Elle aura, c'est naturel, d'autres préoccupations, d'autres vies. C'est ce qui suscite la jalousie, la conviction que l'autre a ce que nous n'avons pas. Proust a fait fortune avec cette seule idée. Malgré tout, plus de désir, moins de punition, voilà ce que je préconise. »

Harry reprit :

« Vous parlez de Bertrand Russell et de son horreur de la désorientation.

— Et donc ? »

Harry jeta un œil sur son carnet, repéra une question et releva les yeux vers Mamoon.

« Est-il vrai que, lorsque vous avez rencontré Marion la première fois, vous avez fait l'expérience d'un lien physique que vous n'aviez jamais connu avec personne d'autre ? Que vous avez vécu, à ce moment-là, une crise d'irrationalité qui vous a littéralement décentré ?

— Vous créez une histoire, une histoire qui est parallèle à ma vie. Mais pourquoi vous ne lui demandez pas directement à elle ?

— Il faut que je le fasse, c'est évident. Vous seriez d'accord ? Est-ce que je peux dire ça, monsieur ?

— Il faudrait voir avec Marion. Mais, cette chère Alice, avec ses massages et ses photos – quelle chance vous avez, à ce propos –, m'a convaincu de me montrer plus coopératif avec vous.

— Elle a défendu ma cause ?

— Elle est pleine de bonté, vous savez, et elle a plaidé en votre faveur. Elle a pensé à mes souffrances aussi, qui seront plus vite abrégées si je vous laisse m'approcher davantage. Allez voir Marion et posez-lui vos questions. J'ai tellement hâte qu'elle vous envoie balader comme elle l'a fait avec les autres fouineurs. Il y avait un scribouillard qui la suppliait sans cesse : elle lui a renversé une bouteille d'encre sur la tête.

— Pourquoi ?

— Vous verrez… Ah, elle a le sang chaud !

— C'est pour ça que vous ne l'avez pas épousée ? »

Mamoon rit.

« On pourrait dire que, parfois, certains plaisirs sont si forts qu'il faudrait pratiquement repenser sa vie de fond en comble pour leur faire une place – ou pour les tenir à distance.

— Le plaisir peut vraiment vous faire perdre la tête, c'est vrai. Est-ce que vous voulez dire qu'une série d'orgasmes peut constituer le début d'une nouvelle vie ? »

Mamoon se leva.

« Quoi que vous dise Marion, je serai toujours l'inconnue de votre livre.

— Merci pour votre accord. Mais, monsieur, une dernière question, je viens d'y penser seulement maintenant, je ne sais pas pourquoi. Est-ce que vous regrettez de ne pas avoir eu d'enfants ?

— Ne pas avoir d'enfants, c'est la seule satisfaction que j'aie dans la vie aujourd'hui. Maintenant, faites vos bagages et allez vous faire voir. J'ai besoin de retrouver un peu de paix.

— Merci encore, monsieur.

— Vous me remercierez bientôt cent fois plus, dit-il en ricanant. Surtout quand vous rentrerez ici tout penaud, l'âme en sang. J'ai hâte de voir ça. »

17

Au bout de dix jours environ, Alice et Harry rentrèrent à Londres. Lotte, qui s'occupait du secrétariat de Rob, lui avait envoyé des billets d'avion assortis d'un emploi du temps chargé pour les deux semaines à venir. Rob voulait aussi que Harry avance avec le livre ; il avait besoin de voir au moins quelques chapitres avant la fin du mois.

Harry était soulagé d'échapper à l'atmosphère claustrophobe qui régnait chez Mamoon. Une fois en ville, il retrouva son père et ses frères pour manger avec eux en regardant Chelsea à la télévision ; ensuite, son père aimait bien qu'ils aillent tous en famille faire un quiz organisé par un pub du quartier. La somme à gagner pouvait monter jusqu'à dix millions de livres tant les participants prenaient l'affaire au sérieux. Les jumeaux étaient bons en sport et en musique et le père maîtrisait tout ce qui concernait les sciences. Harry se chargeait de la littérature. Ils finirent seconds, mais ils n'étaient pas ravis, leur père les ayant chapitrés comme s'il venait de recevoir une lettre d'avertissement du lycée.

Harry sut de nouveau qui il était. Ses frères n'étaient pas impressionnés, ni même intimidés par Mamoon. Une sorte de sévérité austère émanait du travail de l'écrivain et, comme il n'avait jamais écrit un livre dont tout le monde puisse citer le titre, comme on le voyait rarement à la télévision, ils se moquaient franchement de qui il était. Ce qui ne leur plaisait pas, c'était que leur petit frère se fasse balader par un égoïste maniaque qui voulait un portrait flatteur de sa grosse tête. Harry sentait bien qu'à évoluer dans l'ombre de la personnalité de Mamoon, il avait accepté que son identité soit mise en péril ; il avait l'impression que Liana et Mamoon pouvaient faire ou dire ce qu'ils voulaient avec lui. Son père lui avait demandé :

« Jusqu'ici, tu as été le miroir dont il a besoin, Harry, pourquoi est-ce qu'il ne serait pas heureux ?

— C'est quelqu'un de bienveillant.

— Tu en es sûr ? Essaie de le chercher un peu, de lui tordre la queue, de t'opposer à lui, et vois ce qui se passe. Parfois, le désordre, ça rend créatif. »

Harry et Alice se rendirent à Paris à l'occasion du grand bazar de la semaine de la mode avant de prendre le train de nuit pour Venise – la ville préférée de la mère de Harry – où Alice n'était jamais allée. Quand ils se réveillèrent dans les couchettes du wagon-lit le lendemain matin, en deux temps trois mouvements, ils étaient au Grand Canal. C'est tout juste s'ils descendirent du vaporetto, explorant tous les recoins de la lagune. Harry adorait voir Alice découvrir les choses, il adorait la regarder au fur et à mesure que le monde se déployait devant eux. Un soir, elle lui prit la main. Elle avait acheté un test de grossesse. Il était positif. Ils n'avaient pas particulièrement planifié la chose, même s'ils en avaient déjà parlé ; elle était contente ; et lui ?

Oui, oui, et peut-être. Ils étaient liés pour de bon désormais. Il se sentait bouleversé, perturbé, effrayé.

D'un seul coup, l'avenir prenait forme, revêtait une certaine inévitabilité. Il y aurait des devoirs à assumer. Il allait devenir quelqu'un d'autre et ils se verraient sous un autre jour.

« Nom de Dieu, dit-il à son père, je suis foutu.

— Pas trop tôt. Bienvenue au monde, lui répondit celui-ci. Tu sais comment te situer par rapport à ça ?

— Non… Non, pas encore.

— Et elle ?

— Elle a des amis. Ils sont déjà en train de tout prévoir, de discuter entre eux. Je me sens seul.

— Ça va te relier aux autres, Harry. Tu ne peux pas courir sans cesse toute ta vie. J'ai toujours aimé être père et je pressens que ça te plaira aussi. Tu es quelqu'un de meilleur que tu ne le penses. »

Quelques jours plus tard, Alice reprit le chemin du travail et Harry s'envola pour l'Inde, emportant avec lui cette nouvelle qui poussait en son sein, afin de se rendre sur les lieux de l'enfance de Mamoon.

Pendant deux semaines et demie, il rencontra des amis et des membres de la famille du vieil homme, ainsi que tous ceux que Mamoon avait soi-disant snobés, insultés, exploités, baisés. Il apprit que Mamoon avait été boursier, travailleur, toujours assez distant, et qu'il se trouvait supérieur à ceux qui l'entouraient. « Il fallait le voir se pavaner quand il avait son blazer à boutons dorés ! s'entendit raconter Harry. Il ne se prenait pas pour n'importe qui ! » Plusieurs personnes plus âgées lui dirent aussi que Mamoon n'était pas un « vrai » Indien, qu'il était aussi étranger au sous-continent qu'il l'était en Grande-Bretagne. Il parlait anglais chez lui, sauf avec les domestiques, ne lisait que de la littérature anglaise et française, connaissait très peu de choses sur l'islam ou sur l'hindouisme, dont il pensait que l'un et l'autre étaient l'opium du peuple, et il s'était rarement aventuré dans la campagne.

La mère de Mamoon était pratiquante, elle restait dans sa chambre à prier, ne la quittant que pour consulter des spécialistes du Coran. Le père avait soutenu l'ambition du garçon, se disait Harry, mais pas son plaisir, auquel il s'opposait. Il n'avait nullement eu l'intention d'en faire cet homme à femmes, play-boy, buveur, cosmopolite, passant son temps dans les cafés des capitales européennes avec des chaussures usées aux pieds, empruntant à droite et à gauche, mijotant sans cesse entre l'auto-apitoiement et les dettes tout en discourant sur Bernard Shaw et Trotski.

Mais le père avait en partie échoué dans son entreprise. Harry recueillit, de la bouche de quelqu'un de fiable, une version plus étrange, plus dérangeante, et il commença à comprendre ce que le père avait essayé de combattre. Mamoon avait été un adolescent extrêmement séducteur, attirant à lui, semblait-il, des hommes et des femmes plus âgés – les mères de ses camarades de classe, l'infirmière scolaire, la femme d'un policier et même, disait-on, le policier lui-même.

Comme de nombreux patriarches indiens, le père de Mamoon, animé tant par la fierté que par l'espoir, avait décidé dès le début qu'il enverrait son fils faire ses études sur les terres de cette mère patrie qu'il haïssait. Le fils continua d'incarner le rêve de son père, malgré tout, mais le père n'avait pas vraiment idée du déchirement qu'une telle expérience constituerait pour Mamoon, du snobisme, du mépris, des obstacles que celui-ci aurait à affronter. Le père ne pouvait pas imaginer le désespoir de son fils, errant dans les rues de Londres soir après soir, presque fou de solitude et d'inquiétude, trouvant quelque soulagement dans une bière ou auprès d'une prostituée. Même si c'était un peu difficile, ça ne durerait pas longtemps, et puis, quand le garçon rentrerait à la maison, il serait un bien meilleur homme, il reprendrait sa place de soutien aux côtés de son père esseulé, il redeviendrait son miroir, son *chamcha.* « Ne m'oublie pas », répète inlassablement le père, véritable colonisateur de l'esprit du fils. Et autre chose encore : « Viens vivre avec moi. » Mamoon refusa. Malgré la souffrance, Mamoon voulait rejoindre « cette civilisation plus grande, plus achevée », comme il le dira plus tard. Il congédia son père et ne retourna jamais habiter chez lui. Le père s'assurait ainsi d'une mort qui arriverait au terme de mille chagrins.

Maintenant, on pourrait dire que Mamoon avait toujours su ce qu'il faisait, qu'une telle évolution était inévitable. Harry comprit la détermination, la force dont celui-ci avait fait preuve, pas seulement quand il était resté dans cette Grande-Bretagne inhospitalière pour gagner sa vie de sa plume, mais quand il était devenu un écrivain original, quelqu'un que l'on n'avait jamais lu avant lui, qui s'exprimait depuis sa position de sujet colonial ou de subalterne, qui ne manifestait aucune haine, mais bien plutôt une fascination, voire une identification avec la culture du colonisateur. Évitant les causes et les attitudes du moment, Mamoon se forgea une stature d'artiste reconnu à partir d'un contexte qui n'en avait que très peu produit. Pendant un temps, il entreprit une chose essentielle : intégrer la nouveauté à la culture ambiante, parler de là où personne n'avait jamais pris la parole. Il fut récompensé aussi, mais pas seulement. Le premier idiot venu sait que celui qui vous lâche pour réussir ailleurs sera toujours l'objet de récriminations et d'envies latentes. Mais, chez lui, en Inde, la réussite de Mamoon suscita un niveau de ressentiment, de surveillance et de critique qui aurait pu désorienter, voire détruire un homme moins armé.

Certaines de ces réactions s'auto-alimentaient : l'insolence de Mamoon, son arrogance, la folie de certaines de ses déclarations n'étaient pas nouvelles. Mais une bonne partie de cette envie provenait de l'amertume qui demeurait vis-à-vis de l'homme blanc. Ses anciens amis et alliés étaient convaincus que Mamoon était devenu « blanc ». Pour eux, n'importe quel type de progrès était une trahison. Ceux qu'il avait laissés derrière lui racontaient qu'il avait signé un pacte avec le diable et qu'il violait les lois de ses ancêtres, de sa famille. « J'espère que c'est ce qui va se passer, fit remarquer Mamoon à un ami, alors qu'il lui faisait signe au moment de partir. Surtout pour ce qui est du viol des lois ancestrales. »

Harry en avait beaucoup appris à ce sujet en allant en Inde, il avait aussi eu le temps de regarder de près les carnets de notes que Julia lui avait donnés. Ayant retrouvé un net enthousiasme pour son sujet – comment est-ce qu'on peut décrire une situation si complexe ? –, il prit l'avion pour New York avec un certain soulagement. Trois jours après son arrivée, il rendit visite à Marion, l'ancienne compagne de Mamoon, qui vivait dans un petit appartement à Portland.

Typiquement, Rob n'avait pas vraiment « organisé les choses ». Et, au cours des dernières semaines, Marion n'avait pas facilité la tâche de Harry : elle avait annulé des rendez-vous, l'avait appelé pour lui demander plus de précisions sur ses intentions, se comportant la plupart du temps comme une coquette. Parallèlement, elle faisait en sorte de bien lui faire comprendre qu'elle détenait quelque chose de précieux, qu'il y aurait un prix à payer pour qu'elle le lui confie, même s'il ne savait pas de quoi il s'agissait exactement. Elle avait aussi insisté pour que plusieurs agents et éditeurs attestent de la nature de ses intentions et de son honnêteté. Mais jusqu'à ce que Mamoon ait pris contact avec Rob, qui avait pris contact avec elle, Marion ne lui avait pas donné de rendez-vous ferme et définitif. Enfin, donc, il put la rencontrer.

La porte s'ouvrit.

Elle avait de longs cheveux blancs qui lui descendaient jusqu'au milieu du dos et elle marchait lentement, de manière peu assurée, avec deux cannes. Elle le fit entrer dans un appartement petit et surchauffé.

Soulagé de la voir, Harry avait cherché à lui serrer la main mais elle avait ostensiblement tendu son visage et il l'avait embrassée sur les deux joues. Elle lui attrapa la main comme si elle n'avait touché personne depuis un moment.

Elle expliqua à Harry que, depuis qu'elle avait une cataracte, elle n'arrivait pas à lire grand-chose, ni à regarder la télé ou à faire le ménage. Ce dont elle avait envie, c'était de conversations, mais sa famille l'avait abandonnée depuis longtemps et elle voyait désormais peu de monde, à part quelques étudiants indiscrets et une secrétaire qui l'aidait dans son travail d'écriture en notant ce qu'elle lui dictait. Il y a peu de créatures sur terre qui soient moins intéressantes qu'une femme de soixante-dix ans, mais Mamoon Azam suscitait toujours l'intérêt. Il était la seule carte qui lui restait.

« S'il vous plaît, avant que vous commenciez à m'interroger, dit-elle alors qu'elle apportait du thé et des biscuits et qu'elle s'asseyait en se mettant une couverture sur les genoux, seriez-vous assez aimable pour répondre à *mes* questions ?

— Bien sûr.

— Est-ce que vous auriez quelque chose à lui que je puisse toucher ?

— Quel genre de chose ?

— Une cravate. Un livre qu'il vous aurait donné. »

Il eut un geste d'impuissance.

« Non, désolé. Je ne crois pas.

— Il n'a rien envoyé ?

— Seulement moi. »

Elle ajouta qu'il n'avait jamais été particulièrement attentionné.

« Mais j'ai ses lunettes de lecture ici, je les frotte tous les dimanches, et je me rappelle l'odeur et la texture de sa peau, je me souviens de sa voix de fumeur – rauque, dure parfois, mais caressante – et de la manière dont il ménageait ses effets quand il me faisait rire. »

Elle arrivait bien à imiter Mamoon et, apparemment, elle appréciait beaucoup leur conversation, pendant laquelle elle faisait les deux voix. Elle posa des questions sur Liana sans manifester d'agitation particulière : elle voulait savoir si elle était grande, mince, si elle était capable de faire face aux humeurs et aux colères de Mamoon, si elle cuisinait bien, si elle aimait faire les boutiques, si elle avait des indigestions, si elle dormait correctement, si elle savait comment faire quand Mamoon avait des cauchemars et si elle le faisait rire.

Elle voulait savoir sur quoi travaillait Mamoon, s'il se teignait les cheveux maintenant, comment il allait, son dos surtout, et aussi son estomac, ses intestins, ainsi que ses dents. Il fallait qu'elle sache s'il faisait toujours ceci ou cela avec sa tête quand on lui posait une question délicate. Elle voulait aussi des nouvelles de la maison, des alentours – cet endroit dont elle n'avait vu que des photos mais où elle avait cru, à une époque, qu'elle passerait le reste de sa vie en compagnie de l'homme qu'elle aimait.

Puis elle avait éclaté d'un rire strident avant de s'effondrer en larmes, forcément. Lui aussi avait pleuré, comme si c'était une manière de participer et de se montrer gentil ; ils s'étaient dit l'un à l'autre qu'ils étaient fleur bleue. Il était allé chercher des mouchoirs pendant qu'elle se rinçait le visage dans la salle de bains.

Quand elle fut prête, il mit en route le magnétophone.

Elle était colombienne mais sa mère était britannique, d'origine juive. Elle lui raconta comment elle avait rencontré Mamoon lors d'une lecture, comment ils étaient tombés amoureux. Pendant cinq ans, il venait la voir fréquemment, et tous les deux étaient allés en Inde, aux États-Unis et en Australie. Elle avait quitté son ennuyeux mari peu de temps après avoir fait la connaissance de Mamoon et elle avait emménagé dans un petit appartement de West Village à New York parce qu'il songeait à écrire un roman qui s'y déroulerait. « N'oubliez pas, dit-elle, il était musulman et, fondamentalement, il pensait que les femmes étaient là pour le servir. Je lui ai permis de progresser mais vous ne pouvez pas en dire plus. »

Ils avaient toujours eu beaucoup de choses à se raconter et, comme souvent les hommes très séduisants, Mamoon était drôle, incisif – quand il parlait littérature et politique, des autres aussi, mais surtout quand il parlait de lui. Il était égocentrique mais trop angoissé, trop peu sûr de lui pour s'admirer. Il s'inquiétait tout le temps, disait-elle, et il pouvait se mettre dans des états incroyables à propos de son travail, qui l'empêchait de devenir fou, ou peu s'en faut ; il ne se trouvait pas particulièrement extraordinaire mais, parfois, il s'enthousiasmait pour tel texte qu'il avait écrit, telle idée qu'il avait. Il lui montrait les pages qu'il était en train de rédiger, elle l'aidait, assise sur la table, un crayon à la main. Il écoutait ses remarques, y répondait avec sérieux. Il lui donnait le sentiment d'avoir de la valeur, d'être inventive, et elle savait dans quelles conditions exactes ses livres les plus connus avaient vu le jour.

« Certains des entretiens dans *Soirées avec le tueur* étaient inventés de toutes pièces, évidemment. Les gens doivent bien le savoir maintenant.

— Personne ne l'a jamais dit, ça. Il ne les enregistrait pas ?

— Si, et il y avait des transcriptions ; parfois c'était Peggy, parfois c'était moi ou une secrétaire. Mais quand il commençait à mettre en forme la matière première, il la retravaillait énormément. Il n'a jamais assisté à cette fameuse exécution. Il m'a avoué qu'il y était seulement "presque" présent.

— C'est un artiste extrêmement créatif, qui a fait…

— Ou fabriqué, dit-elle. Il omettait certaines informations, il en changeait d'autres, il truquait et récrivait certaines citations pour que ça aille mieux avec son texte. Il écrivait sur des endroits où il n'était jamais allé, à propos de choses qu'il n'avait jamais vues. »

Harry haussa les épaules :

« C'est ça les romanciers pour vous. Des enfoirés.

— C'est sûr, vous allez vous retrouver à faire la même chose. » Elle le regardait. « Vous êtes en train de vous dire que ça pourrait être une bonne idée.

— Braconner des histoires, disait Joyce. Et Mamoon m'a déjà dit, avec une certaine sagesse : "J'espère que vous n'êtes pas un de ces imbéciles qui pensent que les faits suffisent pour écrire." Il pense que l'originalité, c'est l'art de savoir voler les bonnes choses. C'est un homme de spectacle…

— Comme vous êtes petit et méchant. Je crains que vous ne soyez un de ces ringards qui veulent toujours argumenter. Est-ce que c'est vraiment utile qu'on continue là-dessus ? Si je pouvais me lever, je le ferais sur-le-champ », dit-elle en lui tournant le dos.

La journée serait difficile. Est-ce qu'elle le mènerait quelque part ? Devait-il s'en aller ? Il attendit sans rien dire, comme son père le lui aurait suggéré.

« Vous avez dû abandonner beaucoup de choses pour Mamoon, reprit-il au bout d'un moment.

— Oui, oui, tout.

— Ça ne doit pas être facile pour vous d'évoquer cette époque ?

— Exactement. »

Le silence s'installa de nouveau ; il poussa un soupir de soulagement quand elle se remit à parler. Son mari n'avait pas été une grosse perte mais ses enfants adorés étaient furieux de voir qu'elle avait troqué sa famille au profit de « son excitation personnelle », pour reprendre une expression de son ex-mari. Mais, Mamoon, comme Omar Sharif, à qui il ressemblait d'après elle, était le genre d'homme pour qui une femme pouvait abandonner des choses. Marion l'aimait, il était son destin ; elle disait que l'amour était la seule expérience qui vaille la peine. Même s'il venait moins souvent en Amérique à cause des problèmes de Peggy, elle avait cru qu'il prendrait soin d'elle pour toute la vie. C'est ce qu'il lui avait dit.

Marion n'avait aucune raison de ne pas le croire. Tous ces mois passés ensemble avaient été plus forts, plus épanouissants que tout ce qu'elle avait pu connaître jusque-là et ils avaient vraiment vécu ensemble. Mis à part elle, il n'y avait eu que la malheureuse Peggy et, à la fin, Marion s'était aperçue qu'ils attendaient tous les deux qu'elle meure. Elle n'avait rien contre Peggy, même si elle disait que c'était une « squatteuse d'hôpital », et elle était admirative de l'attention que Mamoon ne cessait de lui témoigner. Il avait été au bout de ce devoir « vain ».

« Vous dites "vain". Pourquoi ? lui demanda Harry.

— D'après ce que je pouvais en voir, l'un et l'autre avaient vécu dans un univers extrêmement fermé, presque sans influence extérieure ; elle l'avait hypnotisée au point qu'il croyait être non seulement la cause de ses souffrances, mais aussi son seul remède. C'est moi qui l'ai libéré de cette fausse croyance. »

Elle n'en avait pas été remerciée pour autant. À la fin, Marion n'avait pas vu Mamoon depuis plus d'un an. Un jour, elle avait appris que Peggy était morte et elle s'était préparée à recevoir un appel de lui. Elle allait enfin quitter New York pour vivre avec lui dans la maison en Angleterre. Elle avait déjà réfléchi à la manière dont elle allait la meubler. On ouvrirait les fenêtres en grand, les affaires de Peggy seraient immédiatement rangées, tout serait réorganisé. Elle n'avait pas envie de vivre avec une morte.

Elle avait appelé Mamoon. Une femme avait décroché – Harry se dit que ça devait être Ruth – et lui avait répondu qu'elle prendrait son message. Ça s'était reproduit plusieurs fois, Ruth disant qu'elle avait bien transmis. Les jours passaient et Marion n'avait aucune nouvelle. Elle s'imaginait que Mamoon était occupé avec l'enterrement et toutes les démarches d'usage. Mais le temps passait.

N'ayant aucun retour de sa part, Marion était partie pour Bogotá, elle avait voyagé à travers toute la Colombie, le voyant partout où elle allait ; elle souffrait atrocement. Ce n'est que plusieurs mois après qu'elle avait appris, en feuilletant un magazine, qu'il avait épousé Liana, rencontrée dix-huit mois plus tôt lors d'une campagne de promotion en Italie. Apparemment, Mamoon y était retourné ensuite plusieurs fois pour voir Liana ; puis ils avaient loué un appartement ensemble à Paris. Finalement, il l'avait emmenée en voyage à Venise, où il avait fait sa demande. Marion avait scruté attentivement les photos où on les voyait tous les deux et tout ce qu'elle avait essayé d'oublier lui était revenu.

Espérant une explication à tout prix, Marion avait écrit plusieurs fois à Mamoon ; elle téléphonait sans cesse. Et puis, un beau jour, Mamoon avait décroché, comme ça lui arrivait quand il était assis non loin du combiné. Il lui dit qu'il était surpris qu'elle appelle et que, bien sûr, c'était trop tard. Tout était mort entre eux depuis quelque temps déjà. Ça n'était pas évident pour elle aussi ? Elle n'avait rien de ce qu'il recherchait. Il fallait savoir faire faux bond quand c'était le moment, lui avait-il dit dans une réplique mémorable. Alors qu'un pan énorme de son passé et de son avenir partait en fumée, Marion s'était mise à hurler, de rage. Mamoon lui dit qu'elle s'était fait des idées toute seule dans son coin et qu'elle ferait mieux de ne plus chercher à le joindre ; il était marié, heureux et, pour lui, ça s'arrêtait là. Il raccrocha.

Harry la regardait alors qu'elle pleurait à nouveau en serrant contre elle un des coussins du canapé. Il se sentait embarrassé, gêné ; il voulait écrire un livre sérieux qui rendrait hommage à un bon écrivain – non faire revivre un psychodrame à une femme âgée, ni la faire basculer dans la dépression.

Cette première discussion avec Marion lui avait pris quasiment la journée entière et il fallait qu'il repense à tout ce qu'elle lui avait confié. Il rentra à l'hôtel, écouta la cassette et prit des notes.

Il appela Alice et lui dit qu'il était complètement épuisé. Quelle ne fut pas sa surprise d'apprendre qu'elle était allée passer le week-end avec Liana et Mamoon.

« Tu es chez eux en ce moment ?

— Oui. Mamoon savait que tu t'en allais, et donc ils m'ont invitée.

— Astucieux.

— Attentionné, vu ma condition. J'ai besoin de me reposer. Et il fallait que je rapporte des cravates, des chemises et d'autres bricoles pour Mamoon.

— Ça lui a plu ?

— Il était ravi. Il veut se mettre au goût du jour.

— Il y a de quoi.

— De toute façon, ils adorent que je sois avec eux et c'est reposant pour moi d'être ici. Mamoon a envie de retrouver la forme ; on fait de grandes balades.

— Ah bon ? Et vous parlez de quoi ?

— On bavarde, sans plus. C'est incroyable, Harry, je lui raconte ce qui me passe par la tête, il ne me juge jamais et il a toujours quelque chose d'intelligent à dire. Il y en a là-dedans. Et ça me fait tellement de bien de venir me détendre ici, surtout que je suis si inquiète maintenant.

— Pourquoi tu n'essaierais pas de noter ce dont vous avez parlé quand tu remontes dans ta chambre ?

— Pour quoi faire ? Tu sais bien que, pour moi, le moment présent, il faut le vivre. C'est une discussion personnelle sur tout.

— Mais c'est quoi "tout" ?

— La vie, les pères, l'art, la politique, la sexualité.

— Et qu'est-ce qu'il y connaît, lui ?

— Il a pas mal réfléchi, Harry, plus que la moyenne, tu le sais, et tout ce qu'il dit est intéressant : c'est pour ça que tu travailles sur lui. Il est en train de me psychanalyser, il examine mes problèmes comme s'il m'était redevable. Je suis terrorisée à l'idée qu'il me trouve superficielle, narcissique, comme ton père la dernière fois qu'on est allés chez lui.

— Qu'est-ce qu'il a fait, mon père ?

— On dirait que tu as une voix de castrat tout à coup. Ne surréagis pas là-dessus.

— Pardon ?

— Tu m'as dit que tu ne présentais jamais de femmes à ton père.

— Il faut vraiment qu'elles signifient quelque chose de spécial pour moi. De mon point de vue, c'était un moment important, Alice.

— J'en avais des palpitations. Tu te souviens sans doute, quand on s'est assis, il nous a regardés en claquant ses deux mains sur la table et il a dit : “Alors, quel est votre point de vue sur la crise financière ?”

— Et quel était ton point de vue ?

— J'étais tellement intimidée que j'ai paniqué et que je me suis précipitée aux toilettes pour m'asperger le visage d'eau froide. C'était comme si, d'un seul coup, je passais à la télévision.

— Je sais que tu préfères rester invisible.

— C'était toujours comme ça chez vous ?

— C'est quelqu'un de très démocratique, mon père, il écoute le premier imbécile qui passe. C'est son boulot. Je doute qu'il ait trouvé que tu étais superficielle. Il a dit que tu venais de loin. Et je sais pertinemment que Mamoon est suspendu au moindre de tes mots. Je croyais que tu n'aimais pas les vieux.

— Tu sais aussi que j'ai la tête qui éclate en mille morceaux quand je vois un roman, mais là, j'ai commencé à lire un de ses livres.

— Et ça te plaît ?

— Ne t'inquiète pas, il n'y a aucun risque que je me transforme en intello. Tu me préfères en fille stupide ? Tu te sens menacé ?

— Chérie, l'écriture de ce livre, ça me donne des nœuds au cerveau. En Inde, ça n'a pas été facile. Je suis épuisé.

— Mamoon a fait preuve d'une grande sympathie envers toi.

— Ah ?

— Il espère sincèrement que Marion ne te mettra pas trop sur de mauvais rails.

— Qu'est-ce qu'il dit à ce sujet ?

— Qu'il n'y a pas un mot qui sort de sa bouche qui soit vrai. Il espère pour toi que tu ne te laisses pas avoir. »

Elle enchaîna :

« Tu sais, je commence à comprendre le courage de Mamoon, quand il attaquait ces maoïstes en costume de velours côtelé alors que c'était à la mode d'être maoïste. Il a brisé le culte du silence. D'ailleurs, ton père, il n'était pas maoïste, justement ? »

Harry se mit à rire :

« C'est Mamoon qui t'a raconté ça. Il faudra qu'on en parle entre quatre yeux.

— Non, s'il te plaît, sinon je ne te raconterai rien de plus.

— Pourquoi, qu'est-ce qu'il a dit de plus ?

— Il dit que ses amis, les gens qu'il connaît sont aussi fascinés par le marxisme que d'autres le sont par le fondamentalisme. Tout ce qu'ils ont fait était calculé en fonction des "bénéfices" que ça rapportait à la classe ouvrière. Et est-ce que, finalement, le marxisme ne s'est pas révélé être un système assez peu favorable aux libertés qu'ils ont soudainement adoptées ?

— Oui, il a écrit un bel essai à ce sujet : *Les Superstitions des laïques*.

— Mais il avait vraiment eu le nez creux à ce moment-là, non ? »

Harry renifla.

« Mamoon a toujours pensé que tout était pourri, et que ceux qui croyaient en quoi que ce soit étaient tous des imbéciles heureux d'être trompés. Tu as peu de chances d'avoir tort si tu commences comme cynique.

— Tu es toujours socialiste ? C'est lui qui le dit.

— Il dit ça ? Je suis démocrate libéral, Alice, et je suis aussi inoffensif qu'un verre d'eau pétillante avec une rondelle de citron.

— Et qu'est-ce que ton père pense de Mamoon ? »

Harry réfléchit quelques secondes avant de répondre :

« Papa considère qu'après la Seconde Guerre, la plus grande réussite de la Grande-Bretagne, à part son service de santé, c'est sa société multiraciale. Et pourtant, Mamoon voulait devenir anglais, juste au moment où les Anglais commençaient à être passés de mode, quand les bâtards se sont mis à prendre le dessus. Papa trouve qu'il s'est laissé aveugler en ne parlant jamais de la progression du racisme au sein de la population britannique, surtout dans les années soixante-dix, quand on a atteint des records. Mamoon aimait faire celui à qui rien n'était jamais arrivé. D'après mon père, c'était snob et risible de sa part de s'identifier à une classe en voie de disparition. Au moins, plus tard, il a critiqué les islamistes, ces héros du septième siècle.

— Tu sais que Mamoon a dit quelque chose de très gentil me concernant : que je pourrais devenir artiste.

— Artiste ?

— Pourquoi pas ? Un jour, peut-être, quand notre enfant dormira dans son couffin, je me mettrai au dessin pour de bon. Mamoon dit que, même si j'ai du mal à m'exprimer avec des mots, je pourrais le faire par d'autres moyens.

— Bonne idée.

— Mais il est diabolique aussi, reprit-elle. Je ne devrais pas le répéter mais, apparemment, un de ses fans lui a demandé un jour comment il créait, avec quel stylo, quel ordinateur, et il lui a répondu que, le matin, il aimait particulièrement se mettre le doigt dans le cul et qu'il écrivait directement sur le mur de la salle de bains.

— Tu m'aimes ? lui demanda Harry.

— Oui, bien sûr. Je te l'ai déjà dit et redit.

— Et comment va Liana ?

— Je ne l'ai pas beaucoup vue. Elle a fait du jardinage et, ensuite, elle a filé à Londres pour une manucure. Elle a vu son cher et tendre voyant et elle avait rendez-vous avec quelqu'un pour des questions professionnelles.

— Elle est restée combien de temps là-bas ?

— Trois nuits seulement, je crois. »

Harry appela aussitôt Julia, qui disait avoir suivi de près l'évolution des événements. Entre Mamoon et Alice, c'étaient juste des repas et des conversations, affirmait-elle. Ils discutaient pendant des heures le soir, à la lueur des bougies ; dans la pièce d'à côté, allongée sur le canapé, Julia lisait les livres de Mamoon – sa voix dans une pièce, ses mots dans une autre. Elle finissait par s'endormir toute seule, rêvant de lui. Le matin, elle se réveillait avec une couverture. Elle ne se souvenait pas de tout ce que Mamoon et Alice se racontaient ; quelle importance, ces quelques murmures ?

Harry s'exclama :

« Quelle importance ! De simples discussions, tu dis ! Mais, parler, c'est le plus dangereux des rapports qu'on puisse avoir avec quelqu'un.

— Liana n'y voit pas d'inconvénient : c'est pour ça que je pense qu'il n'y a rien de mal. Sinon, elle le tuerait, et ensuite elle tuerait Alice.

— Il s'est débarrassé de moi, malgré tout. Raconte-moi au moins si Mamoon a dit quelque chose de notable.

— Une seule chose : “Celui qui jardine est perdu pour l'humanité.”

— Tu m'aimes ? lui demanda Harry.

— Oui, répondit-elle, de plus en plus. J'ai tellement hâte de te voir. J'ai mis ton tee-shirt.

— Vraiment ? Où est-ce que tu l'as trouvé ?

— Dans ta chambre. Je me suis plongé la tête dans tes vêtements. Et toi, tu m'aimes ? » demanda-t-elle.

Il garda un silence morose, à l'écoute de la mer qui les séparait.

« Qui que tu sois, Julia, je suis à toi.

— Tu as lu les carnets que je t'avais donnés ?

— Oui, je les relis en ce moment.

— Qu'est-ce que tu en penses ? »

18

Harry avait convenu d'un autre rendez-vous le lendemain matin avec Marion mais, sur le chemin, il se demanda si ça valait la peine qu'il y retourne. L'enthousiasme d'Alice pour Mamoon l'irritait, il avait envie de prendre un taxi pour l'aéroport, de rentrer à Londres, de pousser le vieil homme hors de sa vie pour rappeler à Alice qu'il était là lui aussi. Il fallait qu'il investisse davantage sa relation avec elle sous peine de la voir s'étioler et disparaître complètement. Qu'est-ce que Marion allait lui dire de plus ? Il n'avait guère envie de retourner dans cet antre du chagrin, du regret et du désespoir. Mais il se sermonna : même si Mamoon s'était volontairement débarrassé de lui, il avait ce travail à faire. Il se força à lui acheter des fleurs et sonna à sa porte une fois encore.

Ce jour-là, elle était plus enjouée, un peu séductrice même ; elle portait une jupe, un décolleté plongeant et des bijoux. Elle lui mit sous le nez des photos d'elle avec Mamoon.

« Harry, regardez la manière dont il me tient la main. Il avait vraiment besoin de moi ! Dans cette maison à la campagne, ils vivaient dans une atmosphère de peur et de colère. Est-ce qu'elle ne donne pas l'impression d'être hantée, cette maison ?

— Oui, un peu.

— C'est elle, c'est Peggy : elle est là, à hanter plutôt qu'à vivre ! À l'origine, sa vie domestique n'avait rien à voir. C'est sa maudite nature à elle qui le contaminait.

— Comment lui avez-vous dit ça ?

— Je lui ai montré qu'on pouvait aimer. Avoir une vie sexuelle. Il était, vous savez, du genre *caliente*. La vapeur lui sortait par tous les pores de la peau. Mais ça faisait un moment qu'il n'avait pas vraiment fait l'amour. Mamoon pensait qu'avoir envie d'une femme, c'est comme avoir envie d'une cigarette. Il arrivait que le désir soit intense, mais il suffisait d'attendre que ça passe et on pouvait retourner vaquer à des occupations plus essentielles.

« À sa décharge, Peggy était quelqu'un de gentil, qui ne pensait qu'à lui. C'est elle qui l'a guidé dans divers milieux, le présentant à ceux qui pourraient être intéressés, leur expliquant que le monde ne se limitait pas à la Grande-Bretagne. Mais il était…

— Quoi ?

— Eh bien, il était au régime sec question baise.

— J'adore la manière dont vous dites ça, Marion. Avec votre voix grave…

— Mon cher, elle n'avait aucune emprise sexuelle sur lui. Une femme triste ; hystérique. Quand il s'agissait de passer au lit, c'était un plat de spaghettis tout froids ; elle bavassait sans cesse pour ne rien dire, elle obligeait Mamoon à vivre comme s'il n'y avait pas de place pour la passion au cœur de chaque être humain. Vous n'avez pas idée de l'homme naïf qu'il était à l'époque, pour certaines choses en tout cas. »

Il lui demanda ce qu'elle entendait par « naïf ».

« À sa manière, il était encore adolescent. Comme s'il attendait que l'autre prenne l'initiative. Vous le savez probablement, il a eu des aventures nombreuses et variées quand il était plus jeune. Il attirait les adultes comme du miel. C'était un très beau jeune homme, avec des cheveux bruns, le corps d'une star de cinéma, et une belle queue mince. Il était presque aussi beau que vous, cher enfant, mais bien plus pénible, avec un tempérament plus fort et, de toute évidence, plus de talent aussi. Je dirais que, certes, vous pouvez être quelqu'un d'assez pénible mais, malgré vos airs hautains, ça n'a rien à voir avec lui. »

Elle avait regardé *Théorème* la nuit précédente.

« Pasolini aurait craqué pour vous. Est-ce que vous avez déjà été pénétré par un homme plus vieux ? »

Comme il ne disait rien, elle reprit :

« Essayez un peu d'imaginer. Quand je l'ai rencontré la première fois, Mamoon s'était dit qu'il était heureux en mariage et qu'il le resterait jusqu'à la fin de ses jours. Il ne pensait pas que lui et Peggy se sépareraient jamais. Mais il a pris goût au sexe quand il en a refait l'expérience avec moi. Ça lui a redonné confiance. Il aimait ça. Trop. Il avait retrouvé une partie de lui-même et il voulait qu'elle soit là tout le temps. Et puis il a voulu plus. Des choses plus extrêmes. »

Quand Harry lui demanda de quoi elle parlait, elle répondit :

« Si je vous le dis et que vous le mettez dans votre livre, ce sera tout ce que les gens retiendront de moi.

— Vous avez pensé à ça ?

— Évidemment.

— Pour autant, vous avez envie de donner votre version de l'histoire ?

— Il la contestera, dit-elle, je le sais. Il en rira, haussera les épaules, m'accusera d'être folle – stratégie masculine bien connue. Récemment, dans un entretien qu'il a accordé à un journaliste, il m'a même accusée d'être une baudruche remplie de fantasmes déchaînés, une adepte du réalisme magique. Des histoires bonnes à endormir les enfants, tout ça ! De la part de quelqu'un qui invente des personnages pour gagner sa vie, qui les fait parler, mourir ! Mais j'aurai dit ce que j'ai à dire avant de tirer ma révérence. »

Harry rapprocha le magnétophone.

« De quoi voulez-vous parler ?

— Éteignez cette foutue machine. »

Il appuya sur un bouton. Elle sourit puis s'empara du magnétophone et le jeta dans le couloir avant de lui demander de fermer la porte.

Elle lui raconta qu'elle avait quelques très bonnes amies qu'elle connaissait depuis longtemps, des femmes mariées, intelligentes, séduisantes, qu'elle lui avait présentées.

Une nuit, il lui avait dit qu'elles étaient attirantes. Il s'ennuyait avec elle. « Je n'arrivais plus à dérider son pénis. Il allait les voir, ça affûtait un peu son crayon. »

Il disait qu'il était devenu utilitariste, qu'il cherchait à apporter le plus grand bonheur au plus grand nombre. Il était déprimé aussi. Son père était mort et il se faisait un tas de reproches. Il s'était battu avec le vieux bonhomme, l'avait soulevé de sa chaise pour le plaquer contre un mur.

« Oui, j'en ai entendu parler. Vous connaissez les détails ? »

Elle lui raconta que le directeur de l'établissement où était inscrit Mamoon ainsi que la femme du directeur étaient de vieux amis de son père auxquels celui-ci tenait beaucoup. Le monsieur – « qui, par parenthèse, n'avait qu'une seule jambe » – avait fait preuve d'une grande bonté en autorisant Mamoon à s'inscrire pour une somme modique. Et, plus tard, les gens avaient appris que Mamoon, à quinze ans, avait couché avec la femme du chef d'établissement, qui était infirmière scolaire, à l'infirmerie justement, presque tous les jours. Elle lui avait aussi prêté des livres, avait lu ses premières histoires, les lui avait corrigées, l'encourageant, lui disant qu'il était en bonne voie, qu'il avait ce truc qui fait envie à tout le monde mais que la plupart des gens n'ont pas : le talent. Il comprit que, dès qu'il se mettait à écrire, les gens l'aimaient, l'admiraient. La littérature était le sésame de l'entrejambe. Mieux valait un bon paragraphe que quelques verres de vin.

« Le chef d'établissement n'en a eu connaissance qu'après les vingt ans de Mamoon. À la mort de sa femme, il avait clopiné jusque chez son ami, pour lui dire que l'infidélité de sa femme avait entaché les dernières années de leur vie commune. Celle-ci lui avait dit qu'elle aimait Mamoon. Le chef d'établissement en restait profondément mortifié. »

Marion prit un accent indien aux relents paternalistes :

« Le père dit à Mamoon : "Espèce de salopard, tu as jeté la honte sur notre famille en allant batifoler avec la femme d'un bon ami, au sein même de son établissement, alors que tu avais bénéficié de droits d'inscription avantageux ! Qu'est-ce que tu peux bien nous cacher d'autre ?"

« "Elle était très enthousiaste, très reconnaissante à l'époque, rétorqua Mamoon. Pourquoi est-ce que ça t'atteint autant ? Tu es jaloux ? Elle disait qu'elle se sentait seule. J'étais la 'deuxième jambe'. J'avais un corps à se damner et elle ouvrait ma braguette avec ses dents. Ton ami l'ennuyait à mourir. Tu aurais dû m'envoyer un télégramme de félicitations pour lui avoir redonné le goût de vivre." »

Marion poursuivit :

« Comme vous pouvez l'imaginer, à ce stade, le père était hors de lui, il a frappé Mamoon en pleine figure. Mamoon, lui, était assez costaud à l'époque, d'autant qu'il faisait de la boxe comme poids moyen ; il l'a attrapé et l'a envoyé valser à travers la pièce, du côté de la poubelle, comme un vulgaire ballon de basket.

« Plus tard, Mamoon a eu honte, il était rongé par les regrets et il s'inquiétait beaucoup pour son père. J'avais abordé avec lui la question de savoir si son père était homosexuel. »

Harry s'étrangla presque :

« Comment est-ce que vous en êtes arrivés là ? »

Mamoon avait pris la chose très au sérieux. Tout concordait. Le père de Mamoon avait subi un mariage arrangé, il se disputait constamment avec sa femme, jouait pratiquement tous les soirs, buvait furieusement. Mais il n'allait jamais voir de femmes et il ne cessait de répéter à son fils de ne pas se marier. Mamoon commença à se demander si son étrange sexualité d'adolescent était une résurgence des perturbations de son père.

Marion continuait :

« Mamoon, comme vous l'avez peut-être deviné, était un Nietzsche en version juke-box, avec une citation pour chaque situation. Il y en a une qu'il aimait particulièrement : "Ce qui reste silencieux chez le père s'exprime par l'intermédiaire du fils." On en a beaucoup parlé. Au moment de la détumescence, après tout, on discute ; c'est là que l'amour commence. Accompagnés d'une bouteille de vin, voire plus, on passait des soirées entières à parler, à essayer de tout démêler. On était très proches, on vivait ensemble, il enseignait aux États-Unis à ce moment-là. »

Il lui demanda comment c'était alors.

Elle rit.

« C'était merveilleux de passer du temps avec lui. Mais ça n'allait pas sans accrochages. Rien avec Mamoon n'allait sans accrocs. Il avait affronté les inévitables conflits avec les autorités, jusqu'aux accusations de misogynie et autres. »

Harry lui dit qu'il avait déjà entendu des choses à ce sujet et qu'il allait chercher à en savoir plus. Il lui demanda des précisions.

« Je vivais avec lui en dehors du campus depuis quelques mois », commença-t-elle.

Mamoon avait fait en sorte d'être perçu comme trop non conformiste pour être complètement intégré au système. Mais il savait comment intéresser les gens aux idées qu'il avait.

« Et puis, malheureusement, il y a eu cet incident avec cette conférencière, une féministe noire à qui il avait dit lors d'un cocktail : "Rassurez-moi, être noir, ça ne suffit pas à faire carrière de nos jours, n'est-ce pas ?"

— Qu'est-ce qui s'est passé ?

— Gros scandale, très houleux. Ça et puis sa déclaration sur le taux élevé de psychoses au sein de la communauté afro-caribéenne du fait de l'absence des pères, c'en était fini pour lui. Ça a mal tourné. On a dû plier bagage et déguerpir vite fait. C'est comme si on nous avait expulsés de la ville.

— Il en a été affecté ?

— Bien sûr, il a dit qu'il ne voulait pas être privé de la *jouissance*[1] du raciste sous prétexte qu'il avait la peau marron et qu'il en avait lui-même souffert. À ses yeux, il était évident que l'un des grands plaisirs de l'existence, c'était de pouvoir haïr les autres pour des raisons plus ou moins hasardeuses et arbitraires. »

Conséquence de tout cela, il n'avait jamais pu retrouver de poste à l'université. Ça lui avait coûté de l'argent. Il était plus ennuyé qu'il ne voulait bien l'admettre parce qu'il avait des choses importantes à dire sur cet art auquel il avait consacré sa vie. D'une certaine manière, il s'était retrouvé prisonnier de ces stupides fiascos. Il ne pouvait s'y résoudre, et c'est pourquoi il avait besoin de « réconfort », disait-il.

« Du réconfort des femmes ?

— Je lui ai dit que, dans la mesure où j'avais tant sacrifié de choses pour être avec lui, je ne pouvais pas accepter qu'il séduise mes meilleures amies sous mon nez. Il m'avait répondu que j'étais une vraie chieuse et s'était mis à faire la tête. Il a même eu l'audace de me dire que je ne savais pas sucer une bite.

— Oh, mon Dieu. Il faut faire attention avec les dents, lui dit Harry. J'imagine que vous le savez. Peut-être vous auriez dû vous entraîner.

— Croyez-moi, mon petit, je saurais parfaitement vous aspirer la cervelle par le trou du cul avant de tout recracher dans les toilettes.

— Il s'y prenait comment pour un cunnilingus ?

— Avec enthousiasme, parfois. Mais il n'était pas très précis. Et puis…

— Et puis ?

— Quand un homme ne veut plus vous bouffer la chatte, c'est qu'il en a fini avec vous.

1. En français dans le texte. *(N.d.T.)*

« C'est une des plus dures leçons que la vie nous enseigne, j'imagine.

« Mamoon savait comment tourner le dos à quelqu'un. Un jour, je n'ai plus supporté cette angoisse. Les plans à trois, ce n'était pas mon truc. J'avais essayé. Les hommes pensent qu'ils aiment ça mais ils ont les yeux plus gros que la queue. Ce n'est pas si fréquent qu'un homme puisse satisfaire une femme – alors, deux… Malgré tout, j'avais accepté que d'autres femmes se joignent à nous, si elles en avaient envie, une à la fois. Pourquoi pas ? Est-ce qu'on n'avait pas vécu les années soixante ? Pourquoi s'accrocher à des conventions, pourquoi dire non à tout ? C'étaient des femmes libres. On a fait ça plusieurs fois. Il disait qu'il n'avait rien vécu de plus excitant.

— Et pourquoi ces femmes acceptaient ?

— C'était la première fois, je pense, qu'il comprenait qu'il pouvait utiliser son pouvoir, sa position, son charisme pour séduire et utiliser les autres. Il le disait lui-même, sa célébrité, son sens de la formule, son physique, c'était du petit-lait pour femmes ménopausées. Certains sujets le passionnaient tellement qu'on avait l'impression que le monde vibrait autour de lui. Et ces femmes étaient curieuses. Mais elles avaient un mari, des enfants, une vie, et elles n'étaient pas disponibles à la demande. Puis il a eu la brillante idée d'inviter des professionnelles à coucher avec nous.

— Combien de fois ?

— Presque toutes les nuits, pendant plusieurs semaines. On était tellement submergés par ce qui se passait qu'on a fait un sérieux trou dans ses économies mais il ne s'en souciait guère. Pourquoi se serait-il tracassé ? J'imagine qu'une bonne partie de cet argent était à Peggy et il était convaincu qu'elle lui devait beaucoup.

— Vous buviez ? Vous preniez de la drogue ? Est-ce qu'il y avait d'autres hommes ?

— Il était plein d'énergie.

— Comment est-ce que je peux être sûr que tout ça est vrai ?

— Il y a des lettres.

— Si on veut vraiment le prendre en tenailles, il faut que je les voie.

— Vraiment ?

— Sinon, il pourra toujours dire que vous êtes folle et que vous avez tout inventé. »

Elle hésita un moment avant de se lever et de le précéder hors de la pièce. Une fois dans le couloir, elle ouvrit la porte de sa chambre.

Devant lui, dans un cadre fixé au mur, se trouvait un grand tirage de la photo que Richard Avedon avait faite de Mamoon et que Harry avait déjà vue sur la couverture d'un livre, mais en version timbre-poste. Vêtu d'un costume et d'une cravate, enveloppé de volutes de fumée, Mamoon devait avoir une quarantaine d'années, les cheveux bruns, l'œil sombre, l'air angoissé – portrait d'un homme qui avait la force d'affronter les difficultés de la vie, doté d'une âme de poète, tel un Camus venu des Indes. Les années suivantes, Mamoon, chantre de la transgression radicale – pour qui une langue précise était toujours révolutionnaire –, engagerait de virulents débats avec ses pairs et se fâcherait avec eux ; il serait interdit de territoire dans plusieurs pays, récolterait quelques fatwas au passage, ainsi que de nombreux prix et récompenses, ce qui le faisait doucement rigoler ; il écrirait de bons livres aussi.

« Vous voyez ? » lui dit Marion.

Tandis qu'elle se tenait debout dans son dos, Harry ne quittait pas la photo des yeux : s'il avait oublié pourquoi, quand il était plus jeune, il aimait Mamoon – l'homme solide, l'artiste à la vie dure qui scrutait l'obscurité sans ciller, qui disait ce qu'il voyait, préférant la vérité, l'authenticité à sa propre sécurité –, cette photo, d'où émanaient fierté, connaissance de soi, charme, était là pour le lui rappeler.

C'était forcément vrai, ce que Rob aimait à répéter, que l'écrivain, comme en fait tous les vrais artistes, était le diable incarné, rivalisant de créativité avec Dieu, essayant même de le surpasser. Dieu était sans aucun doute la création humaine la plus fatale, la pute kitsch du diable. Avec cette façon d'insister pour qu'on l'adore et qu'on l'admire, c'est Dieu qui avait créé la nécessité d'un débat autour de l'art et qui avait attisé le feu de la dissidence entre les êtres humains. Le dissident, c'était l'artiste, qui passait au crible de son imagination ce qui était de l'ordre de la raison et ce qui ne l'était pas, l'envers et l'endroit, le rêve et le monde, les hommes et les femmes.

Platon, tout comme le dernier pape, reconnaissait qu'il était dangereux d'avoir dans son entourage un artiste qui sème la zizanie, qui remue les choses avec la cuillère de la vérité et le filtre enivrant de l'imaginaire et de la magie. Et, parce qu'ils avaient outrepassé certaines frontières, parce qu'ils avaient volé le feu des dieux, les artistes ont été bannis, jetés en prison, condamnés, réduits au silence, assassinés – il en serait toujours ainsi, pour ceux qui étaient quelquefois les Christs de la page.

C'était vraisemblablement de cette représentation faustienne de Mamoon comme héros et transgresseur sacré, en tant qu'il s'en prenait à Dieu et aux moralisateurs, que Harry était tombé amoureux – cette image qui l'avait conduit jusque dans cette pièce ce jour-là, suivi d'une femme qui, depuis des années, dormait tous les soirs sous la photo de Mamoon. C'était aussi le portrait d'un homme auquel Harry s'était identifié à une époque. Mais, maintenant, il n'en était que l'illustrateur, et ce n'était pas lui le sujet principal. De quelle manière, se demandait-il, pouvait-il devenir plus que cette image ? Avait-il jamais été courageux, aventureux ?

Marion se baisa les doigts avant de les appuyer contre la photo.

Harry constata qu'il ne pouvait s'asseoir nulle part ailleurs qu'à côté d'elle, sur l'étroit lit une place. Sur l'étagère couverte de poussière, il y avait des photos de ses enfants quand ils étaient petits. Il lui dit qu'ils étaient beaux.

« Les femmes ne doivent pas s'emballer, dit-elle. Les enfants m'ont punie. Quand je suis partie, l'un d'eux a tenté de se suicider ; aujourd'hui, il est fou, enfermé à l'asile. Le plus jeune refuse de me laisser voir mes petits-enfants. »

Elle demanda à Harry de tirer une boîte à chaussures qui se trouvait sous le lit. Elle en sortit des lettres : il devait y en avoir une cinquantaine. Elle en déplia deux, lui montra la date et le « Marion chérie » ainsi que « tout mon amour, Marion » écrits avec cette minuscule écriture qu'il connaissait bien.

« À cette époque, il n'arrêtait pas de dire que je l'ennuyais, qu'il ne se sentait plus vivant. Si je ne trouvais pas de nouvelles choses qu'on pourrait faire ensemble, il allait devenir fou. Il était fasciné par la diversité des manières de faire l'amour, des façons de réagir, de bouger, d'embrasser suivant les femmes, et de constater qu'il se sentait chaque fois neuf. C'était pour lui presque comme une expertise médico-légale.

« J'avais émis l'hypothèse qu'on demande à quelques hommes de se joindre à nous et qu'il regarde, s'il en avait envie. Il regardait effectivement ; et il voulait participer. On aurait dit qu'il unissait ses forces à celles des autres. Il y en avait trop. Il commença à me faire faire des choses qui me dégoûtaient uniquement pour lui faire plaisir. Des mises en scène tellement dégradantes que j'ai envie de vomir rien que d'y penser. Tigre, toi dont la lueur brûlante… brûlante…

« Il avait envie d'une extase accélérée, comme il disait, ce que Poe appelait "une infinité d'excitations mentales"… Bizarrement, il prétendait que ce genre d'extrémités, cette transgression et ce sacrilège répétés étaient l'expérience la plus religieuse qu'il ait jamais vécue. Dans ces moments-là, disait-il, il pouvait se perdre entièrement, fructueusement et trahir son père sans relâche. Il comprenait la motivation de la foule, comment elle pouvait vous extirper de vous-même. Et il n'y avait pas de plus fervent adepte de l'individualisme.

« J'ai fait l'amour avec des gens que je n'aurais jamais touchés autrement. C'était dangereux dans ces années-là mais j'aurais fait n'importe quoi pour le garder. *N'importe quoi.*

— Il vous a blessée ?

— Quand j'y repense, maintenant, j'ai l'impression qu'on a abusé de moi. Qu'on m'a utilisée. J'étais bête de croire qu'il m'aimerait toujours, qu'il m'épouserait. Il était fort à l'époque. Il m'avait attrapé la tête pour me la coincer entre les jambes d'un homme et je me souviens d'avoir pensé : "Tu m'as blessée pour ton propre plaisir. C'est plus important pour toi que pour moi." Le sexe, ça peut être vraiment dégradant, non ?

— Quand on fait bien les choses. Est-ce que vous êtes en train de dire que c'était un pervers ?

— Vous êtes un écrivain sérieux ou vous travaillez pour le *National Enquirer* ?

— Pour l'*Enquirer*.

— J'ai appris que la vraie sexualité, ça peut être fou, complètement, absolument fou, dit-elle. Ça peut submerger tout le reste, surtout la raison et l'intelligence. Et, n'oubliez pas, il m'aimait tellement, même quand il me détestait. Je l'avais capturé dans mes rets, sexuellement parlant ; il était à moi. Heureusement, il voyageait beaucoup à ce moment-là et il m'écrivait pour me faire part de diverses "requêtes" auxquelles j'étais censée accéder quand il revenait à la maison.

— Il faisait ça ?

— Sur la fin, comme Peggy n'allait plus très bien, ni dans sa tête ni dans son corps, elle lui a demandé de rentrer. Pendant des jours, il a hésité. Et s'il la quittait comme ça, maintenant ? Qu'est-ce qu'il perdait, qu'est-ce qu'il gagnait ? Et elle ? Devoir ou amour ? Je ne l'avais jamais vu aussi angoissé. J'ai été bien bête : je lui ai dit que je serais avec lui, quelle que soit sa décision. Il m'a embrassée en partant. J'étais persuadée qu'il m'épouserait. Je n'ai jamais pensé un seul instant que je ne le reverrais jamais. Je crois qu'il rentrait voir une autre femme – mais pas Liana. Ce n'était pas encore son tour.

— Une autre femme ? Vous savez qui ? »

Elle haussa les épaules.

« Et vous ? Oui, de toute évidence, vous savez. »

Voyant qu'il ne répondait pas, elle reprit :

« J'ai appris plus tard, en lisant ce qu'il avait écrit, que ces expériences que nous avions partagées l'avaient traumatisé. Le seul moyen pour lui de digérer la crudité de ces découvertes avait été de rester assis cloîtré dans une chambre pendant des mois. Je pense même qu'il était encore persuadé qu'il pourrait renoncer à la sexualité pour la sublimer totalement.

« Peggy s'est maintenue vaille que vaille pendant dix-huit mois. Elle avait organisé l'environnement dont il avait besoin, ce qui lui a permis d'écrire cet horrible texte, l'un des livres les plus répugnants que j'aie lus, avec un sadisme dont je pense qu'il était largement inconscient puisqu'il aime vraiment les femmes. C'était le plus conscient des artistes, mais il savait que, pour certaines choses, il valait mieux les mettre de côté quand elles vous venaient à l'esprit parce qu'elles étaient la quintessence de quelque chose de vrai.

— J'ai une question à vous poser. Vous êtes certaine que je ne peux pas jeter un œil à ces lettres qu'il vous a envoyées ? Est-ce que je pourrais les recopier ? Je pourrais les prendre en photo avec mon téléphone. Je pourrais aussi faire en sorte qu'une université américaine vous les achète. Inutile de dire que vous pourriez en tirer une jolie somme. »

Elle rit.

« Je le sais pertinemment et j'ai sacrément besoin d'argent avec mes problèmes de santé. Je ne suis pas si stupide, Harry. Avec ce genre de matière, vous écrirez un chapitre de votre livre. Je m'y accroche encore pour l'instant parce que, pour moi, ça représente un livre entier. Le mien sera beaucoup plus corsé, plus passionnel et vulgaire que le vôtre. Je connais les autres femmes impliquées : elles viendront à la rescousse avec leurs souvenirs, mais elles garderont l'anonymat. J'ai commencé à écrire. Est-ce qu'on fait la course, tous les deux ?

— Venant de moi, ça va vous paraître un peu gonflé, mais pourquoi avez-vous envie de révéler cette facette intime de Mamoon ?

— Imaginez que la maîtresse de Flaubert ait écrit un livre à son sujet. Ou la fiancée de Kafka. Qu'est-ce que ça peut bien vouloir dire, d'être la compagne d'un écrivain ? Quand j'aurai raconté l'histoire de ma vie avec lui, nous serons liés à jamais. »

Elle ajouta :

« Il m'a aimée, il m'a exploitée. À mon tour, maintenant !

— Ça fait très "presse à scandale".

— Est-ce que d'habitude ce n'est pas la voix des femmes qu'on étouffe ? Vous l'enviez et vous ne saurez jamais ce que c'est que de l'aimer. Je fournirai le point de vue que l'on a depuis la chambre à coucher, la photo intime. Si vous voulez connaître un homme, voyez comment il se comporte quand il est amoureux. Est-ce que ce n'est pas là que se terre la vérité ?

— Oui, la vérité doit toujours se taire. Mais on pourrait aussi la trouver dans la complexité de l'œuvre.

— Ça, c'est la version officielle.

— Et s'il vous demandait de revenir ?

— Je serais là en un éclair, même aujourd'hui. Vous allez lui dire ça ? Il était cruel, beau, brillant, tout ce qu'un homme devrait être. Harry, est-ce que vous voudrez bien prononcer mon nom en sa présence et regarder l'expression qu'il aura à ce moment-là ? Il sait très bien qu'il m'appartient toujours, qu'il ne m'échappera pas. »

En repassant la porte, elle tendit son visage. Il lui embrassa la joue et vit qu'elle voulait lui donner sa bouche. Ce serait peut-être son dernier baiser.

L'espace de quelques secondes, il posa ses lèvres sur les siennes. Pourquoi pas ? Elle essaya de l'attirer à elle, mais il se dégagea de son étreinte.

« J'ai toujours des sensations physiques, lui dit-elle. Si vous m'aidez, je vous montrerai les lettres.

— Que voulez-vous dire ?

— Je suis fatiguée. Revenez demain. Un jour de plus, d'accord ? J'aurai quelque chose d'important. »

Le lendemain, il comprit qu'elle le laisserait lire quelques-unes des lettres à condition qu'il s'allonge à côté d'elle sur le lit. Il garderait son tee-shirt et son pantalon et elle n'aurait pas le droit de le toucher sous la ceinture : uniquement le torse, les épaules, la tête et les cheveux. Il n'était pas hostile à ses caresses ; il se disait qu'il était content de pouvoir rendre service et, de toute façon, il était assez tendu pour pas mal de raisons.

Tandis que ses mains progressaient sur lui, Harry épluchait ce qu'elle lui avait confié : c'étaient des lettres d'amour, des demandes de rendez-vous déguisées en souhaits que d'autres les accompagnent au cours de leurs « déambulations ». Malgré les assurances qu'elle lui avait données, malgré des phrases évoquant tout ce que « l'autre soir » avait signifié pour lui à ce moment précis de sa vie, la manière dont il se sentait « revigoré », de nouveau « intéressé » par ce qu'il appelait « la scène humaine », il n'y avait rien de plus solide qui vienne confirmer ses déclarations.

Tout ce que Harry pouvait faire, c'était remercier Marion, l'embrasser et lui dire au revoir. Il lui écrirait s'il avait besoin de quoi que ce soit d'autre.

« S'il vous plaît, revenez me voir, quand vous voulez », dit-elle en lui prenant les mains.

Il se demanda si elle le laisserait jamais partir.

« Je vous en prie, je vais essayer de trouver d'autres photos, d'autres écrits. Dites-moi, je vous fais pitié : une vieille femme seule, qui n'a plus rien pour elle, à part les souvenirs de quelques moments passés avec un écrivain.

— Je vous admire, Marion.

— Pour quelle raison ?

— Pour avoir été une vraie fondamentaliste, qui a tout abandonné pour une seule idée – l'amour. Et vous y croyez toujours.

— Est-ce que vous, vous auriez autant sacrifié ?

— En ce qui me concerne, le monde est rempli de femmes, dont beaucoup – beaucoup trop – sont très agréables.

— L'amour en série, c'est ce qui vous protège, mais c'est la chose la plus dangereuse au monde. Personne ne vous manque mais, s'il n'y a pas de sacrifice, il n'y a pas d'amour. »

Il lui demanda comment elle voyait cet amour maintenant, comme une forme de dévotion ou comme l'appel masochiste de la sirène ?

« Jusqu'à ce que vous posiez la question, j'aurais choisi la première réponse. Maintenant, c'est à vous de me dire. »

Le sacrifice de soi, c'était la dépendance dont il était le plus difficile de se défaire. Il lui dit :

« Mamoon se sentait mal à l'aise, avec tout cet amour insatiable et possessif qui l'assaillait.

— C'est ce que vous, vous ressentiriez.

— Je sais que certains hommes chétifs ont peur des femmes. Mais pouvez-vous dire une telle chose de lui ?

— Il s'est échappé.

— Donc, au bout du compte, c'est lui la victime.

— J'imagine que c'est merveilleux de tomber amoureux mais quand on en sort, quand on perd ses illusions… Il y a forcément un art de faire : si on pouvait l'apprendre quelque part, on ne s'en porterait que mieux.

— Je vois, c'est ça que vous écrirez. Dans ces conditions, il faut vraiment que je fasse *mon* livre. »

Elle soupira.

« J'ai l'impression d'avoir raté ma vie, et il semblerait que vous ayez réussi à préserver la vôtre.

— Pas si vite, dit-il. Ma petite amie et moi, on a fait un test quand on est rentrés à Londres : elle va avoir un enfant. Nous en avons déjà parlé, mais on ne s'était jamais mis d'accord sur quoi que ce soit de bien arrêté. Moi-même, j'ai toujours le sentiment d'être un adolescent.

— C'est que vous ne savez pas vous regarder comme il faut, dit-elle. C'est très dangereux.

— Comment faire pour se regarder en face ?

— C'est tout le problème.

— Mais comment… comment peut-on s'y prendre ?

— D'autres l'ont déjà fait, se regarder franchement, lui dit-elle. Vous vous êtes déjà vu. Mais, maintenant, vous vous dissimulez. Vous vous cachez à vous-même. »

Elle l'embrassa.

« Rappelez-vous : du point de vue des conventions, vous avez ce que la plupart des gens ont envie d'avoir. Envoyez-moi une photo du bébé. »

19

Harry comprit que Rob n'allait pas bien dès qu'il le vit, le lendemain après-midi qui suivit son retour à Londres, alors que Rob lui avait proposé un rendez-vous au bar bondé d'une gare. Non, Rob n'avait pas l'intention de partir en voyage : il lui dit que, désormais, il n'appréciait plus que les « lieux anonymes », les « non-lieux ». Ils s'étaient à peine retrouvés que Rob commentait le nombre de corps angoissés qui se précipitaient en tous sens autour d'eux, lui expliquant que les membres de tous ces corps avaient perdu le contact avec leur propriétaire et qu'ils ressemblaient à des moignons électriques.

Rob avait bu, il était en nage, il tremblait vraiment trop, même pour quelqu'un comme lui. Apparemment, il avait entassé tous ses vêtements dans un sac de marin qui ne fermait pas bien, ainsi qu'une quantité de manuscrits, des romans bulgares, albanais, tunisiens et des recueils de poésie, d'après ce que Harry pouvait en voir. Il traînait avec lui une odeur de cadavre et, au bout d'un moment, Harry se leva, prétextant que son tabouret n'était vraiment pas confortable, et il insista pour qu'ils aillent s'installer à une table un peu plus loin.

« J'ai pas l'air d'être à cent pour cent ? » lui demanda Rob.

Il écarquilla les yeux, regardant furtivement autour de lui, comme si on allait l'attaquer. Harry se souvenait de la gentillesse de son père avec les paranoïaques, la douceur de sa voix quand il leur parlait, sans poser de questions perturbantes, se contentant parfois de répéter ce qu'ils lui murmuraient. Il réussit à s'y tenir jusqu'au moment où Rob l'informa qu'il avait l'intention d'accompagner Harry jusque chez Mamoon, à la campagne.

« Vous allez venir ? Pourquoi ? demanda Harry.

— Tu ne trouves pas que ce serait bien comme endroit pour me sevrer ? On pourra parler de ce que tu as trouvé tout en se baladant dans les bois. Je peux t'aider à y voir plus clair.

— Rob, je ne suis pas prêt pour ça. Tout ce que vous devez savoir, c'est que c'était extraordinaire en Inde.

— Et l'Amérique ?

— J'ai dû supplier pour y aller mais, au final, c'était une bonne idée de rencontrer Marion. Elle ressemble beaucoup à Liana, avec son côté effronté, cette confiance en elle. Mamoon doit savoir que les gens recherchent toujours les mêmes styles de personnes, sans s'en rendre compte. Mais elle est plus intelligente, plus perspicace que Liana. Elle le connaît mieux. Malgré tout, ce que j'ai découvert, c'est qu'elle a aimé le vieux connard grincheux non-stop pendant des années, et qu'elle l'aime toujours – c'est assez impressionnant. Elle lui a même ramené d'autres femmes, rien que pour lui.

— Il y a des goûts comme ça, tu ne peux pas expliquer. Surtout avec les grands du monde des lettres, tu verras, Harry, que les femmes se jettent dans le feu la tête la première. Nous, les fans, on est du mauvais côté de la barrière.

— Elle lui a donné tout ce qu'il voulait, et tout un tas de trucs dont il n'avait pas envie. Il était submergé, au point qu'il a dû fuir pour sauver sa peau, même si ça impliquait de retourner vers Peggy, ses gémissements, sa luxuriance – elle qui aurait avalé n'importe quoi, mais pas son sperme.

— Pas étonnant qu'il se soit réfugié dans la remise pour écrire.

— Je pense qu'il regrette d'avoir eu à se cacher. Ça ne lui a guère profité d'échapper à tous ces baisers. Mais ça me fait plaisir de penser aux tourments que le salopard a dû supporter avec ces deux femmes. J'imagine le soulagement quand Liana est apparu : la porte de secours pour s'extirper du piège de telles amours. Il a dû penser que tout serait plus simple.

— Ça a bien marché avec Mamoon ? C'était comment à la campagne avec lui ? Je me doute que je verrai ça plus tard, ce soir. »

Harry dut avoir l'air surpris.

« Mais j'ai déjà mes bagages. Et tu as des histoires juteuses en stock, Harry. J'ai hâte que tu m'en dises plus !

— Chaque chose en son temps.

— Putain, quoi ? Tu ne vas même pas me laisser renifler une ou deux chaussettes ?

— Rob, vous m'avez l'air un peu hystérique. Vous parlez à toute vitesse. On dirait que vous n'êtes pas au mieux de votre forme.

— Tu as pu avoir une confirmation officielle des incartades de Mamoon ? Tu ne peux pas te contenter de balancer une saloperie de rumeur comme ça dans un de mes bouquins : les avocats le mettront en pièces dans la seconde.

— Je sais bien. »

Rob lui dit qu'il relisait le deuxième livre de Mamoon, qui s'améliorait avec l'âge. Il comprenait tout : en quoi le marxisme et le fondamentalisme ont chacun besoin du silence, l'exigent même, et là où règne le silence, règne aussi le mal. Loin d'être sur le déclin, l'écrivain est devenu une figure incontournable. Il était de leur devoir, à lui et Harry, de hurler à la face du monde que Mamoon existait toujours bel et bien, que les gens devraient écouter ce qu'il disait. Rob enchaîna en racontant que les choses n'allaient pas si bien pour lui non plus.

« Madame m'a mis à la porte. On s'est disputés, il y a eu des coups, de sa part à elle. Elle dit que je suis un alcoolique paranoïaque, que je souffre de troubles de la personnalité.

— Qui aurait pu imaginer ça ?

— Et puis, apparemment, je suis narcissique aussi, comme tous ceux qui ne pensent pas à elle sans arrêt. Je vais suivre un traitement pour la dépression. Si les médicaments ne marchent pas, je vais demander qu'on me fasse des électrochocs pour me reconnecter et me requinquer. Tu me tiendras la main quand je serai branché sur AC/DC ?

— Rob, c'est vous qui aviez laissé entendre que les choses n'étaient pas au plus haut pour moi.

— Désolé, j'avais oublié. Elles ne le sont pas, en effet, pour toi. Ça ne pourrait pas être pire, c'est sûr. »

Il se pencha vers Harry :

« Regarde autour de toi : derrière, sur les côtés, devant. »

Harry éclata de rire.

« Pour quelle raison ? J'étais à New York pour discuter du livre avec l'éditeur américain. J'ai des tas d'idées. Il était content. »

Rob se pencha de nouveau vers Harry :

« Il y a un jeune premier, tout juste sorti de l'université, plus professionnel dans son style, moins gnangnan, moins dans les nuages que toi. Quand tu es parti, Liana a fait un saut à Londres pour le rencontrer en secret. Elle lui a dit que tu n'étais vraiment pas facile, avec cette drôle d'érection qui te saisit chaque fois qu'il est question de vérité ; elle lui a donné de bons espoirs.

— Elle m'a fait ça, à moi ?

— Le jeune gars lui a assuré qu'il pouvait boucler la biographie en un an tout compris et faire en sorte que Mamoon apparaisse plus frais, plus neuf : le dernier des génies littéraires de l'après-guerre puisque, maintenant, il n'y a plus que des blogs, des trolls et des amateurs. J'entends d'ici le vagin de Liana qui devait applaudir à tout rompre.

— Vous plaisantez, Rob. J'ai signé un contrat.

— Si Liana en décide autrement, tu es bon à jeter, comme un préservatif qui vient de servir. Moi et Lotte, mon assistante super douce, on charbonne comme des dingues pour te garder le job.

— Comment vous faites ?

— On utilise les menaces, entre autres. Liana doit me faire confiance : je lui ai dit que le jeune premier n'avait même pas la moitié de ton cerveau, ni de tes capacités. J'ai l'impression que tu as bien bossé. Je t'ai fait gagner du temps. Tu dois t'activer, mon gars. Si je n'étais pas là pour te protéger, ça pourrait mal tourner. Je ne voudrais pas te voir, toi, sous antidépresseurs. Qu'est-ce qui se passe ? Ah, je vois ton manteau qui se prépare à partir. Tu détournes les yeux. Tu te tires là, ce soir – mais, je t'en prie, ne pars pas sans moi.

— Désolé, Rob, je ne veux pas être grossier, mais je dois voir Alice en tête à tête. »

Quand Rob lui répondit que lui aussi, Harry se leva, régla l'addition et se mit en route. Rob le suivit, tout en continuant de parler.

« Moi, ce que je dis, c'est qu'on devrait se voir bientôt, on mettrait tout ce que tu as sur la table. Sur place, ce serait bien. Je pourrais me purifier là-bas, au milieu des chèvres, des poissons, du fumier. »

Il ne lâchait pas :

« Et si je ne peux pas confirmer que tes sources m'ont l'air honnêtes, c'est rideau pour toi et *creative writing* à la fac, mec. Tu piges ? »

Harry s'écarta de Rob et se cacha un peu. Enfin, Alice, qui faisait du shopping depuis deux jours, arriva à la gare avec une voiture chargée de cadeaux. Après avoir mangé, ils prirent la direction de chez Mamoon.

« Tu es de bonne humeur, dit-elle. Tu ne m'as pas raconté le voyage dans le détail. Tu as trouvé ce que tu voulais ?

— J'ai peut-être quelque chose. Il faut que j'en parle pour démêler ça. Il y a une sorte de centre au livre : des événements dont m'a parlé Marion, qui apparaissent dans deux des derniers romans de Mamoon. Un de ses terroristes, rongé par la culpabilité, aime ce genre de choses, avilir une femme avec d'autres hommes, etc. Mamoon en parle comme d'une “saleté morale”, ce qui confirme mon hypothèse. »

Elle lui demanda si c'était suffisant. Il lui répondit que la « phase Marion » avait été une période cruciale pour Mamoon. Après avoir tergiversé pendant des semaines, il avait laissé Marion toute seule en Amérique pour retourner auprès de Peggy et l'aider dans ses derniers jours. Celle-ci l'avait supplié ; elle n'avait personne, à part Ruth, qui avait tenu la maison pendant des années et se trouvait être sa seule amie dans les environs. Une infirmière venait tous les jours et Julia, qui n'était qu'une fillette à ce moment-là, pas même adolescente encore, faisait quelques courses. Mais l'ambiance était morose.

Peggy lui avait aussi fait comprendre, à la demande pressante de Ruth, que si Mamoon décidait de ne pas se manifester, il renonçait de fait à la propriété, qui était à son nom à elle. Ses affaires seraient empilées dans la cour et la maison irait à sa sœur. Mamoon ne possédait rien. Il n'avait jamais eu à se demander où il habiterait, ce qu'il aurait à manger le soir. Peggy était maternante, c'était au moins ça. Elle lui avait permis de devenir artiste. Qu'est-ce donc que le mariage sinon une combinaison « sexe + propriété » – et la propriété, c'était bien le cœur du problème ici.

C'est pourquoi, pieds et poings lié à un cadavre, Mamoon était parti en catimini. Ce fut parfaitement délétère : crève-cœur fatal pour lui, pris au jeu du chantage ; interruption de la nouvelle vie qu'il commençait à explorer. Il avait promis à Marion de revenir la voir. Il pensait à elle sans arrêt, mais il n'était pas revenu et ne lui avait pas demandé de le rejoindre. Il laissa filer – un certain temps. Et puis beaucoup plus que ça…

Sans surprise, les journaux de Peggy étaient moins denses à cette époque mais elle y parlait de la gentillesse de Mamoon, quand on le forçait un peu. Elle avait été seule trop longtemps et ne supportait plus de l'être. Au moment où il avait franchi la porte, son cœur avait tressailli. Il était rentré, son prince. Elle avait encensé son mari, l'avait remercié, mille fois et plus. Il avait déposé son sac. Elle l'avait pour elle toute seule, là où elle l'avait souhaité.

Tandis qu'elle se reposait et qu'elle dormait, il s'installait à son bureau, non loin d'elle, et se mettait à écrire – il écrivait sans cesse : fiction, journaux, notes diverses à propos de sa vie. Harry dit à Alice qu'il avait trouvé plusieurs carnets gribouillés par Mamoon dans la grange parmi les affaires de Peggy, et qu'il était en train de les lire. Ces pages – que Julia lui avait confiées, en fait – constituaient un aperçu fascinant de sa méthode au moment où il s'occupait de Peggy : la description de ce corps mourant qui se ratatinait, les mains, la bouche, la toilette qu'il lui faisait, les souffrances, l'humiliation qu'elle traversait. Et puis aussi, ses souvenirs d'Inde, des idées en matière de politique, de philosophie, des personnages, d'autres idées pour des essais, et ainsi de suite. Pendant un temps, pour survivre, il s'était transformé en zombie. Il ne l'aimait plus depuis longtemps et elle le savait.

Mamoon avouait que c'était Peggy, son être tout entier, qui le rendait malade. Sa voix lui retournait l'estomac ; la manière dont elle l'attirait à elle le répugnait. Ce qui le terrifiait, c'est qu'elle ne mourait pas. Ce mélange de haine et de devoir eut raison de lui : il perdit le contrôle de lui-même, il était passionnément malheureux, à moitié fou, il buvait, se demandait pourquoi il lui était si loyal. Est-ce qu'il n'aurait pas mieux fait de rester avec Marion et de laisser tomber Peggy ?

En définitive, Peggy était morte. Il était retourné dans sa chambre, mangeant, pleurant à son bureau, pleurant pour Marion aussi, avec qui il avait également rompu, dans sa tête en tout cas. Donc : il en avait fini avec elle aussi. Mais qu'est-ce que ça voulait dire, d'en avoir « fini » avec tant de gens ? Qui restait-il – ou, qu'est-ce qu'il en restait ?

Il se mit à écrire sur l'enfer qui l'habitait avec une honnêteté nouvelle, un sérieux inhabituel. C'est là qu'il était devenu un artiste « authentique ». Il ne se tenait plus seulement d'un côté de lui-même mais il disait tout directement. Harry expliquait que personne ne savait décrire la mort aussi bien que lui, ni à quel point le deuil, l'isolement, le manque l'avaient rendu fou.

« Mamoon n'a vu personne pendant dix-huit mois, dit Harry.

— Non, non…

— Sauf… Sauf ceux qu'il décrit comme “sa nouvelle famille”. Et il a beaucoup écrit sur eux dans le journal que j'ai trouvé.

— Quoi ? Qu'est-ce que tu veux dire quand tu parles de famille ? »

Après la disparition de Peggy, continua Harry, c'était cette femme des environs, Ruth, qui s'occupait de lui. Parce que Mamoon ne pouvait faire face et que Peggy avait beaucoup insisté là-dessus, Ruth vint vivre à la maison avec ses enfants, Julia et Scott, qui étaient adolescents. Il les connaissait depuis des années, bien sûr. Peggy avait toujours eu conscience de la cruauté dont Ruth faisait preuve en tant que mère.

Et donc, dans son enfance, Julia avait vécu là des semaines entières, en compagnie de Peggy, à donner à manger aux animaux, à considérer qu'elle était presque chez elle.

Et, bientôt, Mamoon s'attacha à eux, d'une manière plus adulte, plus responsable. Il n'avait jamais eu envie de bébés pleurnichards, ni de tout-petits avec des couches trempées. Mais, là, il fut le premier surpris de constater qu'il aimait ce rôle de figure paternelle. Il appréciait d'avoir une autorité sur eux et de voir qu'ils s'appuyaient sur lui. Les enfants lui apprirent que l'intérieur de sa tête n'était pas la seule chose intéressante au monde.

Il découvrit qu'il pouvait être très drôle, qu'il savait blaguer facilement, comme ses parents avec lui. Mais il était aussi plein de sollicitude, se rendant compte de ce dont les gamins avaient besoin en grandissant. Ils mangeaient ensemble, regardaient des émissions sportives, des films. Les enfants avaient l'habitude de le voir installé dans le canapé, prenant des notes dans ses carnets. Ruth lui demandait s'il avait besoin d'un peu de tranquillité. Mais non, il s'apercevait qu'il aimait bien les bruits du quotidien, les discussions autour de lui.

Il avait même fait creuser une piscine pour eux et leurs copains qui habitaient dans le coin et qui venaient là jouer et s'éclabousser. Il conduisait Julia à l'école. Elle se plaignait souvent, boudait, devenait vite agressive, mais peut-être qu'elle lui faisait pitié, peut-être qu'il l'aimait. Il lui parlait au fil de ses pensées – ses habituelles associations d'idées sur la politique, son enfance, la lecture, l'écriture – et elle l'écoutait. Il écrivait une histoire et la lui lisait. Lui et Scott s'entraînaient à la boxe dans le jardin. Scott construisait des vélos et jouait avec des moteurs. Quand il avait des problèmes avec des garçons du coin, Mamoon sortait les défier. Ruth lui baisait les pieds.

Julia était sa préférée, de plus en plus. Effaré par son ignorance après une enfance passée à la campagne, il lui avait payé des leçons de piano, des cours de danse et de dessin. Il se mit à lui enseigner le grec et, de manière complètement folle, il lui avait fait lire Homère et la Bible. Il lui acheta des disques de musique classique et restait avec elle quand elle écoutait Mahler ; il était content de la voir pleurer parce que ça montrait sa « sensibilité ». Il promit qu'il l'enverrait à l'université, mais ça ne s'était pas fait.

« J'imagine que c'est parce qu'il était avec Liana à ce moment-là, dit Harry. Mais je soupçonne qu'il n'a jamais cessé de payer ce dont elle avait besoin.

— Pourquoi il ferait ça ? demanda soudain Alice. Oh, non, il ne sortait pas avec Ruth, non ?

— Ce n'est pas impossible. Je n'en sais rien encore. Même si elle n'était pas aussi esquintée que maintenant, elle buvait et se mettait parfois dans des états de désespoir violent. »

Ruth n'était pas complètement hideuse ni à moitié demeurée à l'époque. Elle était incroyablement enthousiaste même. Elle voulait tout : l'amour, la maison, un avenir… Elle pensait qu'elle pourrait l'obtenir si elle s'occupait de Mamoon. Alors elle commit une erreur : elle n'était pas seulement intéressée. Peut-être comprit-elle ce dont il avait vraiment besoin. Peut-être est-ce qu'elle tenait à lui. Harry pensait que c'était le cas. Peut-être même aujourd'hui encore.

« Qu'est-ce qui s'est passé ? » demanda Alice.

Ruth avait dit à Mamoon qu'elle en avait assez. Il n'y avait pas d'argent qui rentrait dans les caisses. Il fallait qu'il se ressaisisse, physiquement, professionnellement. « Ma mère, disait Harry, s'est entièrement livrée à ses démons. Ils l'ont dévorée. » Mais Mamoon résista : il se leva, rasa sa longue barbe. Ruth lui coupa les cheveux et l'embrassa. Au lieu de continuer à lui préparer ses vêtements tous les matins, elle lui fit sa valise et l'envoya à Londres voir son agent et son éditeur. Pendant ce temps-là, il donnait de l'argent à toute la famille, les autorisant à s'installer dans la maison pendant qu'il était parti. Ils aimaient y vivre : l'espace, le calme, l'isolement, et Julia prit l'habitude de venir dans la bibliothèque feuilleter des livres d'art.

C'était ainsi que se terminaient les carnets.

Harry lui raconta qu'il avait compris, d'après ce que les amis de Mamoon lui avaient dit, que, sur les conseils de Ruth, Mamoon était parti pour Londres où il avait rencontré des gens qui parlaient de l'impact de l'immigration sur la nouvelle Grande-Bretagne, ainsi qu'une jeune génération qui écrivait sur le multiculturalisme, l'ethnicité, l'identité. Mamoon n'avait jamais réfléchi à son identité. Il avait toujours été qui il était. De toute évidence, c'était son problème. À Londres, il n'avait pu rencontrer personne de nouveau avec qui il soit susceptible de bien s'entendre et ses amis l'ennuyaient. Il avait essayé de draguer quelques femmes, mais le charme prenait de manière trop intermittente : il était trop vieux, trop didactique, trop en manque d'affection et de pratique.

Comme il ne pouvait rentrer battu, il insista. Il voyagea dans toute l'Europe – Prague, Vienne, Madrid, Budapest, Ljubljana, Trieste –, il écrivait dans des chambres d'hôtel, s'installait dans des cafés tout seul avec un journal et un carnet, aussi isolé et étranger que lorsqu'il était étudiant en Grande-Bretagne. Il avait pris un train pour Rome.

Un jour enfin, il trouva une femme et il la ramena – c'était Liana. Ce fut instantané, magnétique, leur attirance l'un pour l'autre. L'excitation était intense.

« Maintenant, tu imagines la suite », poursuivit Harry. Liana qui déboule à Prospects House, effarée de ce que ce qu'elle trouve dans sa corbeille de mariage, s'époumonant, redonnant un coup de neuf à la maison, jetant tout un tas de trucs, posant de nouveaux rideaux jusqu'à ce que tout soit transformé de fond en comble. Une nouvelle femme, un nouvel univers. Une porte qui s'ouvre. Ruth, Julia et Scott redevinrent des « domestiques », des « employés ». Mamoon avait écrit avant son retour, leur demandant de rentrer chez eux. Il n'était plus le père de substitution. Il les avait laissé tomber, tout simplement ; la donne avait changé. Mamoon n'était pas du genre à s'embarrasser d'explications.

Scott était complètement ravagé, mais qu'est-ce qu'il pouvait dire ? Il venait toujours s'occuper du jardin et il faisait toutes les bricoles dans la maison. Il s'était tailladé les jambes et s'était retrouvé couvert de sang. Il avait coursé le père d'un immigrant somalien pour le matraquer. Mais Mamoon continuait de le voir, de l'écouter ; il était intéressé, ferme, lui donnait des conseils, mais pas d'argent.

Liana ne se doutait nullement du drame familial qui se jouait avant qu'elle n'arrive – et même aujourd'hui. Mamoon savait qu'elle aurait été trop jalouse. Elle n'aurait jamais permis qu'ils continuent de travailler chez eux.

« Aucune femme ne le ferait, honnêtement, dit Harry.

— Mais, Harry, ce que tu fais maintenant, toi, c'est que tu l'obliges à voir tout ça – tu le lui mets sous le nez.

— Alice, je te le promets, ce livre lui révélera des choses dont elle n'a pas idée.

— Mais Liana est heureuse. Pourquoi la perturber ? C'est bien trop dangereux, Harry. Je te le dis depuis le début. »

Harry lui expliqua qu'il y avait une phase paisible qui venait ensuite puisque, pendant quelque temps au moins, de retour chez lui avec sa nouvelle épouse, Mamoon était gai, optimiste. Il écrivait bien, se sentait heureux d'être en vie.

« Mais ça n'a duré qu'un temps ?

— Il est gai en ce moment, ou il est de nouveau fébrile ?

— Comment est-ce que je le saurais ? Oh, mon Dieu, dit-elle, ce livre va leur donner des cauchemars. Il lui en voudra. Il peut être dur, cruel même. Est-ce qu'on ne peut pas oublier ça et se contenter d'être amis ?

— On ne me paie pas pour être leur ami.

— Mais ce sont *mes* amis maintenant. Ils n'ont pas arrêté de se montrer pleins d'affection, pleins de gentillesse envers moi.

— Alice, je te préviens : garde tes distances.

— Qu'est-ce qui te rend si brutal, Harry ? Je ne reste pas longtemps mais, heureusement, je leur ai ramené de jolies choses. »

Alice avait sillonné Londres pour trouver des nappes, des verres, des couverts, de la bonne vodka, des boucles d'oreilles, du cake à la noisette et une gravure de cochon pour Liana. Une fois qu'Alice et Harry furent arrivés dans la cour et qu'ils eurent déchargé le butin à l'intérieur, Alice se consacra aux chiens et à eux seuls. Finalement, Liana et elle s'installèrent pour papoter tout en déballant les cadeaux.

Mamoon ne se montra pas. En regardant par la fenêtre, Harry vit que le vieil homme était devant le journal télé. Après tout, c'était un être humain, pas seulement un récit. Il lui fit juste un signe de tête quand Harry apparut dans l'embrasure de la porte.

« Tout va bien, monsieur ? lui demanda Harry en s'avançant d'un pas assuré.

— Tout ce dont j'ai besoin pour aller bien, c'est d'un beau sourire de la part d'Alice, avec ma vodka préférée, vous le savez.

— Laissez-moi vous remercier d'être obligeamment intervenu auprès de Marion, monsieur.

— Oui, mon humeur s'est légèrement assombrie quand je me suis rendu compte que vous aviez l'air content. Elle va bien ?

— Elle est en forme, bien qu'un peu fragile.

— Ah. Elle était pleine de vie, avant.

— Mamoon, elle m'a tout raconté.

— Tout, ah bon ? Ça a pris longtemps ?

— Elle m'a montré des lettres, m'a dit combien elle vous aimait et vous admirait en tant qu'homme, en tant qu'écrivain. Elle m'a dit aussi que vous étiez généreux de votre temps et de votre affection. Quand vous êtes revenu ici, ça a été le moment le plus dur de sa vie.

— Je sens poindre un "mais" derrière les dents d'un chien enragé.

— Elle m'a raconté que votre vie avait changé quand vous étiez avec elle. Vous aviez retrouvé une vie sexuelle plus riche. Monsieur, elle m'a décrit des scènes où d'autres hommes étaient impliqués, ainsi que certaines de ses amies. »

Mamoon éclata de rire.

« Casanova prétendait que Dante avait oublié d'inclure l'ennui dans sa description de l'enfer. Comme vous avez dû le comprendre au cours de vos recherches, je souffre d'ennui comme je souffrirais d'une maladie, et ça peut rendre sadique. Je me souviens, effectivement, que Marion avait fait quelques tentatives un peu faiblardes pour raviver mon intérêt. Je ne lui reproche rien. Dites ce que vous voulez sur moi, Sherlock, mais je vous remettrai sévèrement en question si vous l'accablez pour ces bêtises.

— Pendant que vous écriviez, elle tenait un journal. Elle travaille actuellement à un livre sur tout ce qu'elle a vécu avec vous.

— Ah oui ?

— Vous n'en saviez rien ?

— Si je devais me soucier du premier affabulateur qui se met à noircir des pages et des pages alors qu'il sait à peine lire et écrire, je n'aurais pas fini. Pareil pour vous, en l'occurrence.

— Elle dit que son éditeur est prêt à le prendre à condition qu'elle raconte tout. J'imagine, poursuivit Harry, que le seul moyen de l'arrêter serait que vous ayez une conversation avec elle. Pour la convaincre. Je suis sûr qu'elle adorerait entendre votre voix. »

Il en fallait beaucoup pour que Mamoon perde sa contenance mais, à cette idée, son regard se troubla. Il se ressaisit avant de dire, de sa voix lente et sonore :

« Comme ce génie de Nietzsche le disait : "L'éternel sablier de l'existence ne cesse d'être renversé à nouveau, et toi avec lui, ô grain de poussière de la poussière." »

Il regarda Harry :

« Et vous êtes un grain de poussière. »

Il se hissa de son fauteuil et sortit de la pièce.

Harry monta retrouver Alice dans la chambre et ferma la porte derrière lui.

20

Harry s'assit tout à côté d'Alice et lui avoua à quel point cette période de la vie de Mamoon le rendait fou et le décourageait à la fois. C'était vrai, on ne pouvait pas se contenter de dire de quelqu'un qu'il s'agissait d'un sadique sexuel. Mamoon, c'était prévisible, se montrait déjà hostile et Marion ne le laisserait pas citer les lettres, qui ne prouvaient pas grand-chose. S'il n'avait rien de plus sous la main que les allégations de Marion, il lui faudrait abandonner l'affaire et écrire un bouquin insipide.

« Je me retirerai du projet si je ne peux pas faire le genre de portrait psychologique et intime dont nous avons parlé, dit-il. L'archéologie de tout un homme. Il parle ; ils parlent tous. Je ne supporte pas l'idée d'être un pauvre médiocre, Alice. Je préférerais mourir plutôt que d'être un homme ordinaire.

— Qu'est-ce qu'on peut faire ?

— Tu pourrais aller le voir pour lui demander si Marion a dit la vérité. »

Elle eut l'air horrifié.

« Pourquoi est-ce qu'il me dirait ça à moi, Harry ?

— Le vieil imbécile se flatte de pouvoir te séduire. Et est-ce que tu n'es pas allée caracoler avec lui dans les bois ?

— Caracoler, non. Il ne peut déjà pas marcher très longtemps. Au fur et à mesure, on discute de la nature de l'amour et de l'art.

— Et si on regardait les choses autrement. Si tu peux convaincre le vieux d'admettre ce qu'il en est au juste, tu me tireras d'un mauvais pas, moi et la famille que nous allons fonder. Notre avenir serait assuré. »

Elle se rongeait les ongles.

« Pourquoi est-ce que tu m'entraînes dans cette histoire, Harry ? »

Elle n'avait pas envie d'être mise en position de « rouler » Mamoon, comme elle disait. Il lui faisait confiance ; elle l'aimait bien et ça devenait horrible quand Harry se montrait si insistant et dominateur.

« J'ai besoin que tu m'aides, dit-il. On a de gros problèmes d'argent. Tu ne ferais pas ce tout petit truc pour moi ? »

Avant le dîner, Harry fit un signe de tête à Alice. Elle alla rejoindre Mamoon en bas, lui offrit l'écharpe, les boutons de manchette et la cravate, dont elle savait qu'ils lui feraient plaisir. Elle lui offrit son bras et suggéra qu'ils aillent faire un tour. Elle avait son téléphone sur elle : elle l'utiliserait pour l'enregistrer. Harry l'avait briefée sur toutes les questions qu'elle devait aborder avec Mamoon. Il y avait un paquet d'histoires à lui raconter ; elle avait été choquée d'entendre tout ça et avait peine à croire que Mamoon ait pu faire de telles choses.

« Tu es vraiment sûr de toi ? n'arrêtait-elle pas de lui demander.

— Fais juste en sorte de ne rien oublier. Je serais curieux de savoir comment il réagit à l'évocation de cette partie de sa vie. »

Ils restèrent un long moment dehors. Une fois rentrée, Alice n'arrivait pas à regarder Harry en face mais elle lui remit son portable et il monta dans leur chambre pour le connecter à son ordinateur. Il entendit Alice demander à Mamoon sur un ton enjoué s'il avait été aussi macho qu'on le lui avait raconté. Est-ce qu'il avait jamais utilisé son pouvoir et sa position pour obtenir quelque avantage sexuel ? Est-ce qu'il était aussi dominant qu'il en avait l'air ? Le vieil homme grommela quelque chose et se mit à rire. Elle lui dit qu'il y avait quelques « excitants sexuels » qu'elle avait envie d'expérimenter, si elle réussissait à convaincre Harry. Elle se demandait si Mamoon avait déjà essayé tel ou tel scénario.

Mamoon confirma vaguement ou, en tout cas, ne contesta pas la plupart des histoires sur lesquelles elle lui posa des questions. À vrai dire, lui expliqua-t-il, Marion avait un appétit soutenu et s'était révélée, à son grand regret, trop exigeante pour lui. La passion féminine est une véritable tornade : il ne pouvait se consacrer à une femme ; il avait besoin de temps pour réfléchir, pour écrire. En y réfléchissant bien, il préférait l'art à la vie. Après avoir rencontré Liana, tout lui avait paru plus simple. Le mariage, comme rempart contre toute excitation non souhaitable, était un prophylactique qu'il recommanderait à n'importe qui.

Alice s'assit sur le lit, regardant Harry pendant qu'il écoutait l'enregistrement tout en hochant la tête et en prenant des notes.

« Est-ce que j'ai l'air pâle ? » lui demanda-t-elle.

Il la regarda.

« Pâle, c'est ta couleur de peau.

— Tu ne veux pas savoir ce qui s'est passé ? »

Elle lui demanda de l'accompagner à l'extérieur. Il la suivit d'un pas rapide jusqu'au champ le plus proche. Elle était livide, elle tremblait. Elle avait les yeux dilatés.

Elle frappa Harry à plusieurs reprises et se mit à hurler :

« Pourquoi tu m'as fait dire ces trucs cochons à un inconnu ? Je n'arrêtais pas de penser qu'il devait y trouver une sorte de plaisir obscène. Et quand j'ai arrêté d'enregistrer, devine quoi : j'ai eu une crise de panique – des palpitations violentes, comme si on me frappait la poitrine avec une pierre. Il a fallu que je m'allonge par terre.

— Oh, mon Dieu, je suis désolé.

— Tu n'es jamais désolé !

— Qu'est-ce que je peux faire ? Ça me rend dingue ! C'est toi qui as proposé de m'aider. Je ne t'ai jamais dit que ce serait facile.

— Mamoon m'a caressé le front jusqu'à ce que je me sente mieux. Il s'inquiétait à l'idée que tout ce qu'il m'avait raconté puisse me rendre folle, ou malade.

— Il avait raison. Tu es quelqu'un de sensible. Tu te sens mieux maintenant ?

— Je ne vais pas te remercier de m'avoir mise dans cette situation. Tu es sûr que tu as réellement envie de prendre soin de moi ? Liana se pose la question. Elle émet des réserves à ton sujet.

— Et moi, j'en ai aussi la concernant. Je t'aime, chérie. Je peux t'embrasser ?

— Comment est-ce que tu peux penser à ça quand je suis dans un tel état ? »

Elle repartait déjà vers la maison. Mieux vaudrait s'abstenir de lui parler quelque temps. Ce désir qu'il avait de la vérité en avait fait un criminel. Elle ne voulut pas manger avec Liana et Mamoon, elle ne voulait plus du tout parler et s'enveloppa dans une couette sur le canapé du salon, avant de s'endormir là, un bonnet en laine sur la tête, suçant son pouce. Le lendemain, il la conduisit à la gare ; elle prit un train qui l'emmenait en Cornouailles pour une séance de photos. Harry l'embrassa, la remercia, l'assura de son adoration, mais il ne pouvait pas faire grand-chose tant qu'elle serait dans le même état d'esprit que la veille.

Quand il rentra à la maison, il trouva Mamoon assis dans le salon :

« Est-ce que je peux vous demander, monsieur, si je me fourvoie complètement quand j'imagine que vos expériences avec Marion, votre *amour fou*[1], vous ont servi pour le personnage d'Ali dans votre sixième roman ? »

Il y eut un silence.

« Harry, vous savez déjà, n'est-ce pas, que j'aime ça, vous soutenir dans votre cheminement intellectuel en refusant que vous vous laissiez aller à des corrélations banales et simplistes sur l'art et la vie.

— Oui, je le sais, monsieur. Et je vous suis sur cette question, tel un disciple qui suit son maître. L'art est un rêve symbolique de la vie, il transcende ce dont il provient et, de fait, tout ce que l'on peut dire à son propos. Malgré tout, je ne crois pas me tromper en identifiant une explosion de désir, d'amour, voire de bonheur dans votre travail de cette époque. Avant, vos personnages masculins étaient isolés, naïfs même, peut-être trop enfermés dans les livres. Et puis vous êtes passé à un autre stade – brillamment.

— Ah oui ?

1. En français dans le texte. *(N.d.T.)*

— Vous avez dit, il y a quelque temps, que si chaque époque était traversée par un problème philosophique crucial, pour nous, il s'agirait du retour du religieux en politique. À partir de là, vous avez commencé à établir un lien entre l'islam radical, son rapport bizarre à la sexualité et sa haine du corps, ce corps qui brûle dans une mort sacrificielle qu'on doit s'infliger à soi-même. C'est un geste d'obéissance profondément ancré.

« On sait que, dans les années soixante, l'Occident a essayé de se débarrasser du père, autoritaire ou pas. C'est comme ça que nous en sommes arrivés, vous l'avez obligeamment signalé à maintes reprises, à une culture de mères célibataires. Prenez Ruth, par exemple.

« Le père – comme tous les pères – fait retour, soit sous la forme de gangsters, comme dans *Le Parrain* ou dans votre série préférée, *Les Sopranos*, ou sous la forme d'une autorité religieuse. Il y a aussi la tentative du père pour exclure, si ce n'est pour éradiquer, la sexualité. Chez les autres, tout au moins. Peut-être que le père, si on se souvient du mythe, veut toutes les femmes pour lui tout seul. La sexualité fait alors retour, comme il se doit, sous forme de perversion, comme une sorte de sadisme. Bien sûr, la peur vis-à-vis des femmes, si ce n'est la haine des femmes, est l'axe principal de nombreuses religions. »

Mamoon bâilla.

« J'ai dit ça, moi ? Et si c'est le cas, qu'est-ce qu'on en a à foutre ?

— Vous avez laissé une femme s'approcher au plus près, monsieur. On dit que la sexualité est au cœur du secret de l'humanité, que l'érotique nous guide vers des expériences nouvelles, à la fois sacrées et profanes. D'après vous, quel est le lien, s'il en existe un, entre les femmes avec qui vous avez vécu et le travail que vous avez accompli ?

— Je ne vois absolument pas de quoi vous voulez parler.

— Réfléchissez, monsieur, je vous en prie : j'essaie de vous rendre intéressant. Je peux faire en sorte que vous ayez l'air au mieux de votre personne quand vous êtes au lit, et quand vous n'y êtes pas ! Marion a émis l'hypothèse que votre esprit s'ouvrait à de nouvelles idées quand elle-même ouvrait les jambes et que vous vous êtes embarqués tous les deux pour vos aventures en Amérique. »

Contrairement à la plupart des gens, Mamoon avait une maîtrise presque parfaite de son discours ; il n'aimait pas que ses mots lui échappent. Mais, l'espace d'un instant, il eut l'air de quelqu'un qui avait avalé un gros calot.

Il finit par dire :

« Aussi extatique que je puisse être d'entendre évoquer le point de vue de Marion au bord de cette mare, je n'ai aucune idée de ce dont vous parlez. J'aimerais bien que vous arrêtiez de chercher à m'éplucher comme si j'étais un oignon. Vous savez, comme tout le monde, j'ai une passion pour l'ignorance. J'ai envie de travailler dans l'obscurité : c'est le meilleur endroit pour moi, pour n'importe quel artiste. Tout jaillit spontanément, aussi dense que dans un rêve. »

Il resta un moment silencieux avant de reprendre :

« Je ne nierai pas qu'elle a relancé ma créativité. Il faut que l'intellect et la libido soient liés, sinon on ne sent pas la vie irriguer ce qu'on crée. Tout artiste travaille avec sa bite ou sa chatte. Tout le monde travaille avec son désir, pour combattre l'ennui, pour garder tout ça en vie. Tout ce qui est bon est forcément un peu pornographique, voire pervers quelque part.

« Toutefois, le biographe repère ce qui est inévitable, les paradigmes de scénarios sexuels qui sont constamment rejoués. Quand il est question d'amour et de sexualité, c'est le passé qui écrit l'avenir. Telle serait l'histoire de tout un chacun. Un cannibale ne peut pas devenir un fétichiste du pied.

« Harry, vous en connaissez plus que moi sur toutes les facettes de mes multiples personnalités. Votre créneau, c'est la mémoire ; le mien, c'est l'oubli. Oublier, c'est le plus beau des luxes de l'esprit – un bain chaud et parfumé où l'âme vient se délasser. Je suis les préceptes de Tchouang-tseu, le saint patron de la démence, qui recommandait : “Assieds-toi et oublie.”

— Merci de me le dire.

— Peut-être que ma femme vous a embauché pour que je fasse ce travail de remémoration dont j'ai besoin. Je dois dire, j'aime particulièrement quand on se souvient de choses qui ne se sont jamais produites. Actuellement, vous êtes en train de me fabriquer une vie imaginaire.

— Comment donc ?

— Ma vie, telle que je l'ai vécue, c'est un film des Marx Brothers, une série de détours, d'erreurs, de malentendus, d'occasions manquées, de retards, de méprises et de coups foirés. Je suis un homme qui n'a jamais trouvé parapluie à sa main. Votre vie, j'imagine, est comme ça aussi. Cette flèche théologique qu'on vous a remise un jour, elle vous conduit à assigner trop de sens, trop d'intention. Mais, dans l'idée de devenir une fiction, il y a quelque chose. Et je constate avec surprise que vous avez peut-être l'étoffe d'un artiste.

— Je doute d'atteindre jamais votre niveau, monsieur. Je suis impressionné de voir que vous avez survécu à tous ces extrêmes et à la culpabilité que vous avez connus avec Marion ; que vous soyez revenu pour accompagner Peggy dans son agonie sordide, à son chevet, nuit après nuit. Et puis vous avez continué. Vous avez même eu une sorte de famille à un moment donné. Avant de rejeter ce rôle un peu plus tard, vous avez aimé être une sorte de père, à ce qu'il semble. C'était comment ? »

Mamoon hocha la tête.

« Vous savez qu'on peut être le jouet de nombreuses distractions et autres bêtises. J'ai toujours eu la chance d'avoir du travail, ce qui m'a sauvé, et d'être capable d'observer le monde à travers le prisme de mes propres idées. Je vous souhaite infiniment de réussir à atteindre, un jour, cette stabilité essentielle.

— En quel sens est-ce que le travail vous a sauvé ?

— Vous faites tout ce que vous pouvez pour donner de moi une image obscène mais, en réalité, même Philip Larkin s'est envoyé en l'air plus que moi, alors que j'ai voué toute ma vie, tout ce que je suis aux mots. J'ai toujours eu envie de retourner m'installer à mon bureau pour écrire quelque chose qui n'avait pas encore été fait. C'est ma seule et maigre contribution à l'amélioration des choses sur cette terre. »

Une fois qu'il eut prononcé ces paroles, Mamoon ferma les yeux et se mit à ronfler doucement. Il jouissait de cette faculté de s'endormir quand il en avait envie, mais il y avait recours plus particulièrement quand Harry désirait lui soumettre des questions.

Après avoir passé un short et des baskets, Harry descendit faire des étirements et des haltères dans le jardin. Il accrocha un long sac à un arbre et se mit à le bourrer de coups de pied et de coups de poing. C'était une routine, sa manière à lui de se défouler quand les choses devenaient difficiles, quand il savait qu'il devrait retourner voir Mamoon avec des questions encore plus impossibles.

Il se demandait de combien de temps il disposerait.

Il était dehors depuis quelques minutes quand Liana, sortant de la cuisine en bas résilles et bottes de caoutchouc, vint s'installer sur le banc à côté de la porte d'entrée, tenant dans une main la biographie d'une grande dame et dans l'autre une tasse de thé ainsi que des lunettes de lecture. « Bravo ! » lui cria-t-elle. Harry avait l'impression de ressembler à un Chippendale plus qu'à un biographe littéraire ; il décida de faire une pause et Liana lui versa du thé.

« Pauvre homme, vous devez être épuisé. Je sais que, moi, je le suis. Tenez, je vous ai acheté cette crème énergisante, dit-elle en lui tendant un petit pot. Ça va vous plaire, vous verrez.

— C'est gentil à vous, Liana. Pourquoi avoir pensé à moi comme ça ?

— J'ai cru comprendre que vous vous plaigniez de votre teint de peau. Mamoon dit que, pour vous, c'est plus grave que l'effondrement de l'économie.

— Bien plus que ça. C'est à cause des crises d'eczéma que j'ai eues étant enfant. Pendant des années, je me suis gratté comme un forcené. J'ai peur qu'ici, avec mes angoisses, ça revienne.

— Quelles angoisses ? Cette crème a des vertus réparatrices extraordinaires et vous me semblez agité.

— C'est le cas.

— Je me dis que vous en savez plus sur mon mari que moi, aujourd'hui.

— C'est bien le problème.

— Est-ce que Marion a été gentille avec mon cher et tendre ? Ou est-ce qu'elle était aussi amère que l'autre ?

— Il y avait de l'amertume, pas entièrement dénuée de motivation. Mais, au final, elle a été assez grandiose.

— Vous êtes sûr ? Vous avez dû draguer tout ce que vous pouviez ? »

Il commençait à étaler la crème sur ses bras.

« Elle avait beaucoup à dire sur beaucoup de choses. Je n'ai encore rien écrit mais je sens que le livre a bien avancé.

— Avancé où ça, mon cher ? Vous m'inquiétez, Harry.

— Moi, je vous inquiète ?

— Je ne veux pas que vous vous emballiez ni que vous déclenchiez un eczéma. Faisons en sorte que tout ce que vous écrirez reste bien sage, on est d'accord ? »

Alice lui avait dit de rester prudent, de supporter qu'on le prenne de haut ou qu'on l'insulte même, de faire attention à ne pas se trahir, à encaisser plutôt qu'à soupirer, même si ça ne payait pas encore vraiment. Mais ce que lui et Rob admiraient à propos de Mamoon, ils étaient tous les deux d'accord à ce sujet, c'était son talent de provocateur, son aptitude à répandre l'anarchie et la fureur pour ensuite s'installer et regarder tranquillement le champ de ruines laissé derrière. Parfois, Mamoon évoquait plus Johnny Rotten que Joseph Conrad. Harry commençait à se dire que, ainsi que son père le lui avait laissé entendre, il s'était montré trop passif. Ses peurs l'avaient cantonné dans un terrain trop sécurisé. Il devait semer la panique ; il était temps maintenant de lâcher les chiens et de faire monter les enchères.

« Liana, j'imagine que vous savez déjà tout, lui dit-il.

— À quel sujet ?

— Les coulisses de l'histoire de Marion. La manière dont Mamoon a humilié et insulté une jeune femme dans une université américaine en la traitant de "négresse carriériste". Il a dû partir et, par la suite, en a conçu une certaine amertume.

— Il pourrait en être question dans le livre ?

— Quand j'aurai fait des recherches. C'est après que Mamoon a décidé de laisser tomber Peggy, ou de s'en détacher tout en continuant à vivre avec elle. Lui et Marion se sont engagés dans une relation plutôt perverse, si bien que je me suis demandé si ce n'était pas une constante de sa vie. »

Liana ne dit rien.

« Ou si ça ne s'était produit qu'une fois, d'une certaine manière.

— Une relation perverse ? »

Il se justifia en disant que certains pouvaient le penser.

« Vous en êtes certain ?

— Lui-même l'a confirmé. Quand ces informations sortiront, les gens vous regarderont différemment tous les deux. Les mauvais écrivains et les journaux simplifient toujours tout. Ils pourraient même dire que c'est du sadomasochisme. »

Elle réfléchit un moment avant de reprendre :

« Quoi que vous fassiez, n'écrivez rien de ce que je vais vous dire. Au début, j'étais un peu désarçonnée quand il me demandait s'il pouvait me regarder pendant que j'étais aux toilettes. Comme je suis une femme distinguée, je lui ai dit que non. Comment quelqu'un peut-il avoir de tels fantasmes ?

— Pour faire l'expérience d'une certaine intimité.

— Écoutez, Harry, merde, à quoi vous faites allusion à la fin ? Vous ne pouvez pas être plus précis ? Je n'ai aucune envie de vivre dans le noir comme une idiote ! En tant que femme mûre (elle approcha son visage tout près du sien) – vous aimez me le rappeler sans arrêt, n'est-ce pas ? –, j'ai besoin de connaître tous les détails de l'épisode Marion.

— Pourquoi ?

— Ce serait atroce que vous sachiez des choses sur lui que j'ignore. »

Il enfila un haut de survêtement et s'assit à côté d'elle. Il ne lui fallut pas longtemps pour devenir rouge comme une pivoine ; elle se mit à s'éventer avec son livre comme si elle essayait d'éteindre un incendie mais ne réussissait qu'à attiser les flammes. Il faut quand même reconnaître qu'elle l'écouta jusqu'au bout avant de lui demander :

« Et vous dites que vous allez mettre toutes ces cochonneries dans le livre que nous vous demandons d'écrire ?

— C'est éclairant pour ce type de travail, surtout qu'à l'époque les choses deviennent vraiment sombres, brutales parfois. »

Elle commença à pleurer et se cacha le visage.

« Pauvre Marion. Je pense souvent à elle, à la manière dont elle a été rejetée. Ça m'arrivera un jour !

— Pourquoi cela devrait-il vous arriver ?

— Elle n'a pas su en faire assez pour continuer à l'intéresser. Il regrette de l'avoir quittée.

— Il le regrette ?

— Elle l'inspirait, elle était intelligente. Ils aimaient parler de Shakespeare. Elle apprenait l'arabe et il disait qu'elle était plus douée que lui. Il lisait ses lettres avec un dictionnaire. Mon père était un homme perspicace, si bien que je sais que les hommes aiment les femmes qui leur sont utiles, comme des assistantes. »

Il lui demanda si ça allait.

« Vous aviez promis, cher Harry, que vous m'aideriez à regagner son amour, ses baisers. Et maintenant, vous venez me voir avec cette *merda.* Il va m'en vouloir de remuer tout ça. Dans quel pétrin vous nous avez mis ? »

Elle se leva et partit à toute vitesse en direction des bois, se retournant tout de même pour lui dire :

« Je vous ai maudit. À un moment, j'ai pensé vous mener une vie d'enfer ; seulement, je suis trop bien élevée. Mais il va vous arriver quelque chose de mal – ce soir. »

21

Ce soir-là, tandis qu'il se changeait dans sa chambre, Harry les entendit tous les deux se disputer férocement ; leurs voix se recouvraient l'une l'autre à mesure que les questions fusaient. Il se fit la remarque qu'il avait provoqué quelques remous dans leur mariage. Tant pis ; il avait un livre à écrire. L'écriture, c'était le diable. Mais c'était pour écrire qu'on avait fait appel à lui.

Il écouta de la musique au casque en attendant que la nuit soit presque tombée ; il y avait toujours de la lumière dans la cuisine quand il se glissa dehors en empruntant la porte de derrière. Il fumait dans la cour et s'apprêtait à monter en voiture quand il entendit un cri, ou peut-être un hurlement. Mamoon sortit de la cuisine et se dirigea vers le fameux portraitiste qu'on lui avait choisi.

Il ne s'appuyait pas sur sa canne, comme il le faisait toujours maintenant, cette canne que Harry avait taillée à partir d'un morceau de branche dont il avait sculpté le pommeau pour qu'il ressemble à une sorte de lapin. Mamoon la brandissait au-dessus de sa tête avec la ferme intention, se dit Harry, de la faire entrer en contact avec l'appareil cognitif du jeune écrivain.

Harry fit demi-tour et commença à courir vers l'allée. Quelle ne fut pas sa surprise de voir que Mamoon était sur ses talons, courant et trébuchant comme s'il voulait jeter ses bras et ses jambes aux quatre coins de la cour.

« Mamoon, je vous en prie, monsieur… », commença à dire Harry.

Mais Harry continua de courir, et Mamoon aussi. Il entendait sa respiration bruyante et se dit qu'il était en train de se fatiguer déjà. Harry avait aussi très envie de faire appel à la raison et de discuter de questions littéraires. Il avait fait des études coûteuses et, même dans un moment comme celui-là, il ne voulait pas gaspiller toutes ces années.

« Écoutez », reprit-il, et il s'arrêta.

L'écrivain lui fonça dessus. Harry essaya d'éviter la canne qui s'abattait sur lui en se baissant et en se retournant dans un même mouvement.

« Je disais, monsieur… »

Mamoon lui donna un violent coup dans le dos, aussi fort qu'il le pouvait. Harry s'effondra par terre et Mamoon le frappa deux fois encore.

« Tu vois, Judas, j'ai toujours un bon coup droit !

— Arrêtez, bon sang ! Ça fait mal ! Mais qu'est-ce que vous faites ?

— Vous voulez que je fasse un smash avec un lob bien placé ? » demanda Mamoon en levant sa canne.

Il était prêt à le frapper en plein visage.

« Vous allez prendre un bon coup de fouet… Ah !

— Ça ne va pas, non ? »

Harry se mit à ramper aussi vite que possible, puis il se releva et s'empara de la canne pour l'éloigner de Mamoon ; il la posa sur le toit de sa voiture. Mais le vieil imbécile, boosté par l'adrénaline, le suivit tant bien que mal et découvrit dans la foulée, alors qu'il venait d'essayer de lui sauter dessus, que sa carrière de sportif était derrière lui. Il perdit l'équilibre et s'étala de tout son long, se traînant par terre sur le gravier.

« Ne me touchez pas. Vous avez évoqué de manière imprudente ce que Marion raconte sur moi, haleta Mamoon tandis que Harry l'aidait à se remettre debout et frottait ses vêtements pleins de terre.

— Vous étiez d'accord, monsieur, pour dire qu'aujourd'hui il n'y a pas un moment de notre vie qui ne soit enregistré quelque part.

— Est-ce que ça vous plairait si tous ceux avec qui vous avez baisé s'accrochaient à vous indéfiniment ? Peut-être que c'est ce qui vous arrivera : vous serez poursuivi par une horde de fantômes et d'âmes mortes, hurlant et vous maudissant pour l'éternité. Je rirai bien ce jour-là.

— Vous serez toujours un dissident – non conformiste et anarchiste. La plupart des bons livres, est-ce qu'ils ne parlent pas des faiblesses auxquelles notre sexualité nous condamne ? »

À l'affût d'une occasion qui lui permettrait d'avoir enfin la discussion intertextuelle qu'il attendait depuis longtemps, Harry embraya :

« Vous adorez Strindberg, vous avez adapté ses textes à la scène, écrit un essai sur lui. Pendant un bon moment, vous avez été fasciné par les lettres hystériques et déchirantes de Kafka à Felice. Essayons un peu de penser à la manière dont les écrivains ont pu décrire la puissance de la sexualité féminine…

— La ferme, connard ! Liana me tue à hurler et à délirer comme elle le fait en ce moment. Elle n'arrive pas à accepter que j'aie pu connaître de bons moments avec quelqu'un d'autre. Elle m'a chassé de notre chambre et m'a relégué dans la pièce juste à côté de la vôtre. Maintenant, elle veut absolument que je lui raconte le détail de ma vie avec Marion. Comment je peux faire ça ? Comment est-ce que je vais la faire revenir ?

— Vous en avez envie ?

— Si je fais un rêve horrible ou si je tombe malade cette nuit, est-ce vous qui me donnerez le baiser qui me ramènera à la vie ?

— Mes baisers sont doux, profonds, monsieur. Mais, franchement, ces informations allaient sortir, d'une manière ou d'une autre, avec Marion ou avec moi. Je me contente de faire affleurer la vérité, un nœud après l'autre – comme Goole dans *Un inspecteur vous demande*.

— Vous êtes une goule qui essaie de jouer à Dieu avec moi. Tout ça, c'était privé, merde.

— Vous avez renoncé à ce droit quand vous m'avez invité ici pour que je raconte votre vie. Pourquoi s'en faire, puisqu'on sait bien que le sexe nous réduit à l'état d'imbéciles, tous autant que nous sommes ? »

Mamoon opposa que Harry ne pouvait pas apporter les preuves de ses affirmations, ce sur quoi Harry lui répondit que Marion lui avait montré les lettres. Quand Mamoon lui demanda pourquoi elle ferait une chose pareille, Harry rétorqua :

« La vie et l'écriture sont un seul et même livre. C'est la même chose pour tous les écrivains.

— Marion – pardon, Liana – disait que vous êtes le genre qui cherche à passer à la télévision. Vous essayez de vous faire une carrière sur mon dos, jeune homme !

— On est pieds et poings liés ensemble, monsieur. À nous deux, nous formons un monstre : soit nous coulons, soit nous arrivons à nager.

— Votre travail est un travail d'envieux ; et vous êtes un parasite de bas étage, une moitié de raté qui s'en est sorti grâce à un charme de pacotille et un physique sur le retour. Vous avez déjà vu un biographe qui écrive aussi bien que celui sur qui il travaille ? »

Comme s'il n'en avait pas déjà assez dit, Mamoon saisit la veste de Harry et voulut le plaquer contre la voiture.

« Vous êtes viré, Harry. Vous n'irez jamais jusqu'au bout de ce ramassis de cancans et quand demain, à l'heure du déjeuner, je rentrerai de ma matinée de travail, je veux en avoir terminé avec cette aventure ridicule ! Il y a un autre écrivain qui attend notre feu vert pour vous remplacer. Il porte une cravate, lui ! » Il approcha son visage de celui de Harry. « Mettez-vous ça bien dans la tête, jeune freluquet. Vous ne savez rien. Vous n'êtes rien. Vous ne serez jamais rien. »

Mamoon semblait avoir épuisé ses dernières forces : il se mit à tousser. Harry le ramena dans la cuisine et prit un verre de whisky avec lui.

« Vous voulez que j'appelle Liana ? »

Il se disait qu'elle devait être quelque part à l'étage, à saccager ce qui lui était tombé entre les mains ou à écouter Leonard Cohen.

Mamoon secoua la tête et déclara au moment où Harry s'apprêtait à sortir :

« Est-ce que vous me trouvez vieux, complètement décati ? Est-ce je me suis mis à décliner d'un seul coup ? Ne me laissez pas – je pense que je n'en ai plus pour longtemps. »

Mais Harry se précipita dehors pour aller s'asseoir un moment dans la voiture, se ressaisir, avant de passer chez Julia et de prendre la clé qu'elle avait laissée pour lui.

En longeant le couloir, il vit que Ruth était dans le salon et qu'elle portait la chemise satinée que Liana avait mise le soir de l'anniversaire de Mamoon. Elle était attablée, avec deux de ses prétendants, dans un épais nuage de fumée de joint, à boire le champagne de Mamoon dans des verres à bière et à discuter, Harry le comprit assez vite, d'un projet de fausses signatures qui rapporterait gros et pour lequel ils s'entraînaient. Harry les salua tranquillement. Malheureusement, il avait distrait leur attention : l'un des deux hommes se mit debout et lui hurla de venir prendre un coup, tandis que Ruth enchaînait : « Harry, Harry, Harry, vous nous ferez bien la grâce de boire un verre ? »

Harry fut suffisamment raisonnable pour ne pas se laisser détourner de celle qu'il était venu voir.

Au grenier, Julia l'attendait dans le lit.

Il retira sa chemise.

« Regarde !

— Magnifique. Merci… J'attendais ça depuis un moment. »

Il se retourna.

« Tu vois les bleus !

— Oh, mon Dieu, qui t'a fait ça ? Mon frère ? Il est revenu ?

— Non, heureusement. Mamoon. »

Elle rit.

« Tais-toi. »

Il lui prit la main et la posa contre son visage.

« Il est dangereux pour quelqu'un de son âge, Julia, avec une sacrée force dans les poignets.

— Oh, dis donc, ça va prendre une drôle de couleur. Tu auras l'air d'une aubergine.

— Je n'aime pas les aubergines. Prends mon portable. Fais une photo de ma blessure, là. Tout a foiré. J'ai été viré. »

Elle le prit en photo, avant de lui enlever le reste de ses vêtements et de s'asseoir sur lui. Ses baisers lui faisaient du bien.

« J'ai besoin que tu m'aimes, Julia.

— Je sais. Félicitations, joli cœur.

— Pourquoi tu dis ça ?

— Tu t'es fait frapper *et* virer. C'est que tu dois faire du bon boulot.

— Oui, bon, le vieux joue à celui qui est au-dessus des banalités du quotidien, qui pose son regard sur l'horizon incommensurable avec son air supérieur de tortue imperturbable, regrettant vraisemblablement toutes les expériences sexuelles dont il s'est privé. Et puis, soudain, il devient fou de rage et il s'empare de la canne que j'ai taillée pour lui. »

Elle commença à le baiser, sachant que ça allait le détendre.

« Est-ce que je peux te demander quelque chose ? Je n'ai pas arrêté d'y penser. Combien de fois tu as fait l'amour à Alice quand elle est venue ?

— Juste une fois. On était sur le point de remettre ça quand tu es entrée – merci à toi. Je sais que tu faisais semblant de travailler dans le couloir, l'oreille aux aguets. J'avais ajouté quelques grognements pour te faire rougir et glousser.

— Je n'écoutais pas !

— Avec Alice, c'est uniquement quand elle en a décidé, comme quand on t'accorde un rendez-vous avec la reine. Son dernier truc, c'est de dire qu'elle est allergique au sperme. Elle est raide comme un enfant blessé.

— J'allais dire : "dont on a abusé". Tu sais, beau gosse, elle se donnera de moins en moins.

— Comme tout ça s'use vite. Je suis presque prêt à en changer.

— Mais tu n'aimes pas laisser partir les gens.

— Dis-moi ce que tu en penses vraiment. »

Elle lui colla un joint entre les lèvres et l'alluma.

« Vous deux, vous pourrez vous en tirer si elle sait t'apprécier. Elle ne remarque pas à quel point tu es drôle, doux. Tu racontes des choses fascinantes, tu es de bonne compagnie. Contrairement au vieux bonhomme, tu t'intéresses aux autres. Ça, et un don évident pour le cunnilingus : tu fais partie du un pour cent d'hommes qui sont au top.

— Il faut de la pratique pour une telle gourmandise.

— Je mets toujours un parfum musqué pour toi juste là, mais je ne vais pas te demander de t'exécuter sur-le-champ, Harry. »

Elle éteignit les lumières, alluma des bougies et souffla sur ses paupières.

« Tu as l'air complètement déboussolé ; on dirait que tu vas venir pleurer dans mon giron.

— Je suis déprimé. C'est notre dernière nuit ensemble. S'ils me virent, je ne serai pas si mécontent, franchement. J'en ai assez de ces deux-là.

— Je vais mettre le réveil. Je sens que je peux t'aider. Je suis ta nana, n'oublie pas.

— Si tu me sauves sur ce coup-là, tu es un génie. Je t'emmènerai au resto indien.

— Tu feras quelque chose d'autre pour moi, Harry. Tu sais ce que c'est. Je te l'ai déjà demandé. Emmène-moi, mon Caleçon en ébullition.

— Où ça ?
— À Londres. »
Il rit.
« J'aimerais bien. Mais, tel que tu me vois, je suis fichu. »

22

Le lendemain matin, il s'écria :

« C'est quoi, toute cette lumière dehors ?

— Euh… Tais-toi. Ça s'appelle le soleil, dit-elle. Tu ne te sens pas bien ?

— Julia, je laisse tout tomber et je rentre à Londres.

— Tu vas aller voir Liana, maintenant.

— Je ne peux affronter ni l'un ni l'autre. Je ne peux rien affronter. »

Elle le tira hors du lit, lui donna à manger, le remit dans sa voiture en lui faisant toutes sortes de recommandations ; il acquiesçait, hochait la tête sans rien dire. Elle s'assura qu'il était bien rentré, qu'il réussissait à trouver un filet de haddock mis au frais, à préparer un Bloody Mary pour accompagner Arnold Bennett, avant que Liana ne fasse son entrée, vêtue d'une robe de chambre en satin.

Tandis qu'elle se tenait là, profitant du jour qui se levait, se massant doucement le crâne et se disant qu'aujourd'hui elle se sentait d'humeur enjouée, il traversa précipitamment la cuisine pour déposer devant elle son petit déjeuner.

« Attention, ma chère Liana.

— *Ciao bello*, vous êtes un amour, c'est vraiment trop gentil, merci. Comment vous avez pu trouver ce poisson ? Quel festin !

— Et voici : pour vous.

— Qu'est-ce que c'est ?

— Certaines choses que vous m'avez demandées. »

Il lui tendit une soucoupe avec des petites pilules dessus. Il y avait un broc plein d'ecsta dans la chambre de Julia, du hasch aussi et un sac de champignons. Elle lui avait dit d'en prendre un peu pour Liana. Il était généreux ; il en avait pris beaucoup.

Toute la nuit, le fantôme des paroles de Mamoon l'avait persécuté, venant à lui sous la forme de murmures sinistres : il avait la tête farcie par ses études, mais quel médiocre, sans valeur, quel parasite…

« Vous savez être un gentil garçon, lui dit Liana en glissant les pilules dans sa poche.

— Une caresse du nirvana. Mais comment Mamoon peut-il vous résister quand vous portez cette robe de chambre en soie beige, ce pyjama, des talons hauts ? Même moi…

— Oh, taisez-vous, à cette heure, et enlevez vos lunettes de soleil quand vous êtes à l'intérieur ! Est-ce que vous êtes coincé comme ça seulement avec moi ou avec toutes les autres femmes aussi ? Je ne pense pas que vous soyez idiot, mais vous êtes difficile, fuyant – un imposteur, probablement. Chéri, donnez-moi un petit bécot sur les lèvres.

— Je vous en prie, Liana, vous sentez le poisson et je me trouve face à un problème que seul quelqu'un de diplomate comme vous peut m'aider à résoudre. Voilà, c'est le grand jour : je me suis fait virer.

— Par qui ?

— Votre mari. La nuit dernière, il m'a couru après avec sa canne. Il était un peu, disons, agité, à cause des informations que m'a données Marion.

— Moi aussi.

— Donc, je pars ?

— Pourquoi pas ?

— D'accord. Je vais récupérer mes affaires. »

Elle l'interrompit :

« Non que je croie un seul mot de toutes ces saloperies. Et vous ? La *puttana* a tout inventé pour se venger et se faire de la pub. Est-ce que vous imaginez un seul instant qu'il ait pu faire ça ? Le public britannique est honnête : il comprendra. C'était évident que ça n'allait pas marcher avec vous.

— Est-ce qu'il ne cherche pas à engager une lutte mortelle avec tout le monde ? Tout particulièrement avec les femmes ?

— Pas avec moi. Je suis le patron ici, *tesoro*, ne vous en faites pas.

— Je vais téléphoner à Alice, lui dire que vous allez m'aider. Elle est à la maison, elle s'inquiète pour moi.

— Elle est délicate, nous devons faire attention à elle. Mais ça ne vous trouble pas, ne le prenez pas mal, qu'elle dise que vous n'êtes pas drôle du tout ?

— Merci pour le commentaire, Liana.

— Parce que vous êtes vraiment drôle, vous savez. »

Elle le regarda avant d'ajouter :

« Quant à Mamoon, ne faites jamais comme s'il n'était pas là, mais n'écoutez pas ce qu'il raconte. Poursuivez votre travail et je lui parlerai le moment venu. »

Elle lui adressa un clin d'œil.

« Observez donc avec quelle adresse je localise son point G du premier coup. C'est comme de nourrir un lion sans y mettre les doigts. »

Mamoon entra dans la cuisine, un pansement sur le front. Si Harry s'était demandé si Mamoon se rappellerait les menaces de la nuit passée, il n'avait aucune raison de s'inquiéter à ce sujet.

Mamoon avait l'air renfrogné et lâcha avec une férocité que Harry ne lui connaissait pas :

« J'ai un sacré mal dos, je ne vois rien de ce que j'ai sous le nez et j'ai la tête qui tourne. J'ai l'impression d'avoir un genou plein de verre pilé et mon sexe est comme une limace qu'on aurait badigeonnée de chloroforme…

— Tu es constipé ? Tu as encore fait un drôle de rêve ? lui demanda Liana.

— Et je dois supporter d'avoir ce chieur dans ma cuisine. »

Il indiqua Harry d'un signe de tête.

« J'ai téléphoné à Rob et je lui ai dit que vous ne pouviez plus continuer à faire de l'ombre à mon soleil, lumière de mes jours.

— Non, Mamoon. »

Liana le menaçait de sa brosse à récurer et la lança sur lui, comme elle faisait quand les chats sautaient sur la table.

« Idiot ou pas, c'est toi qui lui as demandé de faire ce fichu boulot et il ira jusqu'au bout. Tu es ridicule avec tes crises, tu nous embêtes.

— Ce serpent, ce ver à bois, il m'a insulté.

— Comment ça ?

— Il fait des sous-entendus, il met en cause mon honneur.

— Et est-ce que tu serais d'accord pour dire que tout est complètement, absolument infondé ?

— Liana, je te l'ai dit, il est pire que la vermine.

— C'est sûr. Alice aussi dit que le ver à bois est un vrai parasite. Mais il va rester.

— Pourquoi tu prends la défense de ce charlatan alors qu'il n'a pas encore écrit une seule ligne ? Je trouve que tu l'apprécies un peu trop.

— Un peu trop par rapport à quoi ?

— C'est dégoûtant pour une femme de ton âge. On dirait une escalope de mouton. »

Elle se mit à rire.

« Mange-moi, alors !

— Tais-toi.

— Attention. »

Elle le visait de nouveau avec la brosse.

Harry n'aurait pas aimé qu'on le menace ainsi et il se disait qu'à ce stade, si Mamoon avait retrouvé du poil de la bête, il pourrait bien devenir excessivement cassant et revêche. Il avait l'air de chercher quelque chose de pratique qu'il pourrait jeter sur elle. Puis sa respiration recouvra un rythme plus normal, il ferma les yeux et se passa une main sur son front blessé.

« Ôte-le de ma vue pour toujours.

— On a pris une décision, toi et moi, lui dit-elle, et on va s'y tenir sans qu'on ait besoin de lui coller une *fatwa* sur le dos. Sinon, je ne te fais plus à manger. »

Elle prit la casserole posée sur la cuisinière et se dirigea vers la poubelle.

« *Dhal makhnai* : ton curry préféré. Et ton *paneer* : au revoir, *paneer*.

— Liana…

— Et tu aimes mon *raïta* salé. Je voulais terminer par un crumble aux pommes avec de la crème. À toi de choisir maintenant : ma cuisine ou tes humeurs.

— Ta cuisine ou mes humeurs ? Ne jette pas ça, surtout ! D'accord, je choisis ta cuisine. »

Il se dépêcha de coincer sa serviette dans le col de sa chemise.

« Il y aura des tomates ? J'aime bien la manière dont tu les avais préparées la dernière fois.

— C'est vrai ? » lui dit-elle en faisant un clin d'œil à Harry.

Elle vint embrasser Mamoon, tout en lui caressant le torse.

« Tu as aimé, *habibi*, mon amour ?

— Ce serait une bonne idée si tu préparais tout de cette manière-là.

— Je le ferai, si tu me le demandes.

— Autre chose. »

Il pointa son doigt en direction de Harry :

« Où est Alice ?

— Pourquoi ? demanda Liana.

— Ses mains me détendent », dit-il.

Liana passa ses mains sur le ventre de Mamoon.

« Pas les miennes ?

— Elle le fait de manière professionnelle.

— Je vais voir ce que je peux faire, dit Harry.

— On dirait qu'on vient de vous donner une dernière chance, dit Liana. Vous feriez mieux de terminer ce livre. On en lira des pages bientôt. Et il y a intérêt que ça nous plaise… »

23

Alice et Liana étaient assises en plein soleil sur la pelouse ; elles se passaient une boîte de glace à la vanille tout en élaborant des plans sur la façon de faire venir des jeunes à Prospects House. Le visage dissimulé sous un parapluie pour se protéger du soleil, Alice avait posé ses pieds en hauteur sur un tabouret. Quand elle n'allait pas piocher un peu de Ben and Jerry's, elle posait le dos de sa main sur son front brûlant et inquiet et soupirait longuement. Puis elle vit Harry et entreprit de se relever, ce qui n'était pas une mince affaire.

Liana faisait des listes et pensait tout haut : certains mots revenaient souvent – « artiste », « jeune », ainsi que « centre de yoga » et « résidence pour écrivains ». Mamoon, lui, ne ressemblait guère à un homme dont la maison serait bientôt ouverte au public. Assis à l'ombre, à quelques mètres de là, il travaillait sur les épreuves d'un recueil d'essais intitulé *Les Moyens et les Fins* et n'entendait pas sa femme. De temps à autre, il arrêtait de fredonner telle chanson de Everything but the Girl pour grogner et se plaindre de son manque de pertinence ; personne ne l'écoutait. Liana avait demandé que Julia s'occupe du thé, mais Mamoon l'avait accusée de chercher à l'empoisonner avec du Lapsang Souchong. Il avait beau voir que Harry faisait les cent pas devant la porte de derrière, il était joyeux. Et actif depuis quelque temps : il avait suffi d'une ou deux remarques pour que les choses bougent.

Alice était là depuis deux jours, à nager dans la rivière, à se reposer, tandis que Mamoon s'était remis au travail. Après plusieurs conversations avec Marion, Harry s'était de nouveau attelé à la tâche. Les choses étaient plus difficiles, plus frustrantes à mesure qu'il se débattait pour mettre un peu de clarté dans le chaos de ses recherches. Pendant des jours et des jours, il avait lu des lettres, écrit à des amis, des collègues, des maîtresses putatives de Mamoon, en même temps qu'il se posait la question du lien entre l'œuvre et la vie et qu'il trouvait des échos entre les deux au fil des décennies.

Rob avait tout fait pour que Harry accélère, comme Mamoon le lui avait instamment demandé. Harry avait certes été réintronisé comme portraitiste officiel, mais, ainsi que Mamoon l'avait précisé, à condition que Liana soit intraitable avec Rob désormais. Il était temps, avait-il souligné, que ce travail soit minutieusement relu par l'éditeur afin d'éviter que Harry ne s'égare ou ne mette la littérature en danger parce qu'il irait trop loin dans telle « étrange direction » ou parce qu'il prendrait trop de liberté avec son texte. Mamoon tenait à offrir une image qui lui ressemble.

Si Mamoon était passablement irrité, Rob lui-même avait dû composer avec les provocations du biographe. Pendant un certain temps, Harry n'avait prêté attention à aucun de ses messages : il prétendait qu'il était « hors réseau ». Mais, ce matin-là, ils s'étaient réveillés tard avec Alice et, en tirant les rideaux, Harry était tombé en arrêt. Rob remontait l'allée tant bien que mal, chargé d'une grosse valise et d'un sac à dos. En quelques secondes, il était dans la maison, avait ordonné à Julia qu'elle lui prépare son petit déjeuner et, quand Harry était descendu pour l'accueillir, il avait insisté pour qu'il lui montre son ordinateur portable.

Il avait commencé à lire les pages du jeune homme, à voix haute mais pour lui-même.

Harry l'avait interrompu :

« Je ne suis pas prêt, Rob. Ce sont des notes. Pourquoi est-ce que vous faites ça ?

— Liana a raison. Il faut que je sache.

— Que vous sachiez quoi ?

— Cet homme-là, c'est un artiste. »

Rob tendait le doigt là où, de l'autre côté de la fenêtre, Alice et Ruth étaient en train de tailler un arbre en suivant les instructions de Mamoon.

« Il a rencontré Borges à Paris au milieu des années soixante-dix. Ils sont allés dîner ensemble deux ou trois fois. De quoi est-ce qu'ils ont parlé ? De Kafka ? D'adjectifs ? De leurs agents ? Pourquoi tu ne nous parles pas de ça ? »

Ses doigts tambourinaient rageusement sur l'écran de l'ordinateur.

« Le talent, c'est de la poussière d'or. On peut passer au tamis un million de gens : on n'en trouvera que quelques infimes traces. L'engagement vis-à-vis du Verbe vient s'opposer à notre croyance fondamentaliste contemporaine dans le marché. Tu as oublié ça.

— Rob, je vous assure, il est abominable avec les gens ordinaires et charmant avec les monstres fascistes.

— Mets ça dans ton texte.

— Il n'est pas normal. Il m'a attaqué avec sa canne. »

Harry remonta sa chemise et révéla à Rob l'état des lieux, là où on voyait encore la marque des coups.

« Joyce n'a pas fait ça à Ellmann !

— Mon Dieu, c'est moche. Et pourtant, dit-il en reniflant, le premier imbécile venu peut être bon. Mamoon a les couilles d'être un pécheur. Liana m'a téléphoné. Elle m'a dit, entre autres, que tu ne te prenais pas pour n'importe qui.

— Elle a dit ça ?

— C'est Ruth qui lui a rapporté : Alice et toi – le grand garçon aux cheveux blonds et sa nana fashionista, grande et mince, aux cheveux platine – déambulant dans les rues de la ville avec les chiens, avec vos habits déchirés à la mode, des bottes qui font usé, déçus de ne pas trouver un endroit qui serve des *fettuccine* aux orties, dévisageant les mecs tatoués qui traînent comme si vous veniez de découvrir une tribu africaine. On m'a même raconté que vous aviez pris en photo le chien d'une des racailles locales. Il a fallu que Liana en personne présente ses excuses.

— Au chien ? »

Rob retira sa bague tête de mort avant de prendre ses marques et de gifler violemment Harry. Le fixant droit dans les yeux, il le défiait d'en faire autant.

« Dis-moi, comment ça se fait que tu ne t'es pas pris de raclées plus souvent, toi ?

— Je devrais ?

— La fête est finie. C'est le moment de vérité. »

Rob baissa les yeux vers l'écran où défilait tout le travail de Harry.

« Je suis tout à côté de toi : tu vas pouvoir respirer la moindre de mes odeurs et on va regarder ensemble ce que tu as fait ces derniers temps. Tu déprimes ? On dirait que tu es paniqué, tu as l'air triste, un peu fou. »

C'était vrai : depuis qu'Alice avait découvert qu'elle attendait des jumeaux, leur angoisse était passée en alerte rouge. Le père de Harry avait même convoqué son plus jeune fils à Londres pour qu'ils aient une discussion. C'était comme s'il avait rendu visite à un cardinal machiavélique et c'est avec joie et entrain que son père avait ressorti cette homélie selon laquelle, dans une famille, un bébé, ou pire, deux bébés, c'était comme un ouragan qui déferle sur une foule. Tout ce qui a été détruit doit être reconstruit différemment, à une échelle plus vaste : c'était le travail d'un homme, pas d'un garçon. Être père, ce n'était pas donné ; il fallait assumer ce trône, déclara l'occupant du trône. « Il y aura des problèmes », ajouta-t-il en faisant semblant de s'essuyer. Mais il était content aussi ; Harry, avec son intelligence facile et sa tendance à l'arrogance, à la dispersion et à la frivolité, surtout quand il était question de femmes, lui avait donné de bonnes raisons de penser qu'il n'avait jamais rien accompli. Il s'y était presque résigné.

Après avoir fini sa glace, Alice traversa la pelouse pour retrouver Harry. Si Rob l'avait déjà passablement éreinté, c'était son tour à elle.

Alice avait envie de vomir, se sentait au bord de l'évanouissement et elle trouvait que Harry faisait trop de bruit, qu'il était autoritaire, que son haleine sentait l'oignon, qu'il avait les doigts moites et des yeux de fouine. À l'inverse, bien sûr, il n'était pas autorisé à la trouver répugnante, même si elle se décrivait elle-même comme « un réservoir à boue ».

Elle lui toucha légèrement le dos et ils partirent faire une promenade. Elle s'inquiétait de savoir où ils allaient vivre et n'arrivait pas à dormir. Il leur faudrait, c'était le minimum, un endroit plus grand, une maison avec un jardin dans un quartier tranquille. Comment allait-elle s'occuper des enfants ? Elle allait avoir besoin d'aide car il ne pouvait pas espérer qu'elle prenne en charge la maison et les enfants pendant qu'il serait à la bibliothèque, sans aucun doute en train de boire des espressos avec des attachées de presse qui lui apporteraient des croissants.

« Je vais travailler encore plus, Alice. Mamoon le sait, gagner sa vie dans ce domaine, c'est difficile. Il faudra qu'on aille là où est l'argent, en Amérique, où je trouverai un poste d'enseignant, j'espère.

— Pour enseigner quoi ?

— Des cours de *creative writing.*

— Tu n'y connais rien. Moi, je me disais qu'on pourrait aller habiter dans le Devon.

— Qu'est-ce qu'on ferait là-bas ?

— Il nous faut un endroit calme. Un endroit où se cacher. »

Elle se mit à pleurer.

« Non seulement je suis enceinte, Harry, mais j'ai reçu des lettres inquiétantes des huissiers depuis que tu t'es installé ici. Je me suis un peu laissé dépasser par mes achats récemment. Je suis terrifiée à l'idée que quelqu'un vienne chez nous saisir ta Telecaster et la Gibson pendant que tu es à la campagne. »

De son point de vue, le seul fait d'entendre prononcer le mot « huissier » suffisait à anéantir tous ses espoirs.

« Qu'est-ce que tu leur as répondu ?

— Ne me crie pas dessus. Je vais faire attention, maintenant. Mais puisque Rob est là, je t'en prie, demande-lui qu'il te donne plus.

— Je vais le faire. Mais qu'est-ce que tu as acheté comme ça ?

— Des manteaux, des bijoux, on est sorties dîner avec des copines, et puis quelques paires de chaussures. Je te les montrerai. »

Ils avaient atteint la porte d'entrée et elle appela Julia, se doutant qu'elle serait dans les parages.

« Julia, pourriez-vous m'amener les escarpins, s'il vous plaît ? Je pense qu'ils sont dans notre chambre. »

Elle dit à voix basse :

« Julia est une fille charmante. On vient du même milieu. Elle et moi, on a vécu dans des logements sociaux avec une mère célibataire.

— C'est vrai ?

— Je pense que tu as pris ça de Mamoon mais j'aimerais bien que tu ne répondes pas à une question en en posant une autre. Tu esquives.

— Désolé.

— Tu n'avais pas remarqué Julia.

— J'étais trop occupé avec le livre.

— On est allé faire du shopping toutes les deux. Elle sait où aller en ville. Son frère pourra peut-être me donner des leçons de *kick-boxing* : pour que je prenne confiance en moi.

— Il sait comment on pratique la chose, au moins ?

— On dirait que ça t'agace ? C'est parce qu'elle fait le ménage que tu es dégueulasse avec elle ?

— Dégueulasse ?

— Harry, ce que tu peux être snob, tu sais. »

Julia revint avec deux boîtes. Alice enfila une paire de chaussures et Julia une autre paire identique. Elles se plantèrent devant Harry. Rob sortit et vit que les filles étaient en pleine séance d'exhibition.

« Je le savais, dit-il. Voilà ce que tu fais ici : tu regardes les filles. Bon, j'ai usé deux crayons entiers, c'est bon pour aujourd'hui, ajouta-t-il sans donner plus de précisions. On parlera plus tard. »

Liana conduisit Alice à la gare où elle prenait le train pour Londres. Harry les accompagna, promettant à la jeune femme qu'il allait avancer dans son travail et réfléchir à leur avenir. Il attendit le départ puis Liana le déposa au pub où Rob l'attendait. Harry voulait d'abord résoudre la question de l'argent pour pouvoir envoyer un texto à Alice et se détendre un peu.

Au pub, Rob était assis à une table d'où il pouvait observait à loisir Julia, installée au bar avec des amis. Contrairement à la plupart des gens que fréquentait Harry, Rob se sentait toujours à l'aise dans des pubs où il n'y avait rien d'autre à faire que boire et discuter.

« Merci d'être venu me voir ici, Rob, lui dit Harry. J'ai besoin d'une autre avance, l'ami. Question finances, je suis un peu coincé et sous pression en ce moment. »

Rob se mit à rire.

« Je ne peux pas envisager un autre versement tant que je n'ai pas l'assurance que tu vas aller au bout de ce travail et qu'en plus tu produiras aussi quelque chose d'original. Tu fais quoi exactement en ce moment ?

— Des entretiens. Et j'organise les choses. Mais j'ai presque tout dans la tête. »

Rob n'eut pas l'air convaincu.

« Je bataille sec pour que tu gardes ta place. Mamoon pensait que tu allais pondre un récit anodin du style *Reader's Digest* pour redorer son blason. Il n'avait pas compris que non seulement tu te pavanerais avec son pantalon sur la tête mais qu'en plus, tu lui en ferais part. Je vais peut-être finir par regretter de t'avoir embauché.

— On dirait que vous avez commis une erreur.

— En art, il y a toujours un risque.

— Mais vous idéalisez beaucoup trop les artistes, Rob. Il y a des gens plus intéressants et plus utiles.

— C'est un blasphème, ça.

— Je travaille bien, mais vous me rabaissez. Ça me perturbe. Regardez, j'ai les mains qui tremblent.

— Ne laisse pas tomber le verre que tu vas gentiment aller me chercher. Tu sais que je n'ai jamais de monnaie sur moi. »

Harry se leva.

« Au fait, lui dit Rob, tu peux me rendre un service tant que tu y es ? S'il te plaît, tu peux demander à cette fille… »

Il montrait celle qui se tenait de l'autre côté du bar.

« Julia ?

— Demande-lui si elle accepterait de copuler avec moi plus tard. Je dis ça crûment pour gagner du temps. Allez, tu vas bien nous dégotter des termes plus doux à l'oreille, toi le branleur de mots.

— Où doit-elle se rendre pour la copulation susmentionnée ?

— Qu'est-ce que tu dirais d'une veste étalée dans un champ à la lueur de la lune ? Quand je suis à la campagne, je me sens devenir tout bucolique. Mais il pourrait faire un peu frais. Et pourquoi pas ta luxueuse voiture ?

— Attendez un peu, Rob, vous avez pensé à l'impression que vous pourriez lui faire, vu que vous ne vous êtes pas rasé ni lavé depuis un moment… »

Rob l'attrapa par le col :

« De quoi tu parles ? C'est comme l'Islande ici, ils n'ont pas vu un étranger depuis des lustres. Ils font la queue pour baiser ceux qui viennent de Londres. »

Mais Julia était partie et Rob fut retenu par le verre qu'il avait commandé. Harry l'écouta trop longtemps discourir sur le monde littéraire, puis il lui dit qu'il allait rentrer. Il fallait qu'il discute avec Alice et qu'il lui parle calmement. Elle était arrivée à cette heure-là ; parfois, elle était attentive et l'écoutait vraiment.

Ce ne fut pas une partie de plaisir que de mettre Rob debout. Il avait pris une drogue nulle pour pouvoir boire plus et, maintenant, il avait l'impression que son cerveau était en perdition complète, comme une Ferrari embourbée dans une mare.

Harry aidait Rob à marcher dans la rue quand Scott et quelques copains à lui surgirent devant eux, capuches rabattues sur le visage. Les deux hommes s'immobilisèrent. Scott portait un short et, tandis qu'ils se tenaient juste sous les rares lampadaires de la rue, Harry s'aperçut qu'il avait un bracelet électronique gris à la cheville.

« Tu as dépassé les bornes. Tu as sauté ma sœur et piqué mon matos, dit Scott. Tu t'es fichu de moi. C'est quoi tout ce truc ?

— C'est qui ? demanda Rob à voix basse.

— Le frère de la sœur que tu voulais baiser.

— Ah, dit Rob tout en se penchant pour vomir.

— Quel matos ? » demanda Harry.

Scott et ses acolytes s'avancèrent. Harry s'imagina en train de flanquer une gifle au petit salopard ; il se disait que ça l'aiderait à lui remettre les idées en place. Mais Rob vacillait à ses côtés et les autres types avaient probablement des couteaux ; Harry n'arriverait pas à les prendre les trois en même temps. Et puis il avait les jambes qui tremblaient.

Scott tenait un morceau de bois qu'il balançait à bout de bras.

« Ça me plairait de tuer un nègre ce soir. Ouais, je me ferais bien un métèque. J'en vois pas, mais toi, t'es là.

— Attendez, les gars », intervint Rob.

Il avança d'un pas, laissa tomber son téléphone, que l'un des voyous écrabouilla aussi sec.

Harry s'adressa à Scott :

« Je n'arrive pas à me dire que vous possédez quelque chose qui me fasse envie au point de le voler.

— Et la dope. Dans la chambre de notre Julia. Tu penses que tu peux débarquer de Londres comme ça et nous piquer les cachetons. »

Harry fouilla dans sa poche, en sortit quelques billets de vingt et les tendit à Scott : « Combien ? »

Scott cracha un gros mollard et frotta sa tennis dedans.

« Je ne vais pas oublier que tu es bien con comme mec. »

Dans la voiture, Rob lui demanda : « Je n'ai aucune chance avec la fille, alors ? Mais, dis, tu es bien inséré, toi, ici. C'est un rien osé, non ? Ça faisait un bail que je n'avais pas passé un aussi bon moment. C'est pas l'Angleterre, ni la Grande-Bretagne dans le coin : c'est un autre pays encore, qui n'a rien à voir. Inglaterre qu'ils l'appellent, et c'est vraiment ça. » Et Rob ne cessa de scander « Inglaterre, Inglaterre, Inglaterre » jusqu'à ce qu'ils arrivent à Prospects House.

24

En art, tout ce qui est bon vient de ce que, un jour, un individu voit quelque chose de nouveau et le dit, pensait Harry. S'agissant du livre donc, l'important, c'était qu'il lui plaisait à lui. Et, même si le monde lui explosait à la figure, se dérobait soudain, se métamorphosait sans qu'il y comprenne rien, Harry savait que, pour écrire, il avait besoin de temps et de régularité. Il travaillait toute la journée et, chaque jour, en fin d'après-midi, il avait pris l'habitude de courir dans les bois, éclairant son chemin, quand il commençait à faire sombre et lugubre sous les arbres touffus, avec la lampe d'un casque de mineur que Julia avait trouvé sur un marché.

En fin de soirée, Harry n'était pas mécontent de pouvoir sortir. Il retrouvait Julia au bout de l'allée. Elle surgissait des bois, tout sourire, se précipitait dans sa voiture et les voilà qui filaient prendre un verre – elle connaissait tous les bons endroits des environs. Elle appréciait qu'ensuite il l'accompagne jusqu'à sa chambre. Elle se sentait de plus en plus assiégée par sa mère et ses prétendants remuants et, souvent, elle lui demandait qu'il lui lise quelque chose, ou qu'il l'accompagne à la guitare.

Après un avertissement sévère, Rob était parti : il avait jeté ses fringues dans une valise et pris le large, tel un poète romantique, à travers champs et forêts, franchissant des rivières, traversant des parkings, pour échouer au pub. Comme s'il croyait qu'il s'imprégnerait de la connaissance de cette campagne s'il l'appréhendait dans la souffrance. Pour fêter le départ de Rob, Harry se disait qu'il emmènerait Julia dans un restaurant indien. « Qu'est-ce que tu en dis ? »

Elle devait admettre qu'elle était contente pour les enfants qui allaient naître. Elle savait où était sa place, ne faisait aucun commentaire et acceptait ce qui lui était offert. Sa famille aussi avait toujours été du mauvais côté de la barrière. Toutefois, l'invitation à dîner la laissa un peu perplexe. Pourquoi payer un repas quand on peut manger un sandwich au thon avec un Coca à la maison ? La dernière fois qu'elle était « officiellement » sortie avec Harry, chacun avait pris un ecsta et ils étaient allés faire une partie de bowling dans une énorme salle baignée de lumière, The Hollywood Bowl, juste à la sortie de la ville, où il y avait aussi un multiplexe, un McDonald's drive et un KFC. La soirée avait été fluorescente, étincelante, comme dans un dessin animé.

Mais, en vieillissant, Harry trouvait que les drogues, ce n'était pas utile. Cette fois, ils parleraient – de quoi, il n'en avait pas la moindre idée. Pourquoi s'en inquiéterait-il ? Si aimer quelqu'un, c'est aimer discuter, au lit ils aimaient parler du corps de Julia, de ses avanies, de son poids, de la couleur de ses cheveux aussi ; et, il devait bien l'admettre, il en apprenait plus sur l'Angleterre contemporaine quand il était avec elle qu'avec n'importe qui d'autre. Quand ils étaient allongés côte à côte et que lui pensait à son livre, elle lui posait tout un tas de questions, histoire de ne pas gaspiller cette ressource précieuse qu'elle avait à portée de main.

« Harry, mon ami, commençait-elle, combien de Premiers ministres on a eus depuis la guerre ? C'était qui le meilleur ? C'est quoi le meilleur journal ? Pourquoi ? Qu'est-ce que tu penses de Canary Wharf ? Tu m'y emmèneras ? Qui était Muhammad Ali ? Pourquoi est-ce que les hommes trompent leur femme ? Tu vas me laisser tomber ? »

Ce qui la tourmentait, lui dit-elle, c'est qu'il lui faisait penser à un cirque qui s'installe en ville pendant un temps, avant de s'en aller.

« Quand toi et Alice vous partirez, j'ai franchement peur de me sentir abandonnée. Avec maman, ça s'aggrave. Il y a de plus en plus d'hommes qui viennent à la maison. Je suis toujours sur son chemin. Elle prétend que j'empêche les gens de l'aimer. »

Mais Julia aimait Harry et elle voulait lui donner quelque chose, une petite gâterie en souvenir de la gentillesse qu'il lui avait témoignée. « Ce n'est pas tous les jours que la petite amie de ton amant tombe enceinte. »

Et donc, ce soir-là, quand ils entrèrent dans ce restaurant où ils avaient fêté l'anniversaire de Mamoon, une fille apparut de derrière un paravent : Julia avait demandé à une amie de se joindre à eux. Elle était plus jolie qu'elle mais elle aussi mettait du fard à paupières, du gloss et des chaussures à semelles compensées comme si elle allait passer la soirée avec des joueurs de foot. « Je te présente Lucy, dit-elle, alors que la fille se penchait pour lui faire la bise. Toutes les deux, on voulait te féliciter. »

Lucy leur donna de la MDMA et les emmena dans un club où une femme obèse se mit soudain à vomir par terre. Julia suggéra qu'ils aillent ailleurs – pas chez elle car son frère y était peut-être, en train de se faire un tatouage sur le front avec un couteau de poche, ni chez Lucy, à cause de son gamin. Les filles étaient partantes pour qu'il les emmène dans un hôtel en ville. Ils achetèrent de l'alcool, de la cocaïne et, une fois les rideaux tirés et leurs téléphones éteints, ils n'avaient pas émergé avant le lendemain après-midi.

Mais, en fin de matinée, tandis que les deux filles dormaient à ses côtés, Harry, qui était bien réveillé, lui, se souvint de quelque chose que Mamoon lui avait dit à propos de Marion.

« La vérité, c'est que tout ce que nous désirons vraiment est soit interdit, soit immoral, soit malsain et, si tu as de la chance, les trois à la fois.

— Vous en déduisez quoi, monsieur ?

— Ne jamais renier son désir, même si on est puni pour ça. La punition, il faut la recevoir avec grâce, comme un hommage, et ne jamais s'en plaindre. »

Dans l'après-midi, Harry et Lucy attendirent Julia devant l'hôtel pendant qu'elle cherchait le soutien-gorge qu'elle avait égaré dans la chambre. Lucy l'embrassa ; il la tint serrée contre lui.

« À trois, c'est toujours la fête, dit-elle.

— Tu es irrésistible, Lucy, lui répondit-il. La nuit dernière, on s'est tellement amusés que, maintenant, tout ce que j'imagine, c'est une éternité de regrets et de récriminations.

— Parce que tu ne te seras pas éclaté plus souvent ? »

Il fouilla dans ses poches.

« Tiens, peut-être que la fermeture de l'abattoir a mis ta vie en l'air à toi aussi. »

Il lui donna une centaine de livres mais elle les lui rendit :

« Tu en auras besoin pour acheter des habits aux bébés. Ta compagne, Alice, elle va en avoir deux, c'est ça ?

— Oui, des jumeaux.

— Tu l'as su quand ?

— À l'échographie, l'autre jour, l'infirmière nous a dit : “Et voilà votre bébé… Oh, et en voici un autre. On dirait que vous en avez deux, finalement.”

— Vous allez gérer, lui dit-elle, tout en rentrant son numéro dans le carnet d'adresses de son portable. Tu es un sacré blagueur et tu ne t'es jamais senti aussi heureux qu'avec une femme. C'est comme si tu voulais nous sucer jusqu'à la moelle. Ta mère n'avait pas eu des jumeaux déjà ? »

Habituellement, il en disait le moins possible. Comme son père, il avait envie d'écouter les gens : ça lui paraissait plus sûr. Mais la drogue lui avait délié la langue et l'avait condamné à la vérité, enfin. Quand Julia sortit de l'hôtel, il commença à leur raconter que ses deux frères aînés étaient des jumeaux homozygotes et que sa mère avait été psychotique, paranoïaque. Perturbée par des voix qu'elle entendait, elle était allée se noyer dans la rivière.

« “Crains la mort infligée par les eaux”, dit le tarot. Ma mère me hante : je la vois qui flotte, telle Ophélie.

— C'est vraiment horrible, dit Julia en l'embrassant.

— C'est la mort la plus rapide : tu peux mourir en trente secondes si tu gardes la bouche ouverte. »

Il ajouta :

« Le désir de mourir, c'est un désir de quoi ? Est-ce que ma mère n'avait pas toujours suivi cette direction ? Nous, les trois garçons, on aurait pu rendre fou le premier caillou venu ; on a eu de la chance de l'avoir aussi longtemps que ça. Je dirais qu'elle était trop obéissante.

— À quoi elle obéissait trop ?

— J'imagine, à une voix fasciste qui parlait dans sa tête. Loin d'être trop dérangée, comme disaient certains, elle était trop orthodoxe. »

Lucy donna un coup de coude à Harry :

« Julia m'avait dit que tu étais bizarre.

— Si on m'a donné ne serait-ce qu'une once de folie, je vais tout faire pour en prendre soin.

— Elle m'a dit qu'au petit déjeuner, une fois, tu faisais une liste des gens dont un des deux parents s'était tué.

— Et de tous ceux que le suicide attire. Toutes les femmes qui ont couché avec Hitler – je crois qu'il y en a eu sept – se sont suicidées. Drôle de mort, avec laquelle il faut vivre ensuite. La pire des choses qui pourrait se produire a déjà eu lieu.

— Je me suis toujours demandé ce que ça donnait comme type de profil psychologique. »

Il ajouta que, lorsqu'on a un parent qui se suicide, on ne se débarrasse jamais de la peur que ce que l'on a de plus cher au monde puisse nous être retiré du jour au lendemain.

« Ce matin, pendant que vous, jeunes beautés, vous étiez en train de dormir, je me suis dit que je devrais essayer d'écrire un petit livre sur les gens qui se suicident et ceux qui les aiment. Il faut que je parle de ma mère avec mon père, que je rencontre ses amis et les auteurs qu'elle est censée avoir aimés. Ce sera moi son biographe. »

Quand la voiture de Harry s'immobilisa devant la maison, Scott, le frère de Julia, sortit dans le jardin et se planta là, fixant Harry qui restait au volant, pendant que les deux filles attendaient, sur le qui-vive, sans rien dire.

Julia murmura :

« Il joue au protecteur, mais il sait bien ce que tu es pour moi. »

Harry baissa sa vitre :

« Bon après-midi.

— Tout va bien ? » demanda le frère.

Il fit signe aux filles, qui se précipitèrent dans la maison. Lui ne bougea pas d'un centimètre. Harry essayait tant bien que mal de refermer sa fenêtre, mais il n'y réussit pas.

« Tu t'es régalé ? lui demanda Scott sans élever la voix, mais il ne put se retenir de cracher par terre.

— Oui, merci », répondit Harry.

Il se disait qu'il pourrait faire marche arrière à toute vitesse, mais que ça pourrait passer pour une forme d'impolitesse. Ils se regardèrent longuement jusqu'à ce que, finalement, le frère s'écarte du passage.

25

« Quelque chose ne va pas ? lui demanda Mamoon, assis à la table de la cuisine. Pourquoi est-ce que vous chantonnez de manière aussi enjouée ?

— Je peux mettre du miel dans votre yaourt ?

— Ce serait bien la première fois, mais merci, Harry, répondit Mamoon avec un grand sourire. Qu'est-ce qui vous rend si joyeux, biografieffé préféré ? Vous avez découvert que j'étais homosexuel, que j'avais des enfants cachés et vous allez pouvoir écrire le best-seller sulfureux dont vous avez besoin pour asseoir votre carrière de futur présentateur télé ?

— Je vais aller faire une longue promenade, réfléchir sereinement à ce qu'a été votre vie, puis je rentrerai à Londres, j'écrirai toute votre histoire d'une manière aussi dégoûtante que possible, avec Alice à mes côtés.

— Dieu merci, je ne lirai jamais ça. Et avec Liana, nous aurons enfin la paix. »

Julia entra en courant dans la pièce et jeta un grand sac sur le sol, bientôt suivi d'un deuxième.

« Désolé, j'ai dû attendre que mon frangin puisse me déposer. »

Effectivement, en jetant un œil par la fenêtre, Harry aperçut le frère et son air renfrogné, puis celui-ci tourna les talons.

« Tu es prêt ? lui demanda-t-elle. Est-ce que je peux mettre mes affaires dans ta voiture ?

— Pardon ?

— Je viens avec toi. À Londres. Alice ne t'a pas dit ?

— Non.

— Elle est vraiment grosse maintenant, fatiguée : je vais l'aider à ranger l'appartement avant que vous ne déménagiez dans votre nouvelle location. Tu seras occupé à écrire : elle dit que tu ne lèveras pas le petit doigt et qu'elle ne peut pas tout faire toute seule. Sois mignon, Harry. Et ne t'inquiète pas, personne ne dira rien. On s'entend bien. On passera de super moments ensemble. »

La dernière fois que Harry et Julia étaient sortis tous les deux, quelques jours plus tôt, ils s'étaient retrouvés dans les champs et Julia l'avait encore supplié de l'emmener. C'était maintenant, disait-elle ; il n'y avait rien qui la retenait ici. Liana était cruelle et Ruth était folle de haine envers elle-même et envers tous ceux qui gravitaient autour d'elle. Elle n'avait jamais aimé Julia, elle voulait qu'elle quitte la maison : son œil désapprobateur la déprimait et faisait fuir ses copains. Parallèlement, l'état d'esprit de Julia se dégradait ; elle rêvait que des gens essayaient de la tuer ; elle avait peur de s'endormir. « Je suis à deux doigts de devenir femme de ménage, lui dit-elle. Je travaillerai toujours, Harry, je ne serai jamais un fardeau pour toi. »

Harry lui rétorqua que ce n'était pas possible ; elle ne connaissait pas Londres, c'était une ville bien trop rapide, bien trop chère pour elle. Comment est-ce qu'elle allait survivre là-bas ? Heureusement, elle ne s'était pas arrêtée à de tels arguments.

« Qu'est-ce qui se passe ? Tout le monde s'en va ? demanda Liana en entrant dans la cuisine, sa robe de chambre balayant le sol.

— Oui.

— Même vous, Julia ? Non, sûrement pas ? Et qui fera le repassage ? Qui vous en a donné l'autorisation ?

— Je me suis donné l'autorisation toute seule comme une grande, Liana. Maman est là-haut, elle fait les chambres. Elle prendra le relais.

— Ah, non, désolée, je ne vais pas laisser passer ça ! hurla Liana. Alice n'est pas là. Mes deux filles sont parties ! La maison va me sembler froide, silencieuse comme les pierres, alors que j'adore quand il y a des gens qui parlent, quand on fait la cuisine et que ça bouge ici ! Mamoon, qu'est-ce que je vais faire ?

— Liana, qu'est-ce que tu fais, d'habitude ?

— Je m'occupe de toi. Je suis le genre qui prend soin des autres.

— Oui, tu es ma femme.

— Mais est-ce que toi, tu es mon mari ?

— Bon, écoute, Liana, si tu t'es levée du pied gauche, tu ferais aussi bien de remonter te coucher, après m'avoir préparé mon café et deux œufs durs, s'il te plaît.

— Mamoon, il va falloir que tu te poses un certain nombre de questions. Tout ce temps que tu passes seul dans ton bureau, ça n'est pas très bon pour ta santé mentale. Il t'arrive même de chanter dans ton sommeil.

— Je chante ? Quand je suis dans mon bureau, je travaille – et c'est uniquement pour toi. Au fond, qui est-ce qui fait bouillir la marmite ici ?

— Tout ce que tu fais, Mamoon, c'est te faire plaisir à toi.

— Tu dis ça maintenant, après tout ce temps, alors que tu sais pertinemment que c'est ce que je fais, ce que je suis…

— Mais je suis fatiguée de ça, *habibi*, j'ai besoin de quelque chose de plus en tant que femme. Les deux filles choisissent d'aller là où il y a de la vie ! S'il te plaît, prenons la voiture avec Harry, partons avec eux ! Sauvons-nous d'ici ! »

Au début, ces accrochages angoissaient Harry et il avait hâte que ça s'arrête. Maintenant, ils faisaient partie du paysage sonore de la campagne. Il les laissa se débrouiller et fit tranquillement le tour du verger, même s'il avait l'impression de toujours entendre leurs voix. Mais, surtout, au moment de quitter la pièce, il s'était retourné quelques secondes. Tandis que Liana, adossée à l'évier et les bras croisés, poursuivait à distance sa litanie de réprimandes, il vit Julia se diriger vers Mamoon et l'embrasser respectueusement sur la joue. L'espace d'un instant, il lui saisit le coude et il crut voir ses yeux s'embuer. C'était la première fois que Harry les voyait se toucher.

Une fois dans la voiture, lui et Julia s'engagèrent dans l'allée ; il pensait ne jamais revenir là. Dans le rétroviseur, il voyait Liana qui faisait de grands gestes, s'agitait en tous sens et se cachait le visage dans les mains ; il se disait qu'elle allait pleurer toute la journée. Quelque chose avait changé en elle : une ombre noire flottait autour de son aura.

« Comment tu me trouves ? lui demanda Julia.

— Alice t'a bien coupé les cheveux. Et tu as fait du beau boulot avec ton corps.

— J'aime quand tu admires mes seins. Je ne supporte pas quand on n'est pas collés l'un à l'autre.

— J'ai vu que Ruth nous regardait de la fenêtre du haut. Elle n'a pas fait un signe. Est-ce qu'elle est contente pour toi ?

— Elle sait que je ne peux pas rester ici.

— Elle acceptera de me parler de Mamoon ?

— Je ne sais pas. »

Elle reprit :

« Les carnets que je t'ai donnés. Ceux où Mamoon parle de la famille qu'on formait avec lui.

— Oui…

— Ils t'ont servi ?

— Tiens, mets la chanson de Little Richard, lui dit-il.

— Laquelle ?

— "I'm in Love Again". C'est ma préférée. »

Ils balançaient la tête en cadence.

Il la regarda.

« Peut-être, on pourrait s'arrêter sur la route. Se bécoter, se caresser un peu dans un chemin creux. Et, après, on se mange quelque chose au Little Chef ?

— Tu sais faire miroiter de jolies choses à une fille, toi.

— Les carnets m'ont vraiment été utiles, Julia. Ils m'ont ouvert des perspectives. Tu m'as rendu un fier service sur ce coup-là.

— Mais il me manque quelque chose pour que je sois complètement heureuse.

— Quoi ?

— Quand tu me tires les cheveux, ce n'est pas assez fort, et quand tu me prends non plus.

— Je suis un tendre, tu le sais. Je t'aime trop pour ça.

— Merci. J'étais en train de mourir. Je serais morte là-bas. Maintenant, tu n'arriveras jamais à te débarrasser de moi.

— Non, dit-il. D'une certaine manière, je pense que tu as raison. »

26

« Ah, ah ! » s'exclama Rob.

Harry était assis dans son bureau presque vide, affalé sur sa table, quand Rob surgit à la porte tel un génie, alors qu'il avait réussi à s'introduire tout seul dans la nouvelle maison.

« J'aime bien ton nouveau style, Harry : ça te va bien, les cheveux courts. Ça te donne une brutalité, une détermination à laquelle on n'était pas habitué. Et j'aime bien ici. Je peux venir m'installer ? »

Harry avait vendu son appartement et payé les dettes d'Alice ; maintenant, ils louaient une maison à un ami qui était à l'étranger. C'était spacieux mais plus près d'Acton qu'il n'était souhaitable. À un moment donné, il leur faudrait trouver quelque chose qui convienne mieux, mais Harry ne voyait pas comment ils allaient pouvoir se débrouiller. Il avait bien avancé, cependant le livre n'était pas encore fini. Les circonstances étaient assez perturbantes, dérangeantes. Il se disait que tout ce qu'il pouvait faire, c'était de continuer à travailler.

« C'est un soulagement de te surprendre assis à ton bureau, dit Rob. Je suis venu directement après une discussion que j'ai eue à ton sujet ce matin. Ma pauvre collègue Lotte, qui se remet doucement, m'a raconté qu'il y a quelques mois de ça elle t'avait croisé et qu'elle t'avait invité à passer. J'ai été impressionné par les détails qu'elle m'a donnés de la suite. »

Harry lui souffla sur un ton impérieux :

« Moins fort... Elles sont dans la maison, en train de préparer la naissance de mes gosses. De quels détails tu parles ?

— Après une fête, elle a eu la gentillesse de te proposer de venir chez elle. Mais Lotte a remarqué que tu avais demandé à un taxi d'attendre devant chez elle pour t'esquiver le moment venu. Ça l'a blessée.

— Elle habitait à Queens Park.

— Et tu lui en as cruellement voulu pour ça ?

— J'étais allé jusque-là parce qu'elle portait une robe jaune que j'adorais. Elle voulait que je voie ses seins et elle avait mis un parfum qui me plaisait. J'ai cette aptitude à trouver des qualités surnaturelles à des femmes qui n'ont rien de remarquable.

— Ce n'est pas une femme qui n'a rien de remarquable : c'est une des mieux loties question intelligence et beauté, sans parler de ses jambes de Vénus. Ça va peut-être te surprendre mais, avec toi, elle rit et elle cogite comme jamais. Malheureusement, Mamoon l'a appelée et, maintenant, c'est moi qu'il enquiquine parce qu'il veut absolument te voir. »

Harry éclata de rire.

« Quand je suis parti il y a trois semaines, il débouchait le champagne pour fêter ça.

— Je t'en prie, va lui parler ce soir.

— Psychologiquement parlant, je suis limite. Et je suis au beau milieu d'un paragraphe qui concerne sa mère, Rob.

— Demain matin ?

— Il a quelque chose de précis à me dire ?

— Ça a été atroce. Il fait des rêves de mort horribles. Il a de très beaux cadeaux pour vous deux et il a envie de te parler, honnêtement.

— Ce serait bien la première fois. Si c'est important, reprit Harry, et qu'il a des informations cruciales, je peux y aller en voiture dans quelques jours.

— Il a besoin que vous y alliez tous les deux. Surtout Alice.

— Pourquoi ?

— Mamoon dit d'elle que la campagne agit comme un calmant sur son tempérament fébrile : c'est le seul endroit où elle arrive à se détendre. Apprends à donner à une femme ce dont elle a besoin. Regarde-moi : je n'ai personne et, la nuit, il fait sombre, tout est vide et je me mets à pleurer comme une madeleine. »

Harry lui lança un regard noir.

« Alice est un peu occupée en ce moment : elle attend des jumeaux.

— Tu ne saisis pas la gravité de la situation, mec. Liana aussi m'a appelé – Miss Cœur abandonné au téléphone – pour me dire que Mamoon commençait à devenir brutal.

— Comment ça ?

— Il lui a tiré les cheveux. Elle l'a griffé. Elle lui a hurlé dessus. Il en a même pleuré de désespoir.

— Ils ont ce qu'ils méritent.

— Je n'en suis pas certain.

— Pardon ? »

Rob s'assit sur les feuilles éparpillées sur le bureau de Harry, lui prit les mains, les caressa et y déposa un baiser. Personne dans le monde de l'édition ne lui avait jamais fait ça.

« Bel homme, Mamoon a toujours travaillé à cette tâche impossible qui consiste à utiliser des mots réels pour décrire des choses invisibles. Toi et moi, on sait que le langage, c'est la seule source d'enchantement. La magie alternative – les sorts, les cristaux, les lampes que l'on frotte –, c'est une belle bêtise. Aujourd'hui, Mamoon a un béguin de vieil homme pour Alice. Contrairement à sa femme, elle le comprend, et réciproquement. Il ne l'a jamais touchée, tu le sais. C'est l'appât délicieux.

— Pourquoi est-ce que je ne vous soulève pas avec mon petit doigt pour vous balancer à travers la fenêtre ?

— Songe plutôt à tout ce qu'il pourrait lâcher comme info quand il plantera ses dents dans ce beau morceau ? Tu remarques que tu n'arrives pas à repérer l'occasion qui se présente à toi.

— Je ne suis pas encore un maquereau. »

Rob saisit à bras-le-corps toute une pile de romans récents, les jeta contre le mur en hurlant :

« Tu ne me regardes même pas ! Mais je suis en train de te dire quelque chose, espèce de termite, va.

— C'est comme ça qu'il m'appelle ?

— Je suis là pour discuter de ce que tu as fait subir à l'un des plus grands artistes de ce monde. Et de la flamme nue.

— La flamme nue ? »

Rob raconta à Harry que, quelques jours plus tôt, Mamoon, qui avait été pleinement occupé à examiner ses propres excréments (activité prisée chez les gens plus âgés) et qui se faisait une joie de passer une soirée tranquille avec une nouvelle traduction de *L'Odyssée* et un DVD sur les deux fulgurants lanceurs australiens, Lillee et Thompson, avait entendu de la musique et des glapissements. Il en fut contrarié. Il aurait tellement aimé pouvoir se boucher les oreilles. Il appela Ruth, mais celle-ci était chez elle, où elle avait déjà descendu la moitié d'une bouteille de vodka de son patron. Arc-bouté sur sa canne, Mamoon ouvrit la porte de la bibliothèque. Il crut qu'il avait ouvert la porte des enfers.

Depuis une semaine au moins, Liana ne tenait pas en place. Quand Mamoon travaillait, elle traînait au lit, se levait la nuit pour lire, envoyer des emails et déambuler dans la maison. Elle chantait, dansait toute seule, se parlait à elle-même en italien, ce qui trahissait une certaine folie, se disait Mamoon.

Et donc, cette fois-là, quand il ouvrit la porte, elle était déjà partie en live : vêtue d'une longue chemise de nuit blanche, elle bondissait à travers la pièce, tous seins dehors, un air figé de bonheur extatique sur son visage livide, telle une divinité ou un papillon. Quand il lui demanda ce qu'elle avait, elle fixa quelques secondes celui qui l'interrompait sans s'arrêter et sembla ne pas le reconnaître.

Il avança vers elle et aperçut un plateau avec des bougies par terre. Elle se pencha pour le prendre. Ses longs cheveux vinrent lécher les flammes et, tout à coup, prirent feu. L'instant d'après, elle était une bougie étincelante et, fusant de partout, un halo de feu ardent encadrait son visage. Dans sa folle danse, des flammèches voletèrent jusque sur des feuilles posées sur la table ; le vent les poussa sur son tapis vénitien préféré, qui commença aussi à s'enflammer. De la fumée s'élevait d'une couverture. Un livre se mit à brûler doucement.

Le vieil homme boitilla jusqu'à la table, s'empara d'un énorme vase qu'il renversa sur la malheureuse hystérique. Il repartit en trottinant vers la cuisine pour aller chercher de l'eau encore et il en répandit partout dans cette pièce qu'il aimait, où le feu se propageait de plus en plus, avant qu'elle ne soit réduite en cendres. Il n'arrêtait pas d'aller et de venir, il était épuisé, pleurant, jurant, arrosant tout ce qu'il pouvait.

Puis Mamoon enveloppa Liana dans des couvertures qu'il avait aspergées d'eau fraîche et il la serra contre lui jusqu'à ce qu'elle arrête de trembler. Elle avait des brûlures à certains endroits, elle devrait aussi se couper les cheveux, mais elle n'était pas grièvement blessée. Il la consola, lui donna des calmants avant de la mettre au lit. Il resta assis à côté d'elle tout en notant deux trois idées qui lui venaient pour un nouveau texte. Pendant quelque temps, elle ne fit pas la cuisine, arrêta de s'occuper de la maison. Un jour, un des épagneuls avait attrapé un canard et le tua au beau milieu de la pelouse. Elle refusa d'y toucher ; Mamoon était malade rien que de voir les traces de sang et les entrailles répandues sur l'herbe. Il fallut demander à Scott de venir.

« Tu sais que Scott fait le sale boulot sans jamais rechigner », précisa Rob.

Dans un moment de colère noire et de profonde dépression, Mamoon l'avait obligé à mettre le tapis brûlé à la poubelle.

« Et tu sais quoi ? Scott a récupéré le tapis. Il a gratté ce qui avait brûlé, l'a battu un maximum avant d'annoncer à Julia qu'elle pouvait le remettre dans la chambre. Elle va te le donner et tu l'accrocheras dans ton bureau en souvenir des mois que tu as passés à remonter les décennies, où tu as dû faire face à des miracles, à des secrets, jusqu'à ce que tu grandisses enfin. »

Mamoon avait eu quelques épisodes de vertige. Il était tombé à plusieurs reprises. Il n'y avait que Ruth pour l'aider à se relever, prendre soin de lui, lui apporter du thé et de quoi manger. Comme Harry pouvait facilement l'imaginer, son visage à la Mme Danvers et son corps cadavérique le terrorisaient.

« Tu n'aurais franchement pas envie de la voir s'approcher de toi pour te couper les ongles de pieds avec un coupe-ongles, crois-moi.

« Mamoon déteste le téléphone mais il m'a appelé plusieurs fois. Il a peur que Liana ne soit folle, qu'il ne puisse échapper à ce destin où il serait condamné à vivre avec une démente à la campagne. C'est devenu une sorte de compétition de la pulsion de mort : lequel des deux, toujours sains d'esprit, rendra l'autre fou en premier. Ils se provoquent et se maudissent continuellement. Et donc : bonjour, Harry. C'est là que tu interviens. »

Harry lui demanda si tout ça était sa faute.

Oui.

« Effectivement, Liana marmonne sans cesse au sujet de ton influence. Elle n'a pas complètement jeté l'éponge. Mais, maintenant, Mamoon est persuadé que tu l'as ensorcelée.

— Comment je ferais ça ?

— Je sais très bien comment tu t'y prendrais. Ces pilules que tu lui as données. Ces fragments d'utopie : champignons magiques and co. Tu ne vas pas le nier non plus ? »

Harry porta une main à son visage :

« Oh, mon Dieu, Rob.

— Elle a littéralement pété les plombs. À quoi tu jouais ? »

Rob secoua la tête et poursuivit :

« Le vieux a un autre dossier te concernant. »

Il se pencha vers Harry et lui murmura à l'oreille :

« Alice et Julia peuvent nous entendre ?

— Est-ce que je sais, moi ? Elles sont en train de trier des vêtements. Il y a autre chose encore ? Quelque chose de pire ?

— C'est elle : Julia. Elle est au cœur de cette affaire, et les conventions – les conventions c'est ridicule, mais pour autant, on doit faire avec. »

Harry hocha doucement la tête.

« Je te vois plus humble d'un seul coup. Bien sûr, d'un certain point de vue, c'est admirable que tu aies eu le cran de coucher avec une de ses employées juste sous son nez. Dangereux, mais Mamoon ne laisserait jamais filtrer ce genre d'info.

— Et pourquoi ?

— Il t'aime bien. Mais n'y va pas trop fort avec lui. Tu n'as pas envie que les gens, dans le monde littéraire, se mettent à bavarder et racontent que tu t'es comporté comme un monstre sous son toit ?

— Rob, je te jure, là-bas, je me traînais comme un fantôme.

— Ah, ah ! Quand tu n'étais pas déprimé, tu l'appâtais en allant provoquer sa femme pour qu'elle mouille. Tu as même réussi à la monter contre lui. Tu baisais sa femme de ménage, tu tapais dans ses bouteilles, tu mangeais ce que sa femme vous préparait, tu lui volais ses carnets, tu lui donnais des coups et tu l'accusais d'être sadomaso. C'est un comportement de fantôme, ça ? Tu vas être totalement discrédité, tu ne trouveras plus jamais de boulot nulle part. Il faudrait peut-être que tu lui donnes quelque chose – tu vois ? »

Il y eut un silence. Rob avait l'impression que Harry comprenait peu à peu ce qu'il était en train de lui dire, tel un calmant dont l'action est lente et inévitable à la fois ; et alors que, progressivement, cette prise de conscience s'emparait de lui et lui enfumait le cerveau, Rob caressait doucement le bras de son auteur.

« Bon garçon, va, lui dit Rob, vas-y, cogite, creuse-toi la tête. Tu es mon petit chou adoré. »

Alice entra, le téléphone à la main. Elle s'avança vers Rob et lui fit la bise.

« Liana vient de m'envoyer un texto. Même Mamoon a téléphoné pour dire qu'il a préparé tout un tas de choses.

— En quel honneur ? lui demanda Harry.

— Pour nous. Ce serait vraiment chouette d'arriver le matin. L'espace me manque, les paysages, l'eau. On n'est même pas obligés de rester dormir si tu n'as pas envie.

— Chérie, tu es absolument certaine d'en avoir envie, toi ?

— Tu as dit qu'il restait une personne à qui tu n'avais pas parlé pour le livre. Et tu sais que ça me donne la pêche de discuter avec Mamoon. »

Harry regarda Rob en souriant.

« D'accord, dit-il, on ira.

— Tu ne le regretteras pas. Tu n'en as pas encore fini avec cette histoire.

— Non, reprit Harry. On dirait que non. »

27

Ils arrivèrent le matin, après avoir déposé Julia chez sa mère.

Harry s'était demandé si Liana avait vraiment envie qu'ils viennent. Mais, en entrant dans la cuisine, ils s'aperçurent qu'elle s'était mise en quatre pour leur préparer un déjeuner de pâtes aux fruits de mer accompagnées d'une salade d'avocat à la mozzarella. Comme toujours, la table était particulièrement bien présentée. Liana se précipita pour les accueillir.

La conversation fut enjouée, divertissante ; Mamoon se montrait plein d'esprit mais il ne parla que de ce qu'il avait regardé à la télévision. Plus tard, tandis que lui et Alice restaient à leur place, à évoquer les cinq meilleurs puddings qu'ils avaient jamais mangés, ainsi que les lieux et les circonstances de leur dégustation, Mamoon s'interrompit pour signaler à Harry qu'il lui avait laissé un « cadeau spécial » à l'étage : « Montez : ça va vous plaire. Et gardez-le », lui dit-il.

Harry monta travailler et trouva le cadeau qui l'attendait sur le lit dans une chemise en carton : c'était un manuscrit de quatre pages d'une des premières nouvelles de Mamoon. Peu de temps après, Liana ayant enlevé sa perruque, elle apparut à la porte avec un bonnet de laine népalais qui lui servait à dissimuler ses cheveux brûlés et lui demanda si elle pouvait s'asseoir à ses côtés. Contrairement à d'habitude, elle ne chercha pas à bavarder ou à se vanter de telle ou telle chose : elle tira la langue.

« Regardez la belle couleur violette ! Et vous avez vu les cernes d'enfer que j'ai sous les yeux ? On vous a dit que j'avais pris feu, n'est-ce pas ? »

Elle avait traversé des tourments incommensurables, se traînant toute la nuit comme une malheureuse morte-vivante tandis que sa peau se recroquevillait et que ses os la faisaient horriblement souffrir. Elle s'était fait jouir trop souvent, quatre fois dans une même journée à certains moments. Elle s'était élimé le bout des doigts entre ses doux plis de chair et avait commencé à s'imaginer qu'elle pourrait se gommer tout entière de cette façon.

« Le monde virevolte sans cesse autour de moi. Qu'est-ce que je peux faire pour que ça s'arrête ? Même Mamoon tenait absolument à ce que vous reveniez. C'est la seule chose sur laquelle nous soyons tombés d'accord depuis un moment.

— Pourquoi veut-il nous voir ?

— Pour sortir de son isolement. »

Elle posa la tête sur l'épaule de Harry.

« Vous ne voudriez pas marcher un peu avec moi ? Malgré toutes vos ruses, votre détermination, j'ai toujours pensé que vous aviez du cœur et que vous aimiez les femmes. Vous m'avez écoutée sans rien demander en retour. »

Elle tenait à lui montrer que le petit jardin prenait tournure et voulait à tout prix qu'il voie la carpe et le poisson rouge qu'ils avaient mis dans la mare. Elle insista pour l'emmener jusque derrière les bâtiments en passant par la piscine qu'ils avaient enfin aménagée. C'était le début de l'automne mais il faisait étonnamment doux encore. La journée avait été magnifique.

« Je pense que nous devrions trouver Mamoon dans les parages, dit-elle. Vous savez, même s'il m'a fait plus de mal que n'importe qui, j'aime toujours l'apercevoir au détour d'un mur.

— Je croyais qu'il venait rarement dans cette partie du jardin.

— Je ne peux pas vous dire à quel point son comportement est devenu bizarre. »

Mamoon s'était pris d'un intérêt soudain pour leur piscine. De manière complètement inattendue, il avait même sacrifié une de ses journées de travail pour superviser le nettoyage entrepris par Ruth et Scott ; puis il s'était assuré qu'elle était chauffée à une température qui lui convenait, ce qu'en temps ordinaire, il n'aurait jamais fait lui-même. De manière encore plus étrange, il avait demandé à Scott de le conduire en ville pour se procurer de quoi manger et boire, mais aussi pour acheter des meubles de jardin, des chaises longues, des serviettes de bain ; et Mamoon avait bien précisé que Scott devait tout ramener à la maison dans la foulée. Liana était ravie, elle se demandait si Mamoon commençait à oublier un peu son travail.

À mesure qu'ils approchaient, Harry et Liana apercevaient Scott, torse nu, une grande épuisette à la main, qui retirait les feuilles tombées dans la piscine. Derrière lui se profilait la silhouette de plus en plus ronde d'Alice, à qui les lunettes de soleil et le maillot deux pièces blanc donnaient une allure parfaitement téméraire ; elle entrait dans l'eau avec une certaine nervosité.

Mamoon était assis non loin de là, il frappait dans ses mains, l'encourageait.

« Est-ce que c'est la bonne température ? lui demandait-il. Oui, elle doit être bonne. Allez-y ! Bien. Encore. C'est ça… »

Il se leva pour la regarder alors qu'elle entamait une série de longueurs sur un rythme lent et élégant.

« Bien, bien, dit Harry à Liana. Dieu merci, Mamoon s'est enfin décidé à utiliser cette piscine. »

Liana lui demanda s'il avait une idée de ce dont ils pouvaient discuter.

« De nombreux artistes ont une muse, lui répondit-il et, avec Alice, il a trouvé la sensualité, l'inspiration, la pin-up. Il l'écoute parler de ses rêves et il les relie ensuite à ce qu'elle a vécu. Et elle lui dit quel pantalon lui va bien.

— Vous dites qu'il l'écoute raconter ses rêves ?

— Il ne vous demande pas les vôtres ? À ses heures perdues, il est devenu une sorte de spécialiste de l'interprétation des rêves. Il a appris qu'un rêve pouvait orienter toute une journée ou la ruiner.

— En général, il me dit de m'en aller. »

Harry fit un geste dans leur direction.

« De toute évidence, ce n'est pas ce qu'il lui dit à elle. On dirait que Mamoon est prêt pour les jeux Olympiques : la manière dont il se précipite pour aller chercher cette serviette, il ressemble à un vieil enragé qui court pour attraper le dernier bus. "Haletant à jamais", comme disait Keats. Mais je ne crois franchement pas qu'il séduira Alice. Il est trop nerveux. Il a simplement envie de l'étudier du plus près qu'il peut.

— Mais pourquoi ? Pourquoi ? »

Quand Alice émergea de l'eau, elle semblait nue. Mamoon resta parfaitement immobile, une serviette sur le bras.

Harry reprit :

« Mamoon m'a dit un jour, avec beaucoup de sagesse, je trouve – et c'est un conseil que j'ai particulièrement pris à cœur –, qu'un homme aurait tort de croire qu'il doit faire l'amour à toutes les femmes qui lui font envie. »

Harry rejoignit Alice qui grelottait sur une chaise longue, il l'enveloppa dans une grande serviette et l'embrassa sur la tempe. Lui prenant la main, il s'assit à côté d'elle. Il lui tapota le ventre tout en s'adressant à ses enfants : « Salut, les jeunes, comment ça va ? L'eau n'était pas trop froide pour vous ? Quand est-ce que vous venez nous voir ? On a très envie que vous arriviez ! »

Liana s'assit à côté de Mamoon et lui attrapa la main.

« Tu as fait du beau boulot. La piscine doit être froide, mais tout est magnifique, mon chéri. Je vais nager. Tu viens avec moi ? Ce serait bien si on y allait ensemble, côte à côte, que je voie à quel point tu es fort. Mamoon, tu m'entends ? Tu vas bien ? »

Il secoua vaguement la tête.

« Dans ce cas-là, tu veux bien me regarder, mon amour, et faire attention que je ne me noie pas ? »

Pendant que Liana se changeait dans la cabine juste à côté, Harry dit à Mamoon :

« Je suis choqué de ne pas vous voir dans votre bureau à cette heure de la journée, monsieur. Vous avez fini ce que vous écriviez ? »

Mamoon regarda au loin.

« Je n'aurai jamais fini. »

Alice avait fermé les yeux et commençait à s'endormir.

« J'adore regarder Alice maintenant qu'elle est enceinte, dit Harry. Elle est encore plus ravissante : sa peau, ses yeux, ses cheveux resplendissants. »

Mamoon hocha la tête d'un air maussade.

« C'est vous qui avez dit une fois, monsieur : "Mieux vaut un livre qu'un enfant", c'est bien ça ?

— C'est vous qui l'avez inventé.

— Je crois me souvenir de l'avoir lu dans les journaux de Peggy.

— Pourquoi est-ce que vous pensiez ça ? demanda Alice, qui venait d'ouvrir les yeux. Vous n'avez jamais voulu avoir d'enfants, maestro ?

— Ne croyez pas un mot de ce que vous lisez, répondit Mamoon.

— J'ai les pieds complètement engourdis, leur fit remarquer Alice. Je me sens toute faible. Je pensais avoir plus de souffle. Les enfants me prennent déjà un peu de ma vie. »

Harry lui caressa les cheveux.

« Les livres sont des pièges : il vaut mieux un enfant qu'un millier de bibliothèques. Les histoires ne sont rien d'autre que des substituts.

— Des substituts de quoi ? » demanda Mamoon.

Harry embrassa Alice.

« De la seule vraie chose. La femme. »

Il leva les yeux.

« Ah, voici Liana qui arrive. N'est-elle pas très belle avec ce maillot de bain ? »

Il se redressa, aida Alice à se mettre debout et lui passa un bras autour de la taille alors qu'ils s'éloignaient :

« Allez, rentrons à l'intérieur : on va s'allonger un peu avant que tu ne sois complètement bleue. J'ai l'impression qu'il va pleuvoir. Et Mamoon a envie d'être avec Liana.

— Mamoon, appela Liana. Prends mon bras, chéri, et aide-moi à couler… euh, pardon, à me couler dans ces eaux. Où es-tu, mon cher époux ?

— À tout à l'heure, on vous laisse tous les deux ! » cria Harry.

28

Harry était là, dans la cour sous la pluie ; il tenait une boîte à la main. Il avait le sentiment que quelqu'un le regardait mais qu'est-ce que ça changeait ?

Ruth était venue tout nettoyer après le déjeuner, elle avait amené Julia avec elle pour aider Harry à débarrasser sa chambre. Pendant que Julia s'efforçait de trier et de ranger les papiers que Harry n'avait pas pris quand il était parti la fois précédente, ce dernier transportait le reste dans la voiture. Il traînait un peu devant la maison et quelque chose l'avait poussé à aller vérifier une ou deux citations avant de partir.

Mamoon avait souvent évité Peggy et l'avait tenue à distance, surtout au moment de l'avortement, peu de temps après qu'ils avaient emménagé dans la maison. C'était à cette période-là, apparemment, qu'il avait dit : « Mieux vaut un livre qu'un bébé. » Pour Harry, la version que Peggy donnait des premiers temps de la vie de Mamoon faisait autorité et était crédible ; et cette information sur la fin, quand elle l'avait supplié (« Si seulement mon cher mari voulait bien s'adoucir un peu et penser à m'apporter des pages à relire, il sait que c'est la chose la plus importante pour moi, et notre seul lien maintenant »), quand il était resté à son chevet, la tête dans les mains, dans un silence atroce – c'était insupportable. Le fantôme, c'est toujours celui qu'on rejette. Tandis que Harry feuilletait les journaux, il lui sembla qu'il entendait Peggy l'implorer et il lui fit la promesse qu'il raconterait son histoire – quelle qu'elle soit – aussi bien qu'il le pourrait, parallèlement à celle de Mamoon.

« Harry ! »

Mamoon se tenait dans l'embrasure de la porte de la cuisine quand Harry revint vers la maison. Il enleva les écouteurs qu'il avait en permanence dans les oreilles pour écouter la musique qu'Alice lui envoyait.

« Qu'est-ce que vous faites là-bas ? Vous allez encore vérifier ce que Peggy a écrit ? Vous avez intérêt à avoir lu ce qui vous intéressait. Tout part à l'université cette semaine. J'aurais dû le jeter au feu. Ted Hughes, que j'ai connu et que j'aimais, a eu le bon réflexe avec les journaux de Sylvia : il les a tous mis au four, après la tête de sa femme. Sinon, ces universitaires incompréhensibles ne cessent de vouloir les exploiter pour faire carrière et en tirer profit, pendant que le mari passe pour un ogre. Ils voient ce genre d'histoires comme ils en ont envie, sans jamais faire preuve d'aucune imagination. Et, le plus souvent, c'est la sexualité masculine qu'ils détestent.

— Si on discute franchement, comme vous le vouliez, dit Harry, vous diriez que vous avez des regrets ?

— J'étais loin d'être quelqu'un d'impitoyable, j'ai même été trop loyal, trop fidèle. Qu'est-ce que vous faites quand le désir est mort ? Je n'en avais plus pour elle et son désir à elle, c'était de souffrir. Si j'avais été raisonnable, j'aurais fichu le camp vite fait.

— C'est ce que vous recommanderiez, monsieur ? Quand on ne désire plus quelqu'un, on s'en va ? Je pensais à Don Giovanni. La vie sentimentale ne serait qu'une porte tambour.

— Encore une de vos caricatures. Vous ne saisissez pas la vérité ni la difficulté de la chose.

— Mais *quid* de la culpabilité ?

— La culpabilité existe, imbécile que vous êtes, et il faut négocier avec, s'y confronter. Mais qui trouverait la moindre utilité à vivre avec le cadavre d'un amour défunt ? C'est dur de trahir les autres pour ne pas se trahir soi. Peut-être qu'on peut essayer de convaincre l'autre qu'il est toujours désirable. Et, pendant ce temps-là, comme chez Proust, on se transforme en un malheureux Swann devenu myope, qui s'abaisse à ouvrir les lettres d'Odette, à l'espionner quand elle est chez elle et à passer toutes ses soirées chez ces horribles Verdurin. La jalousie survit au désir et Swann utilise cette femme atrocement vide pour remplir sa propre bouche d'excréments.

— Est-ce que je peux vous demander, monsieur, ce qui vous rend si incisif ? Vous avez une énergie dans le regard.

— Vous me voyez là. Oui, je commence à bien écrire. Je veux faire quelque chose sur le vieillissement. Écrire, c'est un plaisir simple et c'est tout ce à quoi je suis bon. »

Mamoon n'avait pas été heureux très souvent ; en fait, il avait assez peu d'expérience de réel contentement ni de joie totale. Le monde étant ce qu'il est, il fallait vraiment être un imbécile pour siffloter gaiement du matin au soir. Il pensait que ça n'avait guère d'importance, sauf quand il menait « la vie dure » aux autres. Ce que Mamoon voulait, c'est avoir été quelqu'un de créatif qui n'avait pas causé plus de dommage que nécessaire, même si les dommages étaient souvent nécessaires, tout comme la guerre et le meurtre.

Harry lui toucha le bras.

« Vous avez de la chance, monsieur. Sur la fin de votre vie, vous trouvez quelqu'un qui vous admire, qui vous aime, et qui n'a qu'une envie chaque matin, c'est de vous voir.

— Vraiment ? Qui est-ce ? »

Harry se racla la gorge :

« Liana. »

Mamoon se mit à parler de renouveau. Il avait toujours écrit de manière intuitive, une chose en amenant une autre, ce pour quoi il trouvait difficile d'expliquer ce qu'il faisait. Mais, désormais, il avait envie d'être plus conscient de ce qu'il faisait, de la manière dont il organisait son matériau. Cette nouvelle démarche l'enthousiasmait et, il en était persuadé, elle provoquerait une excitation semblable chez le lecteur. Le petit livre qu'il avait commencé à écrire, même à son âge, c'était une nouvelle direction. Il avait fait de nombreux entretiens, mais là, c'était différent : conversations intergénérationnelles, entre un ancien et un plus jeune. Il n'avait pas encore bien trouvé l'angle d'attaque ; il y avait un élément d'intimité qui manquait.

C'est sûr, il ne savait pas si ça allait intéresser qui que ce soit. Le marché avait changé. Aujourd'hui, il y avait plus d'écrivains que de lecteurs. Tout le monde parlait en même temps, mais personne n'écoutait, comme dans un asile.

Les seuls livres qu'on lisait étaient des livres de régime, des livres de cuisine ou des manuels d'exercices physiques. Les gens n'avaient plus envie d'améliorer le monde, ils voulaient simplement avoir un plus beau corps.

« Mais je dirai ce que j'ai à dire et, puisque ce texte n'est pas encore fini, il sera publié après le livre que vous écrivez sur moi. Au moins, de ce point de vue, je vous survivrai. »

À ce moment-là, Harry regarda sa montre.

« Mais je vous sens impatient. Est-ce que je vous empêche de profiter d'une autre extase ?

— Je veux éviter d'être coincé dans la circulation.

— Vous retournez à Londres ?

— Je pense qu'on repartira en fin d'après-midi.

— Mais pourquoi personne ne me dit rien ? »

Mamoon mit un terme à la discussion en congédiant Harry d'un geste de la main. Il appela Julia en criant, lui demandant d'amener immédiatement du thé dans son bureau et d'aller chercher Alice dans le jardin. Ils allaient avoir, dit-il, une discussion. Julia transmit à Alice avant de partir rendre visite à Lucy.

Pendant un bref instant, le silence régna dans la maison. Harry se rendit compte qu'il était « temps », mais il n'avait pas tout terminé. Il chercha Ruth, l'appela. Finalement, il la trouva dans le couloir du haut alors qu'elle rangeait des serviettes.

« Est-ce que vous voudriez bien qu'on discute un peu ? S'il vous plaît, vous voulez bien ? » lui demanda-t-il.

Elle posa les serviettes. Elle avait peur, comme si était venu le moment où ses péchés seraient révélés à tous.

« Ce serait pour parler de tout, continua-t-il. Est-ce que je peux vous emmener quelque part pas trop loin ? »

Elle était pâle et serrait l'une contre l'autre ses mains tremblantes, comme si elle priait. Mais elle acquiesça et se dépêcha de sortir de la maison juste avant lui, craignant peut-être qu'on ne la surprenne. Ils se rendirent dans un salon de thé des environs.

Harry prépara son magnétophone et son carnet, l'invitant à parler de Mamoon et, comme elle ne disait rien, il lui tendit un billet de cinquante livres.

« Personne ne m'a jamais rien demandé, dit-elle. Je me disais, est-ce qu'il est si malin, ce Harry, qu'il ne pense pas à interroger la personne la plus évidente, celle qui a tout vu ?

— Depuis le premier jour, s'il vous plaît, dit-il. Comment vous vous êtes rencontrés. »

La discussion prit un certain temps, elle en sortit écorchée vive. Elle s'était occupée de Peggy quand elle était malade ; elle avait été là pour Mamoon quand il était en plein désespoir. Il avait couché deux fois avec elle, après qu'elle s'était glissée dans son lit sans qu'il lui demande de s'en aller. « Il ne pouvait pas m'aimer, dit-elle, mais, question plaisir et sentiment, j'étais célibataire. Enfin, vous ne connaissez rien de ce que c'est que d'échouer ou de ne rien avoir. »

Ensuite, la jeune mariée, Liana, avait atterri dans la cour. Ruth savait que, si elle ne voulait pas perdre sa place, il fallait qu'elle défasse les bagages de Liana sans rien dire. Elle savait que, maintenant, les femmes faisaient carrière et avaient « tout ce qui va avec », mais elle n'avait jamais pu changer de situation. Elle se trouvait là où elle était avant, en pire et en plus âgée, ça ne faisait pas de doute ; les Noirs avaient plus d'occasions de s'en sortir, les Somaliens avaient de meilleures conditions de logement : ils trônaient sur des coussins en or et mangeaient du caviar avec des cuillères en platine. Rien ne s'était arrangé pour elle, ni pour ceux de sa classe sociale, et elle aimait boire un coup, c'était tout.

Tandis que Harry rangeait ses notes, elle lui demanda :

« Est-ce que je serai vraiment dans le livre ?

— Bien sûr. »

Elle applaudit.

« Et vous direz qu'il m'a aimée tout ce temps ?

— Vous n'avez pas d'histoire en tant qu'amants, Ruth. Il est parti en Europe.

— Exactement – parce que je lui avais dit que Peggy était peut-être la personne la plus douce avec qui parler, mais qu'elle avait été un vampire pendant toutes ces années, buvant sa vie comme du sang, l'accablant de plaintes et de culpabilité. Et il y avait des matins, après la mort de cette femme, il était si sombre que j'avais peur qu'il aille se pendre dans la grange. Je me disais que je le retrouverais mort. Et donc, il est parti. Et puis Liana s'est insinuée en lui et l'a obligé à s'éloigner de nous pour toujours. »

Elle se pencha vers Harry pour souffler à son oreille :

« Il regrette. Pour moi, au début, c'était la meilleure période de ma vie. Ces moments-là, ce sont des souvenirs extraordinaires. Il sait qu'il aurait pu être heureux avec nous trois seulement, cette famille qui l'adorait. Je sais qu'il nous aime toujours et qu'il a toujours envie de nous voir. Peut-être que Liana devrait avoir un accident. »

Ruth lui prit les mains dans les siennes.

« Il y aura des photos ? Si j'en trouve une, de Mamoon et de nous tous, dans le jardin, tellement heureux, vous me promettez que vous la mettrez dans le livre ? Est-ce que Liana s'y opposera ?

— Laissez-moi y réfléchir », dit-il.

Alice lui avait envoyé un texto pour lui suggérer de rester une nuit de plus parce qu'elle ne voulait pas rentrer avec le mauvais temps qui s'annonçait. Harry n'était pas très emballé, mais il se disait que ce ne serait pas vraiment un problème du moment qu'il pouvait commencer à mettre noir sur blanc ce que lui avait raconté Ruth. Il la raccompagna chez elle ; elle pleurait et il l'aida à marcher jusqu'à sa porte, pour la confier à Scott.

« Vous m'avez vidée, disait-elle entre ses larmes. J'ai perdu mes batailles face à la vie, n'est-ce pas ? Qui s'occupera de moi quand je serai vieille ? »

Quand Harry descendit de la voiture, il resta un temps immobile dans la cour. Il entendit une voix qui criait : c'était Liana. La réponse de Mamoon ne tarda pas : il y avait de la colère dans le ton brutal. Harry était sûr d'entendre des objets qu'on fracassait par terre. Il se dépêcha de rentrer et découvrit que, contrairement à d'habitude, la porte du bureau de Mamoon était ouverte ; Alice avait dû reculer sous la pluie, la main plaquée sur la bouche.

À l'intérieur, Liana se tenait devant le bureau de Mamoon. Elle avait déjà fait valser verres de vin sales, tasses pleines de stylos, CD, journaux, tout en disant ses quatre vérités à Mamoon, qu'il était un salaud, un fils de pute.

« Tu me tues avec ta folie furieuse de vouloir tout casser ! lui dit-il.

— Pourtant, tu as l'air suffisamment solide pour recevoir une fille ici.

— La recevoir ? Mais on parlait de choses importantes, qui concernaient mon travail, sa vie. »

Liana s'empara de la canne à tête de lapin et s'avança vers lui.

« Pourquoi est-ce que je ne me servirais pas de cette canne pour t'imprimer quelques mots sur le front ? Je vous entendais rire tous les deux depuis la cuisine – pendant que je te prépare ta soupe préférée aux panais et aux épices ! Tu disparais pour faire l'artiste, tu me laisses toute seule toute la journée ! Tu m'interdis formellement l'accès de cette pièce. Et tu la laisses entrer, elle.

— Elle est comme ma propre fille – pour toi aussi ! Tu le sais pertinemment.

— Sale dégueulasse, qu'est-ce qui cloche avec moi, pourquoi est-ce que je ne peux pas être ta fille ? Et après, tu me reproches mes discussions avec Harry !

— Je t'ai reproché ça, moi ?

— Tu m'accuses de flirter comme si j'étais une poissonnière, de bomber le torse pour faire ressortir mes seins ! Et puis, pour finir, tu me refuses délibérément, cruellement ce dont j'ai le plus envie.

— Qu'est-ce que tu dis, Liana, s'il te plaît ? Tu sais que je ferais tout pour toi !

— Une maison à Chelsea ! Mais tu es trop pingre pour lâcher ton argent.

— Si tu fais monter ma pression, je te colle une bonne gifle sur ton visage gras ! Espèce de connasse, tu n'entends rien à rien ! Ton aura va se retrouver dans le caniveau en un rien de temps.

— Tu n'as pas les couilles.

— Va-t'en !

— Qu'est-ce que tu viens de dire ?

— Non, non, Liana, je suis désolé ; tu sais que, même si je trouve que tu es irritante, je t'aime, dit-il en lui tendant les bras par-dessus son bureau.

— Si tu m'aimes, lui répondit-elle en reculant, tu diras oui à ma proposition. Il y a quelques semaines, j'étais en train de danser sur Abba avec Alice dans la grange. Julia faisait le DJ. On était comme dans une transe. J'ai eu un flash. Je vais écrire un livre de développement personnel. »

Mamoon eut l'air effaré mais, étant donné les circonstances, il ne pouvait que continuer à l'écouter.

« Ce sera un livre sur moi, sur mon histoire.

— Qu'est-ce que tu as exactement comme histoire ?

— Tu ne vois pas ? »

Quand il secoua la tête, elle se pencha par-dessus le bureau.

« Une femme séduisante, fougueuse, s'empare du cœur d'un pilier du monde des arts, elle fait redémarrer sa carrière tout en gérant son ego impossible, il revient sur le devant de la scène, plus incontournable que jamais, tandis qu'elle s'occupe de leur propriété à la campagne.

— Cette histoire que tu racontes est miraculeuse, et son héroïne est un vrai parasite. Où est le développement personnel là-dedans ?

— On y trouvera de bons conseils sur les trucs pour séduire un homme et s'en faire épouser.

— C'est vrai, tu t'es essentiellement servie de moi pour l'argent.

— Si seulement c'était le cas, dit-elle. C'est ce que les gens m'avaient conseillé de faire. »

Liana se tourna vers Harry :

« Vous n'aviez pas dit que mon livre démarrait de façon remarquable, Harry, quand je vous l'ai montré il y a quelques semaines ?

— Eh bien, oui, mais je n'ai fait que jeter un coup d'œil rapide, Liana…, commença Harry.

— C'est donc vrai que cette manière que vous avez de tout polluer s'étend aussi loin ? lui lança Mamoon.

— Tu me déprimes, Mamoon. Qu'est-ce que tu cherches au fond ? » lui demanda Liana.

Elle regardait le bureau, tout comme Harry d'ailleurs, qui remarqua un carnet ouvert par quelques galets ramenés de la plage. Juste à côté, des pages blanches couvertes de l'écriture de Mamoon.

« Donne-moi ce journal, que je puisse le lire, lui ordonna-t-elle. On va le parcourir ensemble. Nous n'avons pas de secrets l'un pour l'autre, exact ? »

Il renâcla tout en riant. Mais pas pour longtemps. Liana saisit une tasse pleine de thé que Julia ne cessait d'apporter à Mamoon tout au long de la journée et en renversa un peu sur son journal et le reste sur les autres feuilles. Ils regardèrent les mots de l'écrivain se dissoudre sous leurs yeux et disparaître dans une petite flaque avant de goutter par terre.

Liana prit appui sur le bureau et essaya de s'y asseoir.

« Je ne suis pas une de tes fans et je n'ai aucune envie de n'être rien d'autre que l'épouse suceuse qui fait les courses ! Je vais m'installer ici, à côté de toi. Tu pourras me conseiller sur les meilleurs mots à employer.

— C'est franchement risible : nous, côte à côte comme des enfants à l'école. Je ne remettrai plus les pieds ici.

— Où que tu ailles, je serai à tes côtés.

— Dans ces conditions-là, je me tuerai. »

Elle eut un rire sauvage.

« Tu n'en auras pas le courage.

— Si c'est pour m'éloigner de toi, j'en suis capable. »

Elle prit un caillou dont il se servait comme presse-papiers.

« Pourquoi est-ce que je ne t'encastre pas ça en pleine figure ? »

Elle le lança même, et pas à moitié ; il leva le bras et la pierre rebondit plus loin. S'il ne s'était pas mis à rire, elle ne se serait pas approchée pour le gifler. Elle avait dû l'égratigner avec une de ses bagues : d'un seul coup, le sang jaillit sur sa joue et il cria quand il comprit qu'elle l'avait blessé.

Après ça, elle s'était enfuie hors de la grange et avait couru à la maison. Mamoon clopinait derrière elle, un mouchoir appuyé contre son visage, tandis que Harry et Alice lui emboîtaient le pas.

À l'intérieur, Liana se précipita à l'étage en hurlant :

« Laissez-moi tranquille, bande d'arnaqueurs ! Le premier qui me suit, je me tue ! »

29

Une fois dans la cuisine, Alice guida Mamoon jusqu'à l'évier. Elle tamponna sa joue ensanglantée, nettoya la plaie et lui mit un pansement. Harry brancha la bouilloire et prépara du thé. Il essaya de croiser le regard d'Alice pour lui faire comprendre que ce serait peut-être le moment de partir, mais il se disait aussi qu'ils ne pouvaient pas s'en aller avant que cette dispute soit réglée.

Mamoon était contrarié mais pas anéanti ; il en avait vu d'autres. Plus tard, il déboucherait du champagne pour elle. Tout rentrerait dans l'ordre. Jetant un œil au carnet que Harry avait partout avec lui, il déclara :

« J'espère que vous ne rédigez pas ça dans un mauvais anglais, pour nous faire passer pour des fous.

— Maestro, je veillerai à ce qu'il n'en fasse rien, lui dit Alice.

— Je suis désolé que Liana vous en veuille, Alice.

— Elle m'en veut ? Est-ce que c'est ma faute alors ? Harry, s'il te plaît, dis-le-moi, si c'est le cas. »

Liana descendit l'escalier, une valise à la main.

« J'ai mis mon collier de crânes – je le déteste. Mais je vais prendre la porte et salut ! Alice, s'il vous plaît, vous voulez bien retenir les chiens. »

Mamoon se précipita vers elle et la prit par le bras.

« Liana, je t'en supplie, ça va trop loin.

— Oui, qui changera les piles de ta brosse à dents ? Qui massera ton pied blessé ? Qui te donnera tes médicaments ? Tu vas mourir ici tout seul. Tu crois vraiment que ces jeunes exploiteurs tiennent à toi ? »

Elle tira la valise jusqu'à la porte.

« Je vais rejoindre ceux qui m'aiment et qui m'apprécient.

— Qui, par exemple ?

— Tu peux avoir Alice, espèce de vieil imbécile, mais tu es trop bête pour te rendre compte à quel point elle t'a utilisé !

— Qu'est-ce que tu racontes !

— Harry lui avait demandé de te faire avouer des choses que tu n'avais jamais faites avec Marion : je le tiens de Rob.

— Vous n'avez pas fait ça, Alice ? lui demanda Mamoon, soudain désorienté.

— D'une certaine manière, si, reconnut-elle.

— Chère enfant, je n'arrive pas à vous imaginer faisant une telle chose. Harry devait être derrière. Ne vous en faites pas, je lui ferai payer.

— Pourquoi vous ne vous asseyez pas, Liana, proposa Harry, qu'on en discute ?

— Oui, insista Mamoon. S'il te plaît, Marion, je veux dire, Liana, tu t'énerves trop ! »

Mamoon essaya de lui reprendre la valise, mais elle le poussa. Il se cogna contre la table, se retourna, plié en deux, avant de s'effondrer.

« Oh, mon Dieu, Mamoon ! fit Alice en allant vers lui. Votre dos !

— Vous voyez, vous voyez ! s'écria Liana. Donne-moi les clés de la voiture maintenant !

— Jamais.

— J'irai à la gare en prenant par les champs, dit-elle en franchissant la porte avant de disparaître sous la pluie. Adieu à jamais !

— Ne la laissez pas s'en aller, dit Mamoon à Harry.

— Qu'est-ce que je peux faire ?

— Il fait noir déjà. Imaginez qu'elle tombe dans la mare et qu'elle se noie ! Ramenez-la !

— J'y vais », dit Alice, et elle sortit.

Harry dut lui courir après alors qu'elle se dirigeait vers le chemin qui menait à la route. Il pleuvait fort, le vent soufflait, mais il l'entendait qui appelait Liana de toutes ses forces. Il ne lui fallut pas longtemps pour retrouver la jeune femme. C'était sa priorité. Il fallut qu'il l'oblige à retourner à la maison, tout en lui demandant de rester calme. Mais il n'entendait rien qui indique la présence de Liana.

Alice était trempée jusqu'aux os et, quand Harry l'eut fait rentrer, il trouva une serviette et alla lui chercher des vêtements chauds. Puis il amena une couverture pour Mamoon.

« S'il vous plaît, restez allongé sur le canapé. Liana va bientôt revenir.

— Si vous emmenez Liana en repartant à Londres, je vous tuerai sans hésiter. »

Harry aida Mamoon à s'installer confortablement :

« Monsieur, je vous assure qu'elle ne voudra pas nous suivre.

— Elle n'arrête pas de parler de vous, dit Alice. Si elle ne vous aimait pas autant, elle ne se mettrait pas dans un tel état. Elle essaie simplement de vous faire peur.

— J'ai peur, et j'ai froid, et aussi j'ai des palpitations. »

Alice trouva les tranquillisants qu'il prenait habituellement et lui apporta un verre d'eau.

« Cette fois, je vais vraiment y passer », conclut-il. Il s'était mis à sangloter. « Je n'en peux plus. Vous n'allez pas me laisser ici comme ça, n'est-ce pas ? Où est Ruth ? Qu'est-ce que je vais manger ? Qui s'occupera des animaux ? »

Harry avait déjà téléphoné à Julia qui lui avait assuré qu'avec sa famille, ils prendraient soin de tout. Quoi qu'il arrive, elle n'avait pas envie qu'Alice et Harry soient là-bas tous seuls ; deux citadins hystériques et perturbés qui avaient peur du noir, ça n'aiderait pas vraiment. Elle connaissait le terrain de manière « intime ».

Ce ne fut pas la soirée la plus simple qu'ils passèrent dans cette cuisine ; tous trois avaient préparé le repas, puis étaient passés à table tout en s'inquiétant pour Liana. Julia, Ruth et Scott avaient pris des lampes torches et des couvertures pour partir à sa recherche. Ils ne pensaient pas qu'elle avait pu aller bien loin ; il était fort probable qu'elle était en train de tourner en rond. Mamoon refusa que Harry ou Alice le laissent seul ; il restait allongé sur le canapé, les yeux perdus au loin, ou ses paupières se fermaient et il donnait l'impression de s'assoupir.

Tout en attendant d'avoir des nouvelles, Harry redit combien Julia était compétente et fiable. Si quelqu'un devait retrouver Liana, c'était elle. Alice ajouta qu'elle leur avait été d'une grande aide à Londres. Elle souhaitait que Julia s'installe en permanence, et celle-ci était d'accord. Julia s'occuperait d'eux et des bébés pendant les dix-huit prochains mois au moins.

Harry fut surpris de découvrir cet arrangement ; il avait plutôt été d'avis que Julia retourne chez Liana et Mamoon, et vers ceux de « sa communauté ». Mais Alice était inflexible ; elle avait entendu des histoires catastrophiques à propos de jeunes filles au pair et de nounous. Elle ne voyait pas en quoi Julia ne convenait pas. Elle-même en avait envie, elle se débrouillait bien avec les enfants, et ils la connaissaient, elle et sa famille.

Il ne put l'emporter ; il était écrit qu'il devait vivre avec elles deux. Mamoon avait beau rester allongé là à contempler l'éternité, il n'était pas inconscient au point de ne pas trouver le temps d'un mini rictus.

Il fallut attendre une heure encore avant qu'ils ne localisent Liana. Sa rage l'avait entraînée assez loin mais, finalement, elle était tombée dans un fossé et c'est Scott et Julia qui la retrouvèrent, gémissant et pleurant. Elle fut transportée à l'hôpital pour un examen, et un médecin décréta qu'étant donné son état d'épuisement et toutes ses petites blessures ils feraient mieux de la garder pour la nuit. Harry conduisit Alice et Mamoon qui voulaient la voir à l'hôpital. Elle avait bien dormi et, dans l'après-midi qui suivit, il la ramena à la maison, où Alice la mit au lit. Mamoon était plein de sollicitude, de gentillesse et d'attention calme.

Le surlendemain, alors qu'Alice et Harry s'étaient décidés à partir, Mamoon s'inquiétait toujours de savoir s'il devait partager ou pas son bureau avec Liana et il demandait sans cesse à Harry ce qu'il devait faire. Il se sentait incapable de travailler avec Liana assise à côté de lui ; c'était absurde.

En allant chercher la voiture garée dans la cour, Harry tomba nez à nez avec une équipe de tournage qui déballait son matériel. Sur l'insistance de Liana, une chaîne de télévision allemande avait pris rendez-vous, semblait-il, pour réaliser un documentaire sur

Mamoon. Ils lui dirent que ce dernier avait accepté, moyennant une somme rondelette, de leur donner son avis sur de nombreux sujets contemporains auxquels il ne connaissait strictement rien.

« Il y en a un avec une feuille remplie de questions, dit Mamoon à Harry. Je crains que ce ne soit un reportage sur mon martyre. Dites-leur de s'en aller.

— Il n'y a que vous qui puissiez le faire.

— Vous embarquez tout et vous nous laissez comme ça ?

— Oui. »

À Londres, mortifiée à l'idée de tout ce qu'elle avait pu provoquer, Alice resta deux jours au lit, une casquette en laine sur la tête. Harry et Julia avaient pour mission de lui apporter du jus de carotte et de la soupe, de lui tenir la main et d'écouter ses plaintes.

« Je n'avais pas imaginé qu'ils pouvaient être si vulnérables, dit Alice. Je les aime tellement tous les deux ! Ils sont devenus un peu comme des parents pour moi. Qu'est-ce que je devrais faire ? Leur écrire, les appeler pour m'excuser ? Oh, mon Dieu, elle ne me pardonnera jamais… Harry, pourquoi est-ce que tu ne m'as pas mise en garde ? J'avais l'impression que ça ne te dérangeait pas que je sois avec lui. Ou est-ce que tu étais content, tout bêtement, que je te ramène des infos ? S'il te plaît, réponds-moi. Tu leur parleras ce soir ? »

Harry ne pouvait pas lui répondre. Il était content d'être loin de Prospects House. Il n'avait aucune envie de voir Mamoon ou Liana avant un moment ; il allait s'enfermer dans une pièce pendant les dix-huit prochains mois afin d'écrire son livre comme il l'entendait. Mamoon resterait Mamoon ;

Harry ne pouvait pas dire qu'il l'aimait plus ni qu'il ne l'aimait pas. Dans son esprit, il devenait quelque chose d'autre, un homme inventé, fabriqué de toutes pièces, quelqu'un qui avait vécu pour que Harry puisse écrire un livre sur lui.

30

Lors d'une soirée littéraire, Harry s'était trouvé inintéressant au possible et avait préféré ne pas se mêler aux conversations. Il trouvait plus agréable de rester dans un coin à boire et à regarder les autres. C'est alors qu'il avait aperçu Lotte. Après avoir été l'assistante de Rob, elle était partie quelque temps, elle avait voyagé, puis elle avait suivi une thérapie, avant de retourner travailler avec Rob, cette fois comme éditrice ; c'est elle qui supervisait la publication du recueil d'essais de Mamoon. Harry était content de la voir, mais il se demandait si elle aurait envie de renouer avec lui après l'incident de Queen's Park. Elle rit en disant que Rob avait exagéré. Elle était contente elle aussi de retrouver Harry et n'avait rien prévu de particulier après. Peut-être pouvaient-ils aller dîner quelque part ?

Après deux années d'écriture intense, Harry avait du temps devant lui – de longues nuits de temps libre, en fait. Il pressentait qu'il pourrait avoir beaucoup de choses à raconter à Lotte maintenant. Il avait travaillé comme jamais, s'était finalement arrêté et il attendait que Liana lise ses pages pour lui donner son avis sur la biographie, tout en se demandant s'il allait accepter le prochain boulot que Rob lui proposait.

Il avait besoin d'argent. Les jumeaux avaient tout bouleversé. Ils étaient nés avant terme, l'un des deux avait failli mourir, si bien qu'il avait dû être hospitalisé pendant un mois. Alice et Julia étaient épuisées. Quand Alice sortait, c'était avec d'autres mères et des jeunes filles au pair, et toutes parlaient de sommeil comme des drogués parlent de leur came.

Le père de Harry avait bien aimé son rôle de père, les frères de Harry aussi, et Harry lui-même s'était aperçu qu'il y prenait goût. Il sillonnait Londres, promenant les garçons des kilomètres dans leur énorme poussette. Maintenant qu'il était leur moteur, leur soutien ombilical et matériel, il n'existait presque plus que pour les servir, alors qu'ils devenaient de vrais dragueurs, des personnalités connues à qui on offrait des cadeaux dès qu'ils arrivaient dans le moindre endroit. Il aimait la bouche de ses garçons, leur chair, l'odeur de leurs cheveux – où l'on retrouvait parfois des morceaux de brocolis et des grains de maïs – comme il avait aimé tout cela chez les femmes.

Alice, dont il avait apprécié la compagnie à une époque, il y a longtemps de cela, était devenue une mère tendue en permanence, comme si elle était chargée d'un fardeau dont elle ne pourrait jamais se libérer. Le père de Harry lui avait donné rendez-vous dans son club londonien ; vêtu d'un costume assez décadent, et toujours optimiste, il lui avait dit dans un gloussement satirique que, pour la première fois de sa vie, Harry allait devenir un familier des parcs et musées de Londres au fur et à mesure qu'il perdrait cette familiarité qu'il avait entretenue jusque-là avec sa compagne et ses amis. Peu de solitudes ressemblent à la solitude d'un jeune père – Harry en avait fait l'expérience quand il s'était retrouvé à fréquenter des lieux et des gens qu'il aurait plutôt évités auparavant. Son père lui avait prédit qu'il faudrait au moins cinq ans à Alice pour émerger de l'orgie de sa maternité, mais uniquement si Harry y mettait du sien. Les garçons, phallus fascistes et hurleurs en couches-culottes, seraient les seules petites bites dont elle aurait envie. Il allait devoir attendre, s'il en avait la patience. Sur ce, son père lui avait aussi recommandé d'y aller tranquille avant de lui glisser un billet de vingt livres, geste rituel dans ce genre de circonstances, comme s'il payait un commercial. Il lui avait murmuré : « Mon garçon, fais toujours en sorte d'avoir le soutien d'une femme. Et, la prochaine fois, assure-toi de ne rencontrer que des femmes qui ont eu un bon père. »

Harry le remercia. Mais son père n'en avait pas fini :

« Autrement, avec une femme, efforce-toi toujours de trouver ce qu'on a pu lui faire subir, sinon il ne lui faudra pas longtemps pour qu'elle te le fasse subir à ton tour. Ha, ha...

— J'aurais préféré que tu me dises ça plus tôt.

— Je viens juste de comprendre où tu te fourvoyais. Je suis content de pouvoir t'aider. »

Mais la priorité et la fierté de Harry, son autre enfant, cela avait été le livre. Travaillant douze heures par jour pendant des mois, il avait bouclé un premier manuscrit correct en allant écrire dans un café à deux pas de l'appartement où ils vivaient toujours. Quand il l'avait eu rendu, Harry avait compris que Rob était un éditeur arbitraire et sadique. Le manuscrit était couvert de remarques du style « c'est de la merde », « n'importe quoi », « à améliorer sérieusement ». Au début, Harry discutait avec lui des changements et des coupes à opérer, même si le stress était horrible ;

et puis il avait laissé tomber et tout accepté, mais il se sentait encore plus mal : humilié, maltraité. Alice l'encourageait à changer ce qui était nécessaire et à résister au reste. Harry se mit à comprendre comment certains auteurs se retrouvaient affublés d'une réputation de personnalités difficiles.

Après avoir passé Harry à la moulinette, Rob déclara que sa biographie était vivante, digne de foi et qu'elle aurait son petit succès. Elle fut traduite en plusieurs langues et il était prévu que Harry supervise un documentaire télé sur Mamoon. La date de parution était encore provisoire. Rob avait demandé à Harry d'envoyer le livre à Mamoon et Liana, ce qu'il avait accepté volontiers. Harry savait que Mamoon ne chercherait pas à l'ouvrir, mais que Liana allait le passer au crible et qu'elle ne se priverait pas de faire des commentaires. Il entendait d'ici son stylo parcourir furieusement les pages.

En attendant, Harry passait le temps avec Julia qui, dans ses moments de liberté, avait découvert un Londres qu'il ne connaissait pas – Londres, cité internationale des étudiants, des réfugiés, des paumés. Ses amis venaient du Brésil, d'Angola, de Somalie, d'Inde et, quand elle sortait avec lui, elle l'emmenait dans des bus de nuit, des nouveaux bars sombres, des coins où l'on mangeait pour pas cher, écumant les rues jusque tard dans la nuit. Il aimait se retrouver dans un bus à quatre heures du matin, quand on pouvait parcourir la ville à son aise et réaliser à quel point elle était merveilleuse. Avec Julia, ils avaient cette complicité d'anciens amants qui continuaient de bien s'aimer, et elle lui était toujours aussi dévouée ; il n'avait jamais vécu un tel amour, sorte de folie dans l'irrationnel de sa fidélité.

Lotte lui prit la main et chuchota : « Je vais t'arracher à cette soirée morose. Ne t'en fais pas, tu vas nettement préférer là où on va. Il faut juste que tu m'écoutes. »

Elle lui prit la main et l'emmena à travers Berwick Street Market, avant de tourner au coin d'une rue étroite et de franchir la porte noire à moitié cassée d'une maison du dix-huitième siècle quasi abandonnée. Ils empruntèrent un escalier qui n'avait plus de tapis pour déboucher dans une immense pièce aux murs qui s'effritaient, sans décoration et dont le plancher s'affaissait. Un journaliste littéraire épuisé et un poète sans envergure étaient assis autour d'une table branlante et se faisaient servir par une femme qui aurait pu poser pour Lucian Freud. Après avoir embrassé ceux qui travaillaient là ainsi que les habitués du lieu, Lotte s'installa tout à côté de lui ; il lui caressait les cheveux pendant qu'elle déversait des milliers de mots au creux de son oreille.

Lotte était passée chez Mamoon et Liana pour déjeuner. Mamoon était encore affaibli et bouleversé après la sérieuse attaque qui l'avait terrassé trois mois plus tôt, mais il arrivait à bien mieux parler. Il avait même dit : « La mort m'avait évité jusque-là, mais maintenant je sais qu'elle me cherche car, presque tous les jours depuis, je reçois un prix qui vient récompenser l'œuvre de toute ma carrière. »

Lotte lui demanda :

« J'ai cru comprendre que tu n'étais pas allé voir Mamoon, c'est ça ?

— Il fallait que je me sente libre de pouvoir l'inventer.

— Il a traversé, Rob te l'a peut-être dit, une période de stérilité complète pendant un temps. Il détestait rester allongé sur le dos sans rien faire, il était de plus en plus déprimé. C'est Liana qui l'a remis en mouvement. Mais les nouvelles récentes sont très bonnes : malgré tous ses problèmes de santé, il vient de finir un petit livre, l'un de ses premiers depuis un moment. Apparemment, tu lui avais mis une idée dans la tête. »

Harry répondit que la seule chose dont il se souvenait, c'était d'avoir acquiescé une fois dans la cuisine à ce qu'avait dit Liana, avant d'ajouter que tous les romans tournaient toujours autour de la question du mariage et que, peut-être, Mamoon avait fait des recherches là-dessus sans même s'en rendre compte. Mamoon avait eu l'air vaguement intéressé mais, bien sûr, il n'avait pas commenté.

« C'est ça ?

— Tu ne te souviens pas ?

— Je me suis surtout focalisé sur les débuts et le milieu de sa vie. Une fois passé le mariage avec Liana, ils se sont contentés de rester chez eux, sans plus jamais faire l'amour, à se chipoter, comme tout le monde. Mais les lecteurs n'ont aucun goût pour ce genre d'histoire. »

Après le repas, Lotte dit à Harry qu'elle voulait lui montrer quelque chose. Elle l'emmena à l'appartement où elle venait d'emménager, près de Goodge Street. Tout était encore presque dans les cartons et son lit trônait au milieu de la pièce. Elle alluma des bougies. Comme il n'y avait nulle part où s'asseoir, ils s'allongèrent, tout habillés, et commencèrent à boire du whisky.

Elle lui demanda sur quoi il travaillait et il lui dit qu'il accumulait des notes pour un autre livre qu'il avait envie d'écrire sur la psychose et sur sa mère. Son père lui avait raconté que sa mère était du genre à craquer pour le premier bonimenteur venu. Il avait donné à Harry des lettres que lui avait envoyées un des écrivains dont il lui avait parlé. Harry s'était imaginé un Vargas Llosa local mais le personnage en question habitait un appartement miteux dans une tour de logements sociaux.

« Il vivait au milieu de piles et de piles de papiers moisis ; c'était un escroc à la bouche pleine de belles paroles et autres conneries qu'il débitait au kilomètre. Il disait que maman était une amante enthousiaste et ouverte d'esprit, mais qu'elle parlait trop et qu'elle ne savait pas écouter. Une fois, elle l'avait attrapé par les cheveux et lui avait claqué la tête sur un de ses genoux. Elle n'avait pas voulu le lâcher, jusqu'à ce qu'il accepte de calfeutrer ses fenêtres avec du papier journal. Il était surpris de voir que j'étais quelqu'un de si raisonnable finalement et il avait essayé de me tripoter en échange de quelques billets. J'aurais dû savoir, n'est-ce pas, qu'écrire une biographie, c'est un processus au cours duquel on perd ses illusions.

— Qu'est-ce que tu vas faire ?

— Il y a eu trop de pères, trop de vieux mecs. C'est le tour des mères folles maintenant. J'ai envie de pénétrer l'esprit des femmes plutôt que leur corps. Toi mise à part. »

Ils burent encore. Un moment, elle tapota un mince manuscrit perché sur une pile de livres.

« C'est ce dont je te parlais tout à l'heure. Mamoon : son dernier en date. »

Elle le lui mit entre les mains. Il jeta un œil sur la couverture et lut le titre, *Une dernière passion* ; il le lui rendit. Il était fatigué de Mamoon. Il lui demanda de lui chuchoter l'histoire, tout bas, en quelques mots.

« Tu es sûr ?

— Il n'arrêtait pas de dire que je n'étais rien. Il voulait que j'aie l'impression de n'être rien. Il se moquait de moi et ça m'a presque détruit. À certains moments, j'ai cru que j'allais perdre la tête. Puis j'ai eu deux enfants et je n'ai pas pu sortir de mon lit pendant des semaines. J'avais le sentiment que quelque chose allait me tomber dessus, une infection s'était nichée dans mes intestins. Ma mère et Peggy – leur fantôme – n'arrêtaient pas de me parler. J'avais envie de tuer tout le monde. Notre femme de ménage, Julia, a été la bonté incarnée. Papa m'a fait consulter un thérapeute.

— Où était Alice ?

— Elle était à droite à gauche, laissant les enfants à Julia pendant qu'elle allait voir des amis. Sinon, elle se couchait de bonne heure à cause de maux de tête et fermait la porte derrière elle. Elle avait mieux à faire que de penser à moi. Et comme je suis un garçon qui s'est élevé tout seul, j'ai refait ce que je sais faire. Je me suis forcé à me lever le matin pour extirper Mamoon de mes entrailles page après page. Passe-moi la bouteille ; et je m'en suis libéré, Lotte. Santé !

— Je ne dirais pas ça, dit-elle en le regardant. Ce nouveau livre, ça ne lui ressemble pas du tout. Il raconte l'histoire d'un jeune admirateur qui vient habiter chez un homme plus âgé, un écrivain, et qui se met à écrire un livre sur lui. Et alors, l'écrivain, en secret, commence à écrire sur le jeune homme, en même temps que le jeune homme écrit sur lui. Ce qui n'est pas courant chez Mamoon, c'est que c'est franchement drôle. Et c'est une histoire d'amour.

— Qu'est-ce que le vieux dit du jeune ?

— En fait, Harry, il est surtout question de l'amour que le plus vieux éprouve pour une jeune femme, l'épouse de son acolyte, sexy mais froide, aux cheveux vanille. Il explique qu'elle a l'immobilité d'un Modigliani. Affecté d'au moins cinq symptômes fatals sur les huit qui attestent un état amoureux, il la tient en adoration, il en fait un mythe, comme toujours dans ce cas-là. »

Il lui dit qu'elle allait trop vite. Comment est-ce qu'ils s'étaient rencontrés ?

Elle lui raconta que le vieil homme et la fille avaient commencé à passer du temps ensemble, à discuter de manière intense et franche, pendant que le jeune homme, qui traversait une phase de panique à cause de la biographie, lisait des journaux intimes et toutes sortes d'écrits qui se trouvaient chez le vieux.

C'était une histoire triste, continuait Lotte, parce que le vieil homme était tombé amoureux de la fille. Il sentait monter sa colère de la voir poursuivre ce qui lui semblait être une relation misérable avec le jeune homme. Celui-ci avait d'ailleurs essayé de titiller le vieux, de le distraire avec des histoires à dormir debout concernant toutes les femmes avec lesquelles il aurait soi-disant couché. Il fallait voir comment ce garçon inepte aimait se vanter de sa virilité infaillible ! Il disait même qu'il avait déjà couché avec cinq femmes dans une même journée. Pas étonnant qu'on l'ait surnommé Caleçon en ébullition !

« L'écrivain conseille alors à la fille de rompre avec ce voyou en rut. Et quand elle tombe enceinte, il est la seule personne à qui elle ait envie d'en parler. Pendant un temps, elle ne dit rien au jeune homme, qui se trouve être le père. Le vieux prend très au sérieux cette question de la grossesse. Ils en parlent souvent.

— Ils en parlent : mais comment ça ?

— Il n'arrête pas de se demander s'il doit lui conseiller d'avorter. C'est une vraie source d'angoisse parce qu'il regrette cet enfant qu'avec une ex, ils avaient décidé de faire passer, il y a des années de ça.

— Et alors ? l'interrompt Harry. C'est quoi la suite ? Pourquoi est-ce qu'il s'implique là-dedans, merde ? »

Lotte haussa les épaules.

« Il fallait s'y attendre, le vieil homme dit à la fille qu'elle devrait réfléchir.

— Nom d'un chien ! Quelle arrogance, ce mec ! Si je pouvais, je lui collerais une de ces claques !

— Mais c'est le vieil homme qui va frapper le jeune, avec sa canne.

« Le vieil homme explique qu'il a une certaine expérience maintenant et, de sa manière paternelle à lui, il veut s'assurer que la jeune femme qu'il aime a bien pensé à toutes les implications de la situation.

— Comme si c'était possible.

— Le vieil homme prétend aussi que le jeune homme ne peut vivre que des relations amoureuses catastrophiques, pour lesquelles il n'assume aucune responsabilité.

— Il est vraiment bête, ce vieux. J'espère que le roman le dit clairement.

— Bizarrement, non.

— Et elle accouche ? »

Lotte hocha la tête.

« Belle histoire, dit-il. J'espère que c'est tout. »

La manière dont elle le regardait semblait suggérer le contraire.

« Non, ça ne s'arrête pas là ? Qu'est-ce qu'il peut y avoir de plus ? Plus que quoi ? »

Il se mit à la fenêtre, l'ouvrit en grand et s'assit sur le rebord, respirant l'air de la nuit à longues goulées. Dehors, Londres bourdonnait. Ils pouvaient très bien retourner dans Soho, boire et danser sur du jazz. Pourquoi est-ce que cette histoire le tracassait ? Pourquoi est-ce qu'il s'était mis à l'écouter ? Est-ce qu'il ne pouvait pas plutôt enjamber la fenêtre et ne jamais revenir ?

31

« Même si ce n'est pas très haut et que, vraisemblablement, tu ne ferais que te fracasser les chevilles, je ne suis pas tranquille de te voir perché là, lui dit Lotte. Allez, viens ici, chéri.

— Pourquoi ?

— Pour écouter la fin. »

Dans son dos, il entendit sa voix qui continuait :

« Tu pensais que c'était tout, hein ? Mais, alors que le vieil homme est dans sa huitième décennie, traversant ce qu'il appelle “la crise du milieu de sa vie” ou “l'Éros du quatrième âge” – entre-temps, elle a accouché et son petit ami est complètement absorbé par son livre –, il réussit à la convaincre de le retrouver à Londres. »

Il se retourna vers elle.

« Pour quelle raison ?

— À ton avis ?

— Comment est-ce que je saurais ?

— Je te demande, Harry…

— Quoi donc, Lotte ?

— De venir t'asseoir à côté de moi, s'il te plaît. »

Il vint la rejoindre ; elle lui déposa un baiser sur la bouche et le prit dans ses bras tout en lui racontant que Mamoon avait tout fait avec délicatesse, armé de sa précision légendaire – deux cœurs isolés qui pressent le pas pour se retrouver dans un appartement quasi vide et pas chauffé de Victoria. Lui – le personnage du roman – était choqué de se sentir si soulagé, si heureux d'être avec cette femme, de se sentir de nouveau humain. Qu'est-ce qu'on peut s'aliéner de son désir quand on vieillit ! Il lui achète des cadeaux, il aime la regarder tout simplement, sa nouvelle muse. Alors qu'elle ne mettait plus que des joggings, elle s'habille exprès pour lui désormais. Il aime la regarder quand elle enlève ses chaussures et elle est contente de lui rendre ce service.

« Mais pourquoi serait-elle contente de lui rendre service ? demanda Harry.

— Quand une femme est réellement désirée par un homme, elle a toujours beaucoup de mal à lui résister. Combien de fois dans une vie sommes-nous autant adorées ? Il lui raconte que le comte Sascha Kolowrat, sur son lit de mort, avait fait venir Marlène Dietrich et lui avait demandé de relever ses jupes.

— Cette femme a fait la même chose pour le vieil homme ?

— Pourquoi ne l'aurait-elle pas fait ?

« Elle est allongée nue devant le feu de la cheminée et il la regarde. Elle pose, tel le modèle d'un artiste peintre, et il n'arrête pas de la regarder. Elle se montre à lui. Cette seule expérience, pour eux, est électrique. Il se languit de pouvoir s'exprimer, ce maître des mots, sans utiliser aucun mot. De pouvoir “être”, c'est tout, avec une autre personne. Comme un bébé satisfait quand il est avec sa mère.

— Et sa femme à lui ?

— Il l'a aimée. Mais il n'avait jamais imaginé qu'au bout d'un certain temps, ils n'auraient plus rien à se dire. Il en a fait le tour, il veut la quitter mais il ne sait pas comment s'y prendre parce que ça va coûter cher, que ça va la rendre folle, suicidaire même. De toute évidence, elle est pleinement heureuse, à faire du shopping à Londres, tandis que lui affronte une sorte de dépression.

— Pourquoi ? Quel genre de dépression ?

— Il était vulnérable : il ne pouvait retourner à sa routine quotidienne, cette prison qui le contenait jusque-là. Il se demandait sans cesse comment, même à ce stade de la vie, on peut se débarrasser de tous ces autres qu'on n'est plus pour en faire surgir de nouveaux ?

« Il les appelle Prospero et Miranda ; elle s'occupe de lui comme le ferait une fille dévouée. Elle le dessine, ils boivent du thé, ils partagent des discussions intimes sur leur vie, leur partenaire, leur avenir. Il faut qu'ils en passent par là.

— Mais quel avenir est-ce que ce couple pourrait avoir ?

— Cette fille sans substance, tel un article vaporeux au rayon du néant érotique, qui semble s'absenter d'elle-même, peut l'aider à se préparer à la mort. Il sait bien qu'elle est fuyante, insipide, mais au moins elle est sincère et elle a encore quelques années de réelle beauté devant elle. Il est persuadé qu'il a perdu son temps à faire enrager les autres, à leur donner des miettes, ce pourquoi il se sent complètement déchiré maintenant. Comme beaucoup de gens, il se dit, dans sa tête, qu'il est un meurtrier.

« Le vieil homme a été frappé par une histoire qu'il a entendue à propos d'Ingmar Bergman : alors qu'il était mourant, le réalisateur avait revu tous ses films dans l'ordre chronologique. Ce qui avait forcé l'admiration de Mamoon, qui voulait expliquer, dans un dernier souffle d'intégrité, ce que c'était qu'être vieux, ce que ça signifiait d'examiner sa vie sans ciller. Il était stupéfait de constater à quel point le passé peut être labile, comment on peut le récrire et écrire par-dessus encore, indéfiniment.

« La fille aux cheveux vanille l'encourage à s'exprimer par l'intermédiaire de ses textes, et à parler des gens qu'il a aimés. Elle l'aide même à écrire sur les gens par rapport à qui il éprouve des regrets.

— Qui donc ?

— Une femme qui vit en Amérique, je crois, à qui il doit plus ou moins des explications ou des excuses. Ce qui se passe dans cette pièce, entre l'homme âgé et la jeune femme, c'est un travail de réparation et d'expiation. C'est assez magnifique, Harry. Il parle de sa sexualité, de celle de son père, avec une curiosité nouvelle, une intuition nouvelle, comme s'il avait trouvé un nouveau sujet à explorer, malgré les années. C'est le texte le plus chaleureux, le plus émouvant qu'il ait écrit depuis qu'il a commencé à écrire.

— Je n'en doute pas. Mon Dieu, je vais devenir fou. »

Il resta silencieux un instant.

« Tu peux me dire, s'il te plaît, ce que la jeune femme trouve dans cette relation.

— Une forme d'éducation, de perspective plus complexe sur le monde. Pour la première fois, elle perçoit ce que peut être la totalité d'une vie. Elle commence à lire. Il a recommencé à écrire. Une personne peut en entraîner une autre à évoluer, tu sais. Là, avec elle dans cette pièce, ils sont assis près du feu, il lui dicte des passages de son livre.

— Et ils gardent tout ça secret ? demanda Harry.

— Cette nécessité qu'ils ressentent est d'ordre privé. J'imagine qu'une partie de cette histoire te concerne », commenta-t-elle.

Elle lui demanda ce qu'il en pensait. Il l'embrassa et s'allongea.

« Je ne sais pas encore. Il tenait à ce que je sache de quoi il retournait ? » lui demanda-t-il.

Elle hocha la tête. Il se redressa, se mit à chercher son sac, tout en lui disant qu'elle avait mené sa mission à bien.

« C'est pour ça que tu m'as invité ici ? C'est tout ce que tu attends de moi ? Je n'ai plus qu'à aller me faire foutre maintenant ?

— Je voulais te revoir, dit-elle en lui prenant les mains. Et donc, non, s'il te plaît, ne pleure pas et ne va pas te faire foutre.

— Tu en veux plus ? »

Elle embrassa ses cheveux, son front, son nez, sa bouche.

« Oui, dit-elle. Je pourrais te regarder pendant des heures, encore et encore. Plus que ça.

— Moi aussi, soupira-t-il. L'amour, il n'y a que ça de vrai. Il nous saisit toujours quand on n'est pas prêt.

— Rob m'a dit que tu étais célibataire, mais que tu habitais toujours la maison que vous avez achetée.

— Je lis un peu, je songe aux défuntes mères. Mais je suis toujours optimiste quand je suis à Paris ; tout me paraît plus attrayant une fois là-bas. On pourrait y aller quelques jours ? »

Le lendemain matin, Harry et Lotte prenaient leur petit déjeuner dans un café. Il l'accompagna à pied jusqu'à son travail. Quand ils s'embrassèrent au moment de se quitter, elle lui dit :

« J'ai une idée : voilà ce que tu devrais faire pour Mamoon et Liana. »

32

Voyager avec les enfants n'était pas une sinécure et pareilles manœuvres supposaient d'avoir bien planifié les choses en amont. Ils avaient l'intention de faire tenir ce voyage en vingt-quatre heures, suivant en cela les suggestions de Lotte. Dans la famille, Alice était connue pour ses innombrables listes, Julia pour son habileté à ranger les affaires dans la voiture tandis que Harry, comme chaque fois, se plaignait, se trompait dans les sandwichs et finissait par les avoir tous mangés avant même l'heure du départ. Quand on lui avait demandé son avis, Rob avait trouvé que c'était une excellente idée de « boucler la boucle » et, en fin d'après-midi, ils s'étaient gaiement lancés sur l'autoroute, pendant que les enfants vomissaient à l'arrière.

Liana entendit la voiture arriver et sortit dans la cour avec les chiens pour les accueillir, se tenant exactement là où Harry l'avait vue pour la première fois, quand il avait débarqué, tout tremblant et tout excité, avec Rob, ce premier dimanche après-midi. Si, à l'époque, le tempérament de Mamoon et la volonté de Liana avaient contribué à ce que tout fonctionne impeccablement, la maison et le jardin commençaient désormais à donner des signes de retour à leur état sauvage originel.

Mamoon n'utilisait plus son bureau ; Scott faisait pousser du cannabis dans la serre et louait l'ancienne grange aux « archives » qu'il avait transformée en atelier de réparations en tout genre. La cour était parsemée de pièces détachées et de voitures à moitié désossées. D'ailleurs, Scott était là avec deux de ses acolytes ; torse nu, couvert de taches de graisse, il tapait négligemment une clé anglaise contre un bidon d'huile.

Julia salua son frère, puis entra chercher sa mère pour la réconforter. Quelques semaines plus tôt, une nuit, un des amis de Ruth – peut-être un amant – en avait attaqué un autre chez elle et l'avait presque tué en le plantant avec une bouteille cassée. Il y avait eu du sang, du désespoir ; suivraient un jugement et une peine de prison. Avant qu'il n'ait sa deuxième attaque, Ruth était allée voir Mamoon, le patriarche, et l'avait supplié de lui accorder son aide, son réconfort, sa sagesse, mais il s'était contenté de lui jeter un regard empreint de pitié et d'interrogation : « Mais comment est-ce que vous pouvez vivre comme ça ? »

Liana avait subi une opération pour se faire retirer un kyste ; derrière ses verres épais, ses yeux étaient fatigués, elle ne portait ni maquillage ni bijoux, juste un jean et un sweat-shirt trop grand. Elle n'avait jamais été aussi mince ni aussi triste, disait-elle, ou si heureuse de voir ses amis et les « petits enfants » qu'elle adorait.

Après ses attaques et son infarctus, après des semaines passées à l'hôpital, Mamoon avait absolument tenu à revenir chez lui et, même si elle aussi était épuisée, Liana avait décrété qu'elle prendrait soin de lui. Elle avait chargé Scott d'installer un lit dans la bibliothèque, si bien que Mamoon, adossé à de gros oreillers et entouré de roses, pouvait voir le jardin et observer Liana quand elle y travaillait.

Avec sa sœur Whynne, Ruth s'occupait de faire sa toilette et de l'habiller ; Scott l'emmenait où il fallait tandis que Liana s'asseyait à ses côtés pour lui lire de la poésie à voix basse, ou des livres de son enfance, *Alice au pays des merveilles*, des passages de Dickens, des contes des *Mille et Une Nuits*, les pages sports et, ce qu'il préférait par-dessus tout, le Cantique des cantiques – « Mon bien-aimé est à moi et je suis à lui ; il se nourrit parmi les lis. Tu es beau, mon amour » : il disait qu'il aimait entendre sa voix et savoir que quelqu'un était là.

Alice avait très envie de voir Mamoon. La tranquillité, cette sensation d'espace et d'isolement qu'on avait à Prospects House lui manquaient ; la cuisine de Liana et ses discussions passionnées également. Malgré tout, Alice n'était pas très rassurée à la perspective de venir ; elle avait souvent eu Liana au téléphone et savait que Mamoon allait très mal, mais elle fut quand même choquée, bouleversée quand elle le vit. Elle souhaitait rester en bons termes avec Liana, et peut-être travailler avec elle dans les années à venir. Mais Liana était trop malheureuse, trop préoccupée, trop pleine de larmes pour penser à des projets. Elle était ravie de les avoir chez eux.

Arguant du fait que Mamoon l'appréciait beaucoup maintenant, Liana avait demandé à Harry de s'asseoir à côté de lui. Harry s'était exécuté, tout en s'interrogeant sur la relation qui existait entre son livre et cet homme ; il était même allé jusqu'à lui tenir la main. Leurs conversations sans concessions lui manquaient ; personne n'avait jamais été aussi dur avec lui, ne l'avait jamais obligé à réfléchir de cette manière non plus. À un moment donné, alors que Harry venait d'essuyer un filet de bave sur son menton et qu'il avait eu l'audace de sortir son téléphone pour le prendre en photo, Mamoon l'avait regardé droit dans les yeux et lui avait dit :

« Combien de temps tu peux rester, Latif ? Tu as amené tes devoirs ? Tu as fini l'histoire ? »

Dans cette maison de presque-morts, Ruth, sa sœur et Liana étaient aux anges avec les petits, ce qui laissa à Harry et Alice le loisir de refaire une promenade dans ces bois qu'ils connaissaient bien, avec les chiens, du côté de la rivière.

Alice allait prendre un appartement, et lui aussi ; Julia trouverait une chambre pas trop loin. Ils ne se parlaient pratiquement plus si ce n'est pour discuter argent, enfants, et de leurs semaines de garde. Mais, là, Harry lui demanda :

« Tu as lu le nouveau roman de Mamoon ? »

Elle secoua la tête ; il lui expliqua que, pour ce qu'il en savait, ça racontait l'histoire d'un homme âgé, amoureux d'une femme plus jeune, elle vivant déjà avec un journaliste.

« Il l'a fait, alors, il l'a écrit, ce texte dont il parlait souvent, lui dit-elle. Il est resté assis des mois dans cette pièce à fixer le mur, tous les jours, pendant que tu fouillais dans sa vie privée. Je lui disais que je comprenais ça. Moi aussi, j'ai un fonds de désespoir.

— Ah ?

— Tu m'as aidée à m'en défaire, Harry, à force de m'écouter. Je te respecte pour ça, pour ta relative stabilité aussi, pour tout le reste. »

Il la remercia. Elle continua :

« En fait, je ne croyais pas ce que disait Mamoon. Sa poubelle était remplie de feuilles de papier chiffonnées. J'en ai déjà déplié une, me disant que ça ferait un souvenir pour les enfants. Elle était couverte de dessins. Il pensait que tout était fini pour lui.

« Et tu lui posais des questions sur des choses dont il ne pouvait pas, ou ne voulait pas se souvenir – certainement pas de cette façon, en tout cas –, des questions qui lui donnaient le sentiment qu'un idiot était en train de lui reraconter sa vie comme si c'était une farce. Mais il y avait quelque chose d'autre.

— Quoi donc ?

— Il avait relu *Anna Karénine*. Il adorait Tolstoï et sa manière de comprendre le mariage, les femmes, les enfants. Il avait fait de son mieux, mais il savait qu'il n'avait jamais rien écrit d'aussi vrai, d'aussi empathique, d'aussi universel.

— Pourquoi il ne disait rien à Liana à ce sujet ?

— Il avait peur. Elle était exigeante : elle voulait plus d'amour, plus de sexe, plus d'argent. Il ne pouvait pas travailler, il ne pouvait pas lui donner toute satisfaction. Qu'est-ce qui faisait qu'entre lui et les femmes ça tournait toujours mal ? Je lui ai suggéré que ça devait être plus que bizarre, déroutant, en fait, d'avoir quelqu'un qui écrit votre vie, qui vous interroge dessus comme si vous étiez quasi mort et qui habite chez vous. C'est à ce moment-là qu'il a eu l'idée d'écrire sur toi, ton travail, et comment ça l'amenait à se regarder autrement, lui.

— Finalement, il a fourgué ses archives et une partie de la propriété. Il a loué un appartement à Londres pour calmer Liana. Comme ça, il pouvait te retrouver régulièrement dans l'appartement d'un de ses amis.

— Il est question de tout ça ?

— Liana n'était pas au courant.

— Je ne pouvais pas lui faire de mal. Elle n'aurait pas compris.

— Et moi non plus, je n'étais pas au courant. Tu m'as trompé. Tu me diras, j'ai fait pareil, d'une certaine manière.

— J'en ai assez de toi, s'exclama-t-elle brutalement.

— Moi aussi. Tu m'ennuies, tu ne peux pas savoir…

— Mais pourquoi est-ce que tu ne te barres pas, tout simplement ?

— Arrête de me taper comme ça, dit-il en lui saisissant le bras. Alice, je sais que Mamoon me trouvait médiocre… »

Elle gloussa.

« Oh oui, impatient et bouillonnant de rage. Avec un sérieux trouble de la personnalité peut-être aussi ! Est-ce que le livre raconte qu'il voulait absolument que je te quitte pour vivre avec lui ? Il adorait les massages. Sinon, je n'ai jamais eu à le toucher. Je pourrais avoir des amants. La seule chose que je devais faire, c'était lui parler.

— Pourquoi ?

— J'imagine qu'il était amoureux.

— C'était plaisant ?

— J'étais flattée, j'aimais l'attention qu'il me portait. Tu ne me donnais pas grand-chose.

— Et réciproquement.

— Il était trop puissant, trop exigeant, mais ça a été une sacrée expérience. D'être proche d'un homme comme lui, d'avoir la chance d'apprendre à penser, c'est inoubliable.

— Qu'est-ce que tu lui as répondu quand il t'a posé la question ?

— Je lui ai rappelé son engagement vis-à-vis de Liana. C'est une grande amie. »

Elle haussa les épaules.

« Je n'ai pas envie de lire le livre. Je sais que c'est une histoire. J'étais devenue son hallucination, totalement fantasmée et laissée en plan sans rien d'autre. Parfois, on en sait trop. J'ai l'impression d'avoir été hachée menu. Je ne peux plus supporter ce genre de vie dans l'immédiat surtout si la vie, c'est justement être pris dans tous ces nœuds horribles, ces cercles vicieux. Est-ce que c'est ça, Harry ? Tu en sais quelque chose, toi ? Tu ne pourrais pas me répondre pour une fois ? »

Il en avait assez entendu. Il rebroussa chemin et elle le suivit.

« J'aimerais pouvoir lui parler du nouveau projet que j'ai en vue, bien payé avec ça.

— C'est quoi ?

— C'est un cadeau de Rob : il a pitié de moi après ce qui s'est passé et il veut me faciliter la tâche cette fois. Je continuerai à travailler le livre sur Mamoon et, en même temps, je ferai le nègre pour un footballeur international qui veut publier une autobiographie. Je serai celui qui murmure à l'oreille d'un avant-centre. Je dirais sans hésiter que, dans la famille, c'est la classe maintenant. »

Mais ils ne formaient pas vraiment une famille et, de l'entendre rire, il se rappela ce que son père lui avait dit à propos de sa mère – en gros, s'il se souvenait bien : « *C'est ta mère, Harry, mais, pour moi, c'était juste une fille parmi d'autres.* » Harry se demanda si, dans vingt ans, il dirait la même chose à ses fils.

Peut-être qu'Alice se faisait la même réflexion, ou presque.

« Je suis désolée que ça n'ait pas marché entre nous. Mais on est très contents, très reconnaissants, Harry, que tu puisses tous nous faire vivre.

— Pas de problème. S'il te plaît, prends-moi dans tes bras, une dernière fois.

— Jamais. »

C'était Lotte qui avait eu l'idée qu'ils retournent là-bas pour que Harry puisse ajouter le récit de cet épisode à la fin de son livre : quelques paragraphes sur l'écrivain mourant. Peu de temps avant le dîner, Harry se tenait à la porte de la grange de Scott, là où il était resté assis des heures une loupe à la main. Les journaux de Peggy étaient partis, ils avaient été expédiés en Amérique pour être archivés, comme si Peggy elle-même avait finalement disparu. Harry les avait tous ressuscités dans son livre : il avait rendu à Peggy ce qui lui revenait, soulignant la manière dont elle avait contribué à l'œuvre de Mamoon et combien il avait eu besoin d'elle ; Ruth était là elle aussi, relançant Mamoon dans sa carrière, et il y avait de nombreux passages sur Marion et la façon dont elle lui avait finalement permis de se trouver.

Ce soir-là, ils dînèrent tous ensemble dans la cuisine et, quand enfin les enfants furent endormis, telles des chrysalides emmaillotées dans leur couverture blanche, tout le monde monta se coucher, sauf Harry et Liana. Il la regardait remuer le feu dans la bibliothèque et, au bout d'un moment, il trouva le courage de lui demander ce qu'elle pensait de la biographie, si elle y avait trouvé des choses qui lui plaisaient.

« Je me demandais quand vous alliez me poser la question, dit-elle avant de quitter la pièce pour aller chercher un papier. Je n'ai pas eu beaucoup de temps récemment, je n'ai même pas lu le dernier livre de Mamoon. Vous l'avez lu, vous ?

— Je vais le faire.

— Oui. Bon, maintenant, certaines de vos erreurs m'ont vraiment mise hors de moi », dit-elle alors qu'elle faisait passer son stylo entre ses doigts tout en lui jetant un de ses regards les plus noirs.

Il était content de voir qu'elle avait recouvré son punch.

« Je n'y vois plus très bien. Mon esprit a du mal à se concentrer. Mais, globalement, tout est merveilleux. Je m'en moque un peu maintenant – c'est vous que j'adore, Harry. Vous êtes un de ceux que je préfère. Vous aurez toujours un peu de temps pour moi, n'est-ce pas ? Alors, voilà ce que j'en pense. »

Elle mit ses lunettes. Son sang ne fit qu'un tour ; il était prêt à tout noter dans son carnet.

« Vous ne vous êtes pas donné la peine de faire des recherches très rigoureuses, n'est-ce pas ? »

Son père à elle était pharmacien ; il possédait une chaîne de magasins dans la région. C'était vrai, il avait donné son nom à un shampoing. Il était à la tête d'un club de sport privé, avec des œuvres d'art authentiques aux murs, et il avait fondé une bibliothèque. D'où est-ce qu'il tenait qu'elle ne parlait que trois langues, et pas quatre ? Elle avait toujours fait de l'équitation, ainsi que de la randonnée. Et ainsi de suite. Ça ne lui prendrait pas beaucoup de temps pour insérer ces quelques corrections.

Il sortit dans la cour où il avait passé toutes ces soirées à s'inquiéter, à s'agiter, à faire les cent pas.

« Liana s'est littéralement extasié sur mon travail, dit-il à Rob au téléphone. Elle a dit qu'il était "splendide, merveilleux". Prenez note. Et envoyez-moi des excuses et l'argent immédiatement. »

Jetant un œil derrière lui, Harry s'aperçut que Liana pleurait à la porte de la cuisine. Il mit fin à la conversation avec Rob et l'entraîna dehors dans la nuit, lui demandant ce qui n'allait pas.

« À Londres, avant qu'il ne tombe malade, quand il m'a enfin accordé ce que je souhaitais le plus au monde, grâce à vous, car je pense que vous avez beaucoup insisté auprès de lui – vous avez été gentil, vraiment très gentil, mon cher enfant –, nous nous sommes de nouveau rapprochés. Il a eu envie de dîner avec moi. »

Ils se promenaient au soleil dans des parcs ; il voulait s'acheter des vêtements et lui demandait de le conseiller ; quelque chose l'avait conduit à parler de son enfance. Un après-midi, en rentrant chez eux, il lui avait caressé les cheveux ; il ferma les yeux, la laissa le toucher, raconter ce rêve où elle tombait d'une falaise. Il lui avait dit ce qu'il en pensait, sa voix était douce comme un merveilleux baiser. Elle aurait pu le dévorer d'amour, son époux bien-aimé. Une nuit, il avait pris son sein dans sa bouche.

« Et donc, bientôt, quand j'aurai relu ses œuvres complètes, je m'installerai pour ingurgiter tout ce qu'on a écrit sur lui, y compris ce que vous avez écrit. Merci d'avoir fait en sorte que les gens se souviennent de son nom. Nous vous sommes reconnaissants, et je vous aime.

« Mais, maintenant… Maintenant, je veux qu'il me revienne, dit-elle. Où se trouve tout ça ? Je veux qu'il revienne, comme avant. Ramenez-le-moi ! La vie est trop froide sans lui ! »

33

La dernière fois que Harry vit Mamoon, ce fut à l'occasion d'un dîner fastueux donné dans une immense salle en l'honneur d'un autre écrivain. Harry ne savait même pas que Mamoon serait là ; il avait juste eu envie de passer la soirée avec Lotte, avec qui il vivait désormais.

Juste avant que tout le monde ne s'installe, Liana, très digne, la tête légèrement inclinée, avait fait son entrée dans la magnifique salle avec le vieil homme en fauteuil roulant, sanglé dans un smoking sur lequel on avait accroché les médailles venues récompenser son œuvre. Tout le monde se retourna pour regarder, chuchoter, manifester ainsi qu'ils s'étaient trouvés en présence de l'écrivain au moins une fois dans leur vie. Il n'existait pas, dans le monde entier, une bibliothèque digne de ce nom qui n'ait pas quelques titres à lui dans son catalogue, ni même un lecteur un tant soit peu averti qui n'ait entendu prononcer son nom. Quelqu'un commença à applaudir et à siffler et, d'un seul coup, tous les invités étaient debout ; Liana leva la tête pour les regarder et se mit à pleurer tandis que Mamoon remuait les lèvres sans qu'il en sorte le moindre son.

Accompagné de Lotte, Harry se dirigea vers Liana et l'embrassa. Il s'inclina devant Mamoon et lui prit la main. Harry avait écrit le livre auquel il tenait sans diffamer le vieil homme et il espérait que celui-ci en avait conscience. Mamoon n'était pas très bien rasé et il souriait de travers ; il avait les yeux vitreux. Il donna l'impression d'accueillir Harry d'une poignée de main chaleureuse, peut-être un peu faible, mais, en le regardant attentivement, Harry se demanda si l'écrivain comprenait exactement ce qu'il se passait.

Liana leur expliqua que, la majeure partie du temps, Mamoon dormait et qu'il pouvait à peine parler ou tenir un stylo. Mais, quand elle lui donnait à manger, ses yeux étaient très expressifs, disait-elle, comme lorsqu'ils s'étaient rencontrés la première fois.

C'est sûr, elle n'avait pas imaginé l'isolement qui serait le leur, ni la nécessité d'un tel dévouement et d'une telle abnégation sur une si longue période. Toute seule à la campagne avec Mamoon, Ruth et Scott, elle attendait désespérément qu'on vienne la voir ; pourquoi personne ne venait ? Elle avait eu Marion au téléphone. Comme celle-ci avait demandé à dire au revoir à Mamoon, Liana l'avait invitée à passer chez eux : elles en auraient des choses à se raconter. Pauvre Mamoon, se dit Harry, sur son lit de mort, entouré de femmes qu'il détestait. Il n'y avait pas de meilleure façon de tirer sa révérence : c'était ce qu'il aurait voulu.

Liana supplia Harry de venir passer le week-end, mais il n'avait pas envie de retourner à Prospects House avant un moment. Il avait mené à bien sa mission, rappelant à tous que Mamoon avait compté en tant qu'artiste – il avait été écrivain, faiseur de mondes, diseur de vérités fondamentales, ce qui était assurément une façon de faire changer les choses, de mener une bonne vie et de susciter la liberté.

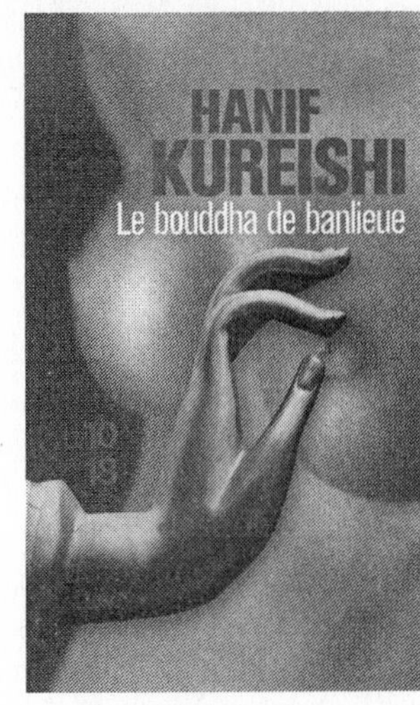

Le bouddha de banlieue

n° 2365 - 8.10 €

Londres, fin des années 1970. Karim, dix-sept ans, tiraillé par sa double origine, court après les ennuis, le sexe et la gloire. Entre un père indien et sa *british* de mère, la communauté paki en mal d'intégration et une famille en mal de repères, il peine à se trouver. Jusqu'au jour où Pa se recycle en gourou New Age, jetant son fils dans la cohue de la vie, le show-business et les expériences en tout genre...

Roman d'éducation *up tempo*, album de famille loufdingue et chronique sauvage de l'Angleterre métissée : un livre échevelé, irrévérencieux et drôle, salué par Salman Rushdie.

10/18, une marque d'Univers Poche,
est un éditeur qui s'engage pour
la préservation de son environnement
et qui utilise du papier fabriqué à partir
de bois provenant de forêts gérées
de manière responsable.

Impression réalisée par

La Flèche (Sarthe), 3008472
Dépôt légal : février 2015
X06546/01

Imprimé en France